世界覇権と日本の現実

AKIRA Nakamura

中村 明

日本の“宗主国”アメリカを操る
秘密結社、イルミナティの筋書き

花伝社

まえがき

私が共同通信政治記者として取材活動をする中で、重要な事実を知ったものの、伝えることが出来なかったことがある。それは世界最大の秘密結社、ユダヤ・フリーメーソンの存在であり、その高度な政治機構であるイルミナティ（Illuminati）の世界支配の野望に関する情報だ。どちらも秘密結社であることから、外務省の幹部に二つの組織に関する質問をしても、「〝陰謀論〟については答えたくない」との態度で同省内では触れることを嫌った。

しかし、外に場を設けて対話を進める中で、1986年5月の東京サミットで中曽根康弘首相の個人代表（パーソナル・リプレゼンタティヴ）を務めた手島昤志外務審議官は、サミット後、1985年9月22日にニューヨークのプラザホテルで開かれた日本・米国・英国・フランス・西ドイツの5カ国蔵相・中央銀行総裁会議でのプラザ合意を仕切った人たちを「通貨マフィア」と呼ぶようになり、5カ国の正式な機関でないものが円高ドル安政策を決めたことをにおわせた。プラザ合意以前に比べて、サミットが開催される頃には円がドルに対し40％以上も高くなっている状況を踏まえて、外国為替市場の在り方について建設的な議論があってしかるべきなのに、手島氏は首脳会議の主要なテーマにならなかったことも私に教えた。高度に政治的な金融問題は、外交交渉の表舞台で論議されていないことを示唆したのだ。

外務省高官の他に自民党の国会議員の中にはユダヤ・フリーメーソンのことについて詳しい人が数人いて、私は本来の仕事の傍らこうした話題について取材し、記録として残してきた。大企業に勤めている私の友人たちは外資の攻勢で大きな被害を被ったが、あまり公にしたくない、と言う人が多かった。

戦後、自民党は自由な競争社会を通じて、富を限りなく増殖することが国民生活全体の底上げにつながる、との考えを持っていた。自由競争は弱肉強食社会を必然的に生み、落ちこぼれたものは貧困から抜けられない。富の平等な分配を求める社会党と労働組合の連合体である社会党・総評ブロックの運動は一定の共感を呼び、自民党との妥協の中で労働基準法を基本に、「終身雇用制、年功序列型賃金、企業別組合」（労働組合の幹部はこれを「三種の神器」と言った）などの労働政策が生み出され、1970年代に「一億総中流」社会が出現した。北欧の社会民主主義国家とは別のやり方で、資本主義社会で中産階級を大量増出したのは、恐らく日本だけだろう。

敗戦後、米軍の占領下に置かれたとき、幣原喜重郎内閣の外務大臣を務めた吉田茂は外務省の初省議で「これからアメリカの妾《めかけ》になって生きていこう」と言ったと言われる。その後首相となった吉田は、1951年のサンフランシスコ講和条約調印で独立達成後も、日本の平和と安全を日米安保条約体制に委ねる選択をした。米軍に基地提供をする見返りに、在日米軍に日本の個別的自衛権行使の肩代わりを求めた。

冷戦時代には、警察予備隊を保安隊、自衛隊に発展強化させ、個別的自衛権行使を可能とする実力組織に成長させているが、核戦争への備えとしては、米国からの「米国が提供する核抑止力」の下で生きるように説得され、佐藤栄作首相時代に核武装を断念した。他方、米国は前方展開戦略の一環として在日米軍基地を利用して朝鮮戦争、ベトナム戦争、イラク戦争などの多くの局地戦争を戦っている。

経済・金融の分野でも中曽根康弘政権時代は、米国を自由自在に操るイルミナティの圧力を受けて、ミルトン・フリードマンの新自由主義を歪曲した形の不換ドル紙幣システムの影響が日本経済の形を歪め始めた。それが労働者の働く形も正規社員と派遣社員というような異形な形態を生み出し、雇用不安定化社会への道を開いた。

橋本龍太郎内閣時代に金融取引規制撤廃、いわゆる「金融ビッグバン」（deregulation of the world financial system）が実施され、法律や制度が米国の要求に沿って改正されたことで、大蔵省が国の内外からの資金の流れをコントロールできる時代は終わった。小泉純一郎内閣時代に郵政改革を柱にあらゆる分野で規制緩和が行われたことで、経済の日本的秩序が壊された。大きな資産を持たない金融業者、多くの中小企業経営者や庶民が、巨万の富をもって日本に乗り込んできた国際金融資本家が保有するヘッジファンド（相場操縦家）との競争で敗北し、貯えを失い、落ちこぼれていった。安倍晋三首相は米国の命令を受けて、集団的自衛権を行使可能な法整備を強行し、岸田文雄首相は防衛費の倍増を図り、日本が戦争をできる国に変貌させている。

このように、歴代の自民党政権は、アメリカの要求に応えるかたちで政策転換を繰り返してきた。米政権を操縦するイルミナティは日本に対して金融市場を全面的に開放させたことで、株、為替、債券などの金融商品や不動産取引を自由に行う環境を作り、寄生虫のように日本を蝕んでいる。国際決済通貨の基本はドルを使うことを義務付けており、日本が貿易や資本取引で稼いだ外貨準備高もイルミナティの意向に沿って運用されている。

しかし、米国が推進するグローバリゼーション（諸制度の国際化、自由貿易化）は歴史的必然性ではない。自民党の政治家と日本統治のエリート官僚が米政権に抵抗せず、服従の意思を示してきたに過ぎない。日本の首相で米国の〝イエスマン〟以外の首相――例えば田中角栄、細川護熙、鳩山由紀夫――が登場しても、彼らはスキャンダルを暴露され、仕事半ばで失脚した。日米関係においては、日本国民が選んだ政治指導者が自国の政治、経済を自由に運営する権限を持っていない。これが自由なデモクラシー（民主主義）国家と言えるのだろうか。

米国を事実上支配しているロスチャイルドやロックフェラー家の人々は、戦後の日本の生きざまを見て、世界中に日本のような国家を作りたいと考えるようになっている。

イルミナティの操り人形だと思えるブッシュ米大統領は2003年3月20日、「イラクによる大量破壊兵器保持は危険であり、これを破壊することが米国の義務だ」との大義名分を掲げてイラク侵攻を開始した。ブッシュはサダム・フセインの独裁体制を倒した後のイラクを、英国がインドを植民地化した形ではなく、日本のように「米国の間接統治」が貫徹する形で国家形態を変革する意向を明らかにした。「日本モデル」は世界支配に取りつかれたイルミナティの理想的な国の形なのだろう。

ドイツの作家、セバスチャン・ハフナーは『ヒトラーとは何か』と題する著書の中で「戦争が主権国家からなる世界では避けられず、他方で技術時代の人類にとってその生存を脅かすものとなっているのであれば、一切の戦争を終わらせるための戦争というものが、このような人類の状況から必然的に生じてこなければならないということになる。そうだとすると、制度としての戦争を廃絶する唯一の方法は世界国家であろう。そして世界国家への道は恐らく世界征服戦争に成功する以外にないだろう。とにかく歴史上の経験はそれ以外の道をわれわれに示していない」と述べている。人類の歴史は、戦争の勝者が考える〝平和の筋書き〟に沿って展開されている。

イルミナティはユダヤ・フリーメーソンのメンバーである米国の大統領、政治家、官僚、情報機関を顎《あご》で使っているが、彼ら自身は秘密結社であり国家ではない。1985年のプラザ合意以降、約40年の日本政治を間近に見てきた私は、イルミナティの日本乗っ取り計画が最終段階に入ったと考えている。それは政治を批判的にみる中産階級に属する人達が低所得層に転落し、彼らが国民全体の中で多数派になっていることを意味した。イルミナティは、世界征服戦争の当事者にならないで世界統一を図るには、世界中の国々を「日本モデル」に倣って変えていくことである、とのイデオロギーに基づき世界制覇の企てをグローバルに展開している。「日本モデル」に住む私が、米国による間接統治の実態について報告することは、政治的、経済的、社会的な苦痛を受けている日本国民にとっての言わば破滅への黙示録になると考えた。日本人としてどうすればよいのか、世に問いたいと思った。同時に、イルミナティの世界支配の魔の手に首根っこを掴まれ、悲鳴を上げている欧米諸国の下層民やアジア、中東、アフリカの国々の普通の市民にも役に立つのではないか、と募る思いで本書を認《したた》めている。

この本は、私の記者時代の体験と記録を世の中に伝えたい、という思いに共感した臼井貞夫元衆議院法制局第一部長が花伝社の平田勝社長に熱意をもって語り、平田社長がこれを真摯に受け止めてくださり、出版の運びとなった生涯記念の書である。感謝に堪えません。編集作業では花伝社の佐藤恭介編集部長に大変お世話になりました。

ユダヤ・フリーメーソンの話を誤解や偏見もなく文章として残すことは難しい作業でありますが、歴史を動かす大きな存在であることは事実であることから、これからも学者や研究者が挑戦し、実相を解明してほしいと考えています。

出版されることを陰に陽に支えてくださった亀井久興元国土庁長官、アドバイザーの東本三郎さん、佐々木富子さん（故人）、妻や家族の温かい励ましにも感謝しています。

中村明

世界覇権と日本の現実——日本の〝宗主国〟アメリカを操る秘密結社、イルミナティの筋書き◆目次

第3章　金融支配のモデル国家、日本　84

第４章　自衛隊はグローバル政府のための米軍補完勢力　153

1　米国はロシア壊滅を狙ってウクライナで代理戦争　153

２　米国は安倍首相に戦争準備を命令　171

第1章　それはプラザ合意からはじまった

▽イルミナティ、世界支配の力を誇示

共同通信政治記者として外務省記者クラブに詰めていた頃、世界で何が起きても対処できるよう外務官僚や政治家に「夜討ち朝駆け」をして情報収集に努めていたが、1985年9月22日、ニューヨークのプラザホテルで開かれた日本・米国・英国・フランス・西ドイツの5カ国蔵相・中央銀行総裁会議が隠密裏に開催されたことには衝撃を受けた。5カ国蔵相、中央銀行総裁は多額の貿易不均衡を是正するため、基軸通貨であるドルに対し、参加各国の通貨を一律10～12％幅で切り上げ、そのための方法として参加各国の中央銀行は外国為替市場でドル売りの協調介入を行うことで合意した。同会議は外国為替市場が休みの土曜日に行われたが、翌月曜日の外国為替市場は1日（24時間）で、ドル・円レートは、1ドル235円から210円の大幅な円高・ドル安となった。

当初は会議で決定された事項の意味がよく理解できなかった。貪欲と恐怖が渦巻く資本主義の外国為替市場がシナリオ通りに動くとは思わなかったが、粛々と実行されていく光景に驚きを隠せなかった。

1981年に米大統領に就任したレーガンが敷いた「強いアメリカ」の復活という政治路線は、軍

事費の増大という財政支出と同時に、経済再建のための大幅減税の実施で財政赤字を大幅に拡大させた。財政赤字を埋めるための大量の国債発行は通貨流通量を増大させてインフレを引き起こし、インフレ抑制策として取られた高金利政策の結果、各国の金融機関などが現地通貨を売りドルを買い、ドルが米国に流入したため「ドル高・円安・マルク安」等になる。米国企業の国際競争力は大きく後退し、貿易収支の赤字は急増、財政赤字と貿易赤字が併存する「双子の赤字」と揶揄される状況が生じた。レーガン失政の尻ぬぐいを経済好調の日本や西ドイツなどが行う無茶な取り決めであっても、東西冷戦時代の自由主義陣営の盟主、米国の窮状を看過することはできないということでプラザ合意が成立した。円とドルの為替レートはその後、円高・ドル安の流れが加速、１９８７年末には1ドル１２０円台のレートで取引されるようになった。

第二次中曽根内閣の総理府総務長官兼沖縄開発庁長官を務めた参議院議員の中西一郎氏（1915～1992）は、日本では数少ないインテリ政治家の一人だった。外交、安全保障、国際金融、環境と有機農業問題、更には日本の古代史についても該博な知識と明晰な視点を持っていた。中西議員の話にはいつも得るものがあったので、私は時間を見つけてしばしば事務所を訪れた。

プラザ合意から3カ月たった１９８５年12月下旬、私は以前中西議員から勧められ、借りて読んだ四王天延孝《しおうでんのぶたか》・元陸軍中将の著書『ユダヤ思想及運動』をもう一度読みたいと思って事務所を訪ねた。

「世界は誰かが描いた筋書き通りに動いている。各国政府を超えた力が働いているとしか思えないよな」――中西議員は、眉間に小じわを寄せてもそっとした声で言った。

「G5は、表向き竹下登大蔵大臣と大場智満財務官がベーカー米財務長官らと渡り合って円高ドル安誘導を5か国協調して行うことを決めたことになっているが、もっと大きな力が動いたとしか思えん」

中西氏によると、プラザ合意後、円高ドル安が余りにも見事に収まりすぎている。1983年11月、日米両蔵相により日米円・ドル委員会「日米共同円・ドルレート、金融・資本市場問題特別会合」が設置された。インフレなき持続的成長のための財政・金融政策について、外為市場の乱高下に対する協調介入などが話し合われた。両国蔵相を共同議長とする本会合の下に設けられた作業部会は、84年2月から6回の会合を開催し、ドル高の要因に関する日米の見解、双方の関心事項を含む日米円・ドル委員会報告書を作成した。これはその後の日本の金融市場の自由化や国際化の起点となっている。

日米協議と並行し、G5の政府が協調して為替相場の是正に取り組んでも、金融機関、貿易商社、大手の輸出企業などによる為替投機に見舞われ、うまくいったためしがなかった。ところが、9月の5カ国蔵相会議後は、為替相場は円がほとんど一直線に高くなり、200円飛び台に張り付いている。その間、欧米マーケットで投機筋による逆張りの動きはほとんど出なかった。これはプラザ合意が成立する前に欧米の金融資本家がプロットを描き、各国政府、中央銀行に実施させたとしか考えられない。米国のロックフェラー、モルガンなどの金融資本家、イギリスのシティを牛耳るロスチャイルドらドイツ系ユダヤ人、フランスのロスチャイルド家ら秘密結社、フリーメーソンの最高幹部らで構成する政治決定機関、イルミナティがG5のシナリオライター兼演出家となり、各国に命令を下したのではないか、というのが中西氏の見方だ。

ロックフェラーがどのくらいの金持ちかについて、エマニュエル・M・ジョセフソンの著書『ロックフェラーがアメリカ経済をダメにした』（馬野周二監訳、１９８９年、徳間書店）によると、父方の祖父はスタンダード石油の創業者ジョン・ロックフェラーである当時のロックフェラー家総帥、ネルソン・ロックフェラー（1908～1979、ニューヨーク州知事およびアメリカ合衆国第41代副大統領）は3兆ドル（当時1ドル＝３６０円で換算すると１０８０兆円）の資産を保有している。

イギリスのシティを牛耳るドイツ系ユダヤ人としてはロスチャイルド家が余りに有名だが、英国プレミアムリーグのチーム「トッテナム」の会長で、１７５社のオーナーでもあるジョー・ルイス（1937～）も欧州で知らない人はいない。２０１３年、巨額の負債に苦しむアルゼンチンのクリスチーナ・フェルナンデス大統領はパタゴニアの一部をジョー・ルイス氏が代表する国際ユダヤ人共同体に売却、それで得た資金で世銀そして国際通貨基金（ＩＭＦ）からの負債を相殺した。アルゼンチンとチリにまたがるパタゴニアは自然資源が豊富に眠る広大な土地で、アルゼンチン側だけでもその面積は１００万平方キロメートルある。ラテンアメリカでユダヤ人が一番多く永住しているのがアルゼンチンで、その数は約18万人。首都、ブエノスアイレスではユダヤ人のオリンピック大会が開催されている。２番目にユダヤ人が多いのはメキシコの7万人。

ロスチャイルド家の保有する資産は1京円を超えると言われている。日本人が保有する資産と比べると、その凄さが分かる。内閣府が２０２１年1月24日発表した国民経済計算年報によると、２０２０年末時点で国や企業、個人などが保有する土地・建物、株式など「国民資産」の残高は、１京１８９２兆円であった。

ニクソン米大統領は１９７１年8月15日、ドルと金の交換比率が1トロイオンス（約31グラム）の金を35ドルに固定したレートとする金本位制を廃止する、と宣言した。これにより金にリンクした通貨は、スイス以外に存在しなくなった。ニクソン大統領は回顧録の中で「金本位制をやめたこと。あの時、金の評価を実勢に合わせて1オンス100ドルとか、300ドルにするとか、金相場に連動して金本位制を維持していれば、世界経済を安定させることができると同時に、今のような国際的な『通貨マフィア』の餌食にはならなかったのではないか」と述べている。

ニクソン大統領は、国際経済を操る組織として「通貨マフィア」が存在することを示唆しているが、それは誰かを明示していない。しかし、桁違いの金融資本家以外にそのような芸当は出来るはずはない。中心にいるのは、英国のロスチャイルド家であり、米国の当時のチェース・マンハッタン銀行のオーナーであるロックフェラー家やモルガン財閥を指しているのは言うまでもない。

20世紀に入ると、資本主義経済システムが国境を越えて世界展開する中で、国際金融資本家集団という国家という枠組みにとらわれない新興勢力としての多国籍企業群が台頭した。米国ではロックフェラー家を中心とする「ロックフェラー帝国」――米国のジャーナリスト、フェールディナンド・ルンドベリは1937年に上梓した『アメリカの60家族』で、米国の政治、経済はロックフェラー家、モルガン家、フォード家、ヴァンデルビット家、メロン家、グッゲンハイム家、ホイットニー家、デュポン家などの超富豪60家族による緊密な連携によって牛耳られていることを明らかにした。ルンドベリは1968年に出した続編"The Rich and the Super Rich"(「富豪と超富豪」)の中でも『アメリカの60家族』で明らかにしたことは現在に至っても変わらない――と主張している。

この構造は21世紀に入っても少しも変わっていない。「ロックフェラー帝国」と「ロスチャイルド帝国」は金融業のほかエネルギー、軍需、食品、医薬品、流通、ホテル・サービス業などのグローバル企業の発行済み株式総数の約８割を相互保ち合いし、独占的な利益を享受している。２０２３年９月、米国債の発行残高は33兆ドルを超えたが、恐らくこの大半を60家族が保有しているものとみられる。他方、欧州ではロスチャイルド家を主軸とする「ロスチャイルド帝国」が出現し、これまでの国家と国家による領土争いというよりは、多国籍故に無国籍ともいえるグローバル企業、とりわけ国際金融資本家による利権争いと協調で世界が大きく動くようになった。国の利益よりも自分たちの利益を最優先する国際金融資本家たちの水面下での暗躍は、国家という存在を名目的なものに変質させている。

▽日本を代表したのは細見卓氏ではないか

プラザ合意では日本側もこの仕掛けに乗ったわけだが、一体日本人の誰がイルミナティ主催の会議に出席したのか。中西氏は誰とは特定しなかったが、いくつかの条件を満たす人だと言う。その条件の第一は国際的に名の通った人物、第二は国際金融の専門家、第三は英語が堪能。この条件を満たす人物は絞られる。私が「（海外経済協力基金総裁の）細見卓ではないか」と言うと、中西氏は大きくうなずいた。細見卓《たかし》氏（1920～2009）は元大蔵官僚で、１９７１年６月１日から約１年間財務官を務めていた人物である。

私は、中西氏の推量に思いを巡らせながら「結局、日本はこうした国際金融資本家の掌中の駒でしかないのですね」と言うと、中西氏は「世界の歴史に戦前も戦後もないのだ。四王天延孝が研究していたことは戦後だって通用する。何しろ向こうは日本と違って滅びていないのだ。滅びたのは日本だけだ。日本は世界史の見方を戦前と戦後でガラリと変えてしまったが、向こうは少しも変えていない」「戦後の日本は諜報活動といったものがない。諜報活動のない国なんて国家とは言えないよ」と嘆いた。

国際金融問題は財政当局の専管事項として、プラザ合意について外務省は終始蚊帳の外に置かれた。当時の外務事務次官で退官後国際事業団総裁に就任した柳谷謙介氏は、1992年9月24日、総裁室で私の取材に対し「建前上は大蔵省が通貨調整にあたる。プラザ合意については、組織間の話ではないが、大蔵省の人間と人間関係があって、竹下登大蔵大臣が〝隠密裡〟に米国に出発するとの連絡はあった。『君にだけ伝えておく』と言われた。安倍晋太郎外務大臣には報告した」と語った。

外務省はイルミナティのような秘密結社を外交交渉の相手にしたことはないが、他方、イルミナティも日本国家を揺るがす大きな決定について、政府・自民党の実力者に対し有無を言わせぬ権力と威圧を持って押し切れるのは、外務省ではなく大蔵省だと見抜いていた。

▽ユダヤ人は国際的な事件に必ず関与

元陸軍中将、四王天延孝氏（1879～1962）は1941年7月15日に刊行した『猶太思想及運動』（東京内外書房）の執筆の動機について、「第一次世界大戦の戦時下、フランス軍にいて、フランス人のユダヤ人、アンドレ・スピール氏の著書『猶太人と大戦』から大いに啓発され、ハルピンでの実体験などを踏まえて著したもので、決してドイツ仕込みのものでも、反ユダヤの書物から引用したものでもない」と述べ、ナチス・ドイツの「反ユダヤ主義」に沿って書いたものではない、と強調している。

四王天氏は「ユダヤ人問題は天下の大問題」だから、と次のように述べている。

「ユダヤ人問題は天下の大問題であるが、日本ではユダヤ人という問題よりも共産党事件、支那問題、蘭印問題、排日移民法問題というような直接日本にぶつかってくる問題の方に幻惑されて、それらの問題の陰にユダヤ人問題がつきまとっており、否問題によってはユダヤ人問題が中心を成しているることに気づかない向きが多かったのである。それは無理もないことであるのは、日本にはユダヤ街というものはなく、外国人は皆、英米仏独等の国籍を取っていて、ユダヤ人と名乗る者は、一人もないからであった。これがため、例えば天皇機関説は舶来思想であって、皇国体に反することは多くの愛国者が絶叫したけれども、その主張者は、ドイツでこれを説いていたユダヤ人、エリネック博士であることや、なぜ彼らが君主権を失墜させることに努力するのかの根本問題などにわたって研究されていない。

また、支那の排日、抗日の教育が普及徹底したことは何人も認めざるをえないが、それまで支那を駆り立てた勢力の中には、国際連盟から蒋介石のもとに派遣したユダヤ人ライヒマン博士、ハース、ソルターなどの部長級お歴々が預かって力があることは知られていないし、国際連盟そのものがユダヤの努力で出来たことも知られていない。いわんや現在の日支事変や欧州戦の背後にユダヤ人の大きな働きのあることも分かっていない。もちろん、米国の対日態度や英米の合作の陰にユダヤのあることもご存知ない向きが大多数である。そして対策を講じるのは病理を知らないで、対処療法を講ずる類ではなかろうか。」

「ユダヤ人が世界のあらゆる問題に喙《くちばし》を入れるということは単に外聞の推測ではなく、彼らが堂々とロンドン発行の経典タルムードの緒言中に左のごとき告白をしておる。

『モーゼス、メンデルスゾーン（フランス革命前のユダヤ思想家で音楽家のユダヤ人、メンデルスゾーンとは別人なり）以来、ユダヤ人は一大躍進を遂げた。今日においては、人類生活のいかなる部門を見ても、ユダヤの勢力を感じないところはない。ユダヤ人は自ら国際的の事件に興味を持ち、その才知と勤勉をもって全世界の賞賛を博し得た』。いささか自画自賛の嫌いあり、勢力を誇示する傾きは見えるが、その決意をもって乗り出して居ることは認めざるを得ない。反ユダヤ主義者は何でもユダヤ問題に結びつけると言われる種は、ユダヤ人みずから蒔いているのである。」

「ユダヤ人の運動は、通常露骨ではない。必ず何かの地形、地物を利用し、その陰から進むのである。時には地下に潜り、時には潜水してくる。ゆえにそれと気づいた時にはすでに遅しという場合がある。『明者は形なきに視、聴者は声なきに聴く』の古語のごとくに、我々は叡智を働かさなければならない。」

▽ユダヤ民族はパレスタイン地方でも「彼岸の人」と呼ばれた

四王天氏は、アラビア人と同じセム系のユダヤ民族は発生当初から民族大移動を繰り返し、そこから国際主義が生まれている、と次のように語る。

「ユダヤ民族発生の場所は、アラビア砂漠の北部にある豊穣な地方で、人種はアラビア人と同じセム系である。牧畜を本業とし、青草を遂いて天幕を抱えて移動した放浪民族である。南は砂漠であるから次第に北へ進んだ。彼らは人口繁殖率の大きな人種であるからその移動も相当早かったろうと思う。ユーフラテス、チグリスの流域に達した時、二つに分れて、一つは流れに沿うて下ってペルシャ湾沿岸に達してアモレ族と雑婚した。アモレ族というのはインド、ヨーロッパ種族と呼ばれるくらいでヨーロッパ人に似た人種である。ユダヤ人の中にヨーロッパ人によく似た型があるのは、これらも関係がある。また反対にユーフラテス、チグリスの流れを遡って移動したものは、シリア地方に住んでいたヒッテイ族と雑婚した。このセム族（ベドウィン）、アモレ族、ヒッテイ族の三つが結合して、ユダヤ民族を形作ったので、これから漸次地中海沿岸に進出し、今日のパレスタイン地方に南下して来た。始祖アブラハムがここへ来たのが約４０００年の昔であって、彼らの種族はヘブライ人と呼ばれた。ヘブライ人とは彼岸の人、川向こうの人、他所の人と言う意味でどこまでも他人扱いにされた。その後、エジプト、バビロニヤ即ちペルシャ地方などにほとんど全民族の捕虜扱い的大移動が行われている。モーゼという教祖がエジプトから脱出して、紅海の水を神の力で二つに割ってその中を通って助かった神話的の歳史は今より約３２５０年前のことである。

以上のごとく発生当初から水草を逐うて移動し、その後もたびたび民族の大移動を行ってきたユダヤ民族が土地に固着せず、従って国家観念がなく、国際主義、万国主義を執るに至るのは自然の趨勢である。ユダヤ運動を理解するには是非ともこの点から把握してかかる必要がある。」

▽アシュケナージはトルコの血を引くカザール人、とケストラー氏

四王天氏は、ユダヤ民族はパレスタイン地方を発生の地とするセム系の民族であり、人類興亡の歴史の中で世界を流浪することを余儀なくされた民として話を進める。こうした定説を覆したのが、『スペインの遺書』『真昼の暗黒』『黄昏の酒場』などの著作があるアーサー・ケストラー氏だ。

ケストラーは1977年、『ユダヤ人とは誰か――第十三支族、カザール王国の謎』（宇野正美訳、三交社）を出版。イスラエルを構成する二種類のユダヤ人、つまりポーランドやロシアにコミュニティをつくったアシュケナージと北アフリカ地方に住むスファラディのうち、アシュケナージは7世紀から10世紀頃まで黒海とカスピ海の間に展開されたカザール帝国を支配した、血縁的にはユダヤ人とは全く関係がないトルコの血を引くカザール人であることを明らかにした。

ケストラーによると、7世紀ころアラブ人をコーカサスの平原で迎え撃ったのがカザール人で、カザール王国がイスラム教徒の侵入を押し止めなかったら、ヨーロッパ文化の砦であるビザンチンはアラブ人に包囲されてキリスト教国の歴史も変わっていたことが十分予想されるほど、カザール王国の存在は歴史的重要性を持っている。にもかかわらず、カザール王国に世界の人々はほとんど知識を持ち合わせていないという。カザール王国は740年頃、シャーマニズムの信奉を捨て、人種的にはユダヤ人でないのにユダヤ教を国家宗教として受け入れた。その理由について、ケストラーは次のように推論する。

「8世紀の初め、世界はキリスト教とイスラム教を掲げる二つの大勢力に二極化されていた。イデオロギーの教義は政治力学と融けあい、その力学は宣教、破壊、軍事的征服という古典的方法によっ

て推進されていた。カザール王国は第三勢力であり、敵としても味方としても、これら二つの国と同等の力を持つことを証明してきた。しかし、その独立性は、キリスト教もイスラム教も受け入れないことによってのみ保たれているのである。なぜなら、どちらかを選択すれば、それは自動的にローマ帝国かバグダードのカリフの権威に従うことになるからである。」

「ビザンチンやイスラム教国と親しく交際することでカザール人は、偉大な一神教の教義と比較して、彼らの原始的なシャーマニズムが野蛮で時代遅れであることを学んだ。そればかりか、この二つの神政勢力の支配者（カリフと皇帝）が得ているような精神的、法的な権威を、シャーマニズムから得ることは出来なかった。しかし、そのどちらかの教義に改宗することは降伏、独立の終わりを意味し、従って目的を達することにはならない。二つの教義のどちらにも拘束されず、しかもその二つの尊ぶべき教義の基礎となった第三の教義を奉ずる以上に筋の通った話があるだろうか。」

ケストラーは、カザール王国がユダヤ教を国教としたのは、政治的な独立を担保すると同時に自分たちが信仰する宗教としての権威を保てるとの打算からだが、改宗する1世紀前頃からユダヤ人が王国の高官として入り込み、影響力を与えていたことも指摘している。

▽カザール人、東欧・ロシアに移住

１０１６年、カザール王国はロシアとビザンチン連合軍に敗北したが、13世紀頃まで独立を保持した。しかし、13世紀半ば頃、モンゴル軍に滅ぼされ、カザール人はロシア、ポーランド、ハンガリー、リトアニア、ウクライナなどに移動し、アシュケナージの中核を形成していく。とりわけポーランド

には17世紀頃、50万人のカザール・ユダヤ人社会――当時のユダヤ人人口は全世界で約100万人とされている――がつくられている。イギリス、フランス、ドイツなどにもユダヤ人コミュニティはあったが、多くの人口を擁するものではなく、東ヨーロッパのユダヤ人が世界中のユダヤ人の中心的な存在になっていった、とケストラーは説く。

ケストラーは東ヨーロッパ・ユダヤ人の中にはセム系の「純粋な」ユダヤ民族の血が混じっている可能性もあるが、「それはほんのひとしずくに過ぎないようである」と書いている。

ポーランドのカザール・ユダヤ人社会は自由を謳歌する時代もあったが、ルネサンス以降、差別と迫害に見舞われていくことをケストラーは次のように描いている。

「ポーランドでは、カシミール大王の時に始まった政府とユダヤ社会とのハネムーン時代が、他の地域よりは長く続いていた。しかし、それも16世紀の末には遂に終わり、ユダヤ人はシュテトゥルやゲットー内に閉じ込められ、コミュニティは超過密状態になった。その上、ウクライナでのフメルニツキー率いるコサックの大虐殺から逃れてきた人々まで加わったため、彼らの居住条件と経済状態は急激に悪化した。その結果、起ったのが、ハンガリー、ボヘミア、ルーマニア、ドイツへの集団移住の波である。これらの地域では、黒死病でユダヤ人はそのほとんどが死に絶え、その頃にはほんの少数がまばらに散らばっている程度であった。

こうして西への長い旅が始まった。これはなんと、第二次世界大戦まで三世紀近くにもわたって続けられることになる。

そしてそれが今日、ヨーロッパ、アメリカ、イスラエルに現存するユダヤ人コミュニティの基盤を作ったのである。この西への流入の速度は、いったん鈍ったのだが、19世紀、ロシアでポグロム（ユダヤ人虐殺）が起り、再び加速された。英国のユダヤ人歴史家、セシル・ロスは次のように言っている。『20世紀まで続くこの西への第二次大移動（第一次はエルサレム陥落時）は、１６４８～９年のフメルニッキーの大虐殺に始まると言えるのではないか』」

▽ユダヤ人とは「ユダヤ教を信仰する者」（ケストラー）

１３５年、ローマ帝国に滅ぼされ、パレスチナからスペイン、ポルトガルに逃れたユダヤ人の子孫はスファラディ（キリスト教に改宗しなかったユダヤ人は１４９２年スペインから、１４９７年ポルトガルから追放され、地中海沿岸諸国やオランダ、イギリス、フランスに移住していき、新たにスファラディ・コミュニティを形成していく）と呼ばれるが、ケストラーは１９６０年代におけるスファラディの数は約50万人であるのに対して、アシュケナージは約１１００万人で、ユダヤ人と言えば、アシュケナージ・ユダヤ人のことを指すのであり、彼らはセム系のパレスチナ人ではなく、コーカサスに住んでいたトルコの血を引くカザール人を起源とすることを、幾つもの証拠を示しながら明らかにしていく。

さらにケストラーは、古代イスラエル人はローマ帝国に滅ぼされ、ディアスポラ（民族離散）が始まった時点で既に混血人種であり、多くの民族がユダヤ教に改宗する中で混血が繰り返されたことから、現代のユダヤ人に人種的な特徴を見出すことは難しく、ユダヤ人とはユダヤ教を信仰する者である、と理解すべきだとしている。

アシュケナージ・ユダヤ人にとっての「先祖伝来の大地」は現在のウクライナであるにもかかわらず、パレスチナにアシュケナージ・ユダヤ人主導のイスラエル国が１９４８年5月14日に建国されたのは、前年47年11月29日に採択された国連決議１８１号（通称パレスチナ分割決議）に基づいており、ケストラーは「ユダヤ民族の仮説上の起源に基づいているものでもなく、アブラハムが神と交わした神話的契約に基づいているものでもない」ことを強調している。

先の大戦中、欧州の人々はナチス・ドイツによるユダヤ人の大量虐殺を見て見ぬ振りをしてきた。その良心の呵責が「イスラエルの地に故郷を再建しよう」というシオニストの主張を受け入れ、国連決議に結実化した。

▽バルフォア宣言が国際政治を後押し

イスラエル（ISRAEL）とは、神と闘うという意味だ。ヤコブが荒野を旅しているとき、天からはしご伝いに天使が下りて来る。ヤコブは岩の端で天使と相撲を取る。このときの戦う姿がまさにイスラエルという意味である。

ダヴィド・ベン・グリオン（1886～1973）はイスラエル国家の初代の首相である。ロシア・ポーランドに生まれ、青年時代にイスラエルの地を包含するオスマン帝国に入植、シオニスト運動（シオンへの帰還運動）を展開したが、１９１５年オスマン・トルコの独裁者ケマン・パシャの命令で国外追放となり、米国に渡った。

ベン・グリオンをはじめ、ゴルダ・メイア（1898～1978）、モーシェ・ダヤン（1915～1981）、ユダヤ民族軍事機構「エツェル」の指導者、メナヘム・ベギン（1913～1992）に至るまで、戦後のイスラエルの指導者はイスラエル国家を建国に導いた人達である。

これらのシオニストたちは、世界に離散するユダヤ人（ディアスポラ）を集めるという大規模な移民計画を遂行することを考え、民族の使命感を達成することに全生涯をかけた。こうした民族の悲願を初めて呼びかけたのは、ハンガリー生まれのテオドール・ヘルツェル（1860～1904）である。彼は、１８９７年スイスの北西部の都市、バーゼルで開かれた第1回シオニスト会議で、ユダヤ国家の建設を大胆に提唱した。ヘルツェルは44歳という若さで死んだ。

ベン・グリオンの著書『ユダヤ人はなぜ国を創ったか――イスラエル国家誕生の記録』によれば、「シオニスト運動を、国家を切望する意思にまで発展させたヘルツェルの建設的な活動は、国際政治の場で我々に二つの偉大な政治的遺産を残した。第1回シオニスト会から20年後の１９１７年11月20日のバルフォア宣言と30年後の１９４７年11月29日のユダヤ国家建設に関する国連決議である」とヘルツェルの業績を惜しみなく讃えている。

バルフォア宣言とは英国の外相、ロード・バルフォア（アーサー・ジェイムズ、1848～1930）が「パレスチナのユダヤ人の民族的ホームの設立を好意を持って見、この目標達成に最善の努力をする」と約束したことを指す。バルフォア宣言は、「ユダヤ人の中のユダヤ人」とバルフォアが感動したハイーム・ワイズマン博士（初代大統領）の政治的奔走と個人的魅力によって勝ち取られた、とベン・グリオンは言う。

他方、英国政府がロスチャイルド卿から金を借りて第一次世界大戦を乗り切ったとき、１９１７年、外務大臣のバルフォアがウォルター・ロスチャイルドに対して送った書簡で「英国政府はパレスチナにユダヤ人の居住地を建設するというシオニズム運動を支持する」と表明。この宣言をシオニスト連盟に伝えるようロスチャイルド卿に依頼した。これがその後「バルフォア宣言」と呼ばれている、との見方もある。いずれにせよイスラエルの建国運動に火を付けた。

▽レオ・ピンケルス博士が農耕民族への復帰を熱っぽく呼びかけ

ユダヤの復活を夢見たのは、テオドール・ヘルツェルの前に、レオ・ピンケルス博士が、小冊子『自力解放』を著したのをはじめ、これより先にモーゼス・ヘスが「ローマとエルサレム」を訴えるなど、先駆的な活動があった。

レオ・ピンケルス博士は、ユダヤ人が都市に集中し、その結果、他民族との摩擦を起こし反ユダヤ主義を引き起こしていること、ユダヤ人の商業活動は不正なものとみなされることから、農耕に興味を失ったユダヤ人に対し、商業民族から農耕民族への復帰を熱っぽく呼びかけた。聖地への帰還運動はこのため、「土と労働を通じての救済」との色彩の濃いものとなった。

イシューブ（パレスチナのユダヤ人居住地）を築いた人たちは、こうした理想とメシアの鼓舞に支えられていた。フランス革命による解放は、ベン・グリオンによると、「ヨーロッパのユダヤ社会に同化主義とナショナリズムという二つの相反する潮流を生み、同化主義は西欧ユダヤに、またナショナリズムは東欧ユダヤの間に広まった」

こうした流れの中で、ロスチャイルド家のフランス分家の一員、エドモン・ド・ロートシルト

（1845～1934）は、シオニズムの強力な支援者となり、大規模な移住計画を実行し、「イシューブの父」という称号を与えられている。

１８８1年、ロシアのアレクサンドル二世暗殺後発生したユダヤ人虐殺事件は、こうした運動を加速させた。「しかし、開拓者組織ビールー運動（第1次アリア）に参加したのは、ごくわずかな人々で、多くの人はコスモポリタンを装い、自由と平等の地、アメリカへの移住を望んだ」（ベン・グリオン）

▽米国ユダヤ人とイスラエルのユダヤ人は世界平和の考え方では今も衝突

ロシアから米国に渡ったユダヤ人は今では、米国の主要な企業を牛耳るまでになっており、これらの米国ユダヤ人とイスラエルのユダヤ人はユダヤ民族、ユダヤ教という共通項で強く結ばれているものの、民族のあり方や、世界平和の考え方では今日に至っても衝突している。ニクソン米大統領の特別補佐官を務めたヘンリー・キッシンジャー（1923～2023）とダヤン将軍の対立は、その典型と見られている。

キッシンジャーは、米国の軍事力と国際通貨として圧倒的な力を持つドルとユダヤ金融資本家を使って世界支配を構想した。一方、当時のユダヤ世界のボスだったダヤン将軍は、「全地球上にはイスラエルだけに神がある」という宗教的信念から、イスラエル王国による世界制覇を夢見ていた。そのためにユダヤ人の財力を如何にして貢献させるか、米国とソ連の2超大国の関係が、ソ連が強すぎても米国が弱すぎてもだめで、バランスを崩さないよう、世界中に仕掛けを作ろうと考えた。こうしたダヤンの発想に、ロックフェラー家の総帥であったデイヴィッド・ロックフェラーはイスラエル・マフィアの影を見ておびえていた、とも言われている。というのも、兄のネルソン・ロックフェラーがイスラエルの諜報機関・モサドの手にかかって殺された、との噂が流されていたからだ。

19世紀、米国はユダヤ移民に門戸を広く開いていた。ベン・グリオンは「だから、宗教的、感情的、理論的刺激がなければ、そして先祖代々への土地への憧れ、ユダヤ国家への夢というものがなかったなら、抑圧され、恵まれぬユダヤ人、ヨーロッパの二流市民がなぜ他のどこよりもイスラエルへと旅立とうとするだろうか」と書いている。

1880年代以来、ヨーロッパ特に東欧からユダヤ人は大量に民族移動を開始した。「この結果、世界には二つのユダヤの核が出来上がっていた。一つはアメリカ、ここには、強大な経済力と政治力を備えた大規模なユダヤ共同社会が育った。また、イスラエルの土地に生まれた新しい社会は、数こそ弱小だったが、その質とユダヤの運命に及ぼす影響力の面でははるかに重要なものであった。1881年から1914年までに300万人のユダヤ人が東欧を去り、さらに第2次世界大戦まで100万人が離れていった。1930年までは主に北米に移住したのであり、その数は300万人に達した。このため19世紀初頭、数千人に過ぎなかったアメリカのユダヤ社会は1939年には450万人に及んだのである」（ベン・グリオン）

ここでいう東欧とは、「ロシア、ポーランド、ラトビア、エストニア、プラハの国のことである。これらの国では、特殊なユダヤ生活が守られていた。大部分のユダヤ人は、ドイツ・ユダヤの方言であるイディッシュ語を話していた。そこには、ヘブライ語とイディッシュ語によるによる宗教学と新しい文学の大規模なセンターがあった。続いて、1880年代に入ると、ヒーバートシオン（シオンを愛する者運動）とへハールーツ（開拓者運動）が台頭する。ロシアのヒーバート・シオン運動は、イスラエルの地への移住を促進することを決議した1897年の第1回シオニスト会議以後、ロシアのユダヤ共同社会は、シオニズム運動の橋頭堡だったのである」（ベン・グリオン）

ちなみに、ユダヤ人はコシャーと呼ぶ食事における宗教上の戒律を固く守っている。豚肉、貝、甲殻類や牛乳と牛肉を一緒にした料理が食べることはない。

1880年代、イスラエルにいたユダヤ人は全世界のユダヤ人の0・06％にも満たなかったが、20世紀になると、アメリカのユダヤ社会は、イスラエルの建国に大きな支援を与えた。1942年5月、アメリカ・シオニスト運動の第一回会議がニューヨークのビルトモア・ホテルで開かれ、後にビルトモア綱領で知られる計画が採択された。これは、世界シオニスト運動の公式の綱領となったものである。

米国とともにソビエトの支持がユダヤ建国に大きな力となった。イギリスはアラブ民族との衝突と石油利権の喪失を恐れ、バルフォア卿宣言を発表したにもかかわらず、反ユダヤ的行動をとった。得意の二枚舌外交である。

1948年5月14日、イスラエルは独立したが、この時からエジプト、ヨルダンなどとの戦争が始まった。第一次中東戦争である。この時、兵器をイスラエルに輸出したのは、主にチェコスロバキアである。米国のユダヤ社会は、太平洋戦争に従軍したユダヤ人たちがお土産として持ち帰った火器類をタダ同然でかき集め、イスラエルに送った（スタンリー・A・ブランバーグ、グウィン・オーエンズ著『サバイバル・ファクター――イスラエル生き残り情報戦史』）。

米国からの資金援助を求めて、ベン・グリオンやゴルダ・メイヤは米国をたびたび訪れている。ボルチモア出身の実業家、ルドルフ・G・ゾンネボーンは、米国のシオニズム運動の指導者であり、ゾンネボーン組織は、資金援助などの様々な支援体制を米国全土に広げた。ボルチモア市はユダヤ系市民が一番高い比率を占める都市の一つである。

米国がイスラエルの独立を承認する際、トルーマン大統領と国務省の間に対立があったが、「トルーマン大統領は11分間で承認した」と言われている。トルーマンはホロコーストの犠牲者に同情していたが、やはり大統領再選を勝ち取るためには、ユダヤ勢力の集票能力に頼らざるを得ないことを熟知していたからだ。国務省内にはイスラエルが中東における共産主義の橋頭堡になるのでは、との懸念があったと言われる。

戦後のイスラエルの歴史を見ると、イスラエルは西側陣営に属することになったが、アメリカ国務省はイスラエルの建国にソ連が熱心だったことや東欧からの移民が建国の指導者となっている事実から、共産主義の脅威を感じていたという。

▽第一次中東戦争でイスラエルはパレスチナの全土の約80％を支配下に

１９４７年の国連総会は、パレスチナの地をアラブ人とユダヤ人の国に分け、聖地エルサレムは国際管理下に置く分割決議を採択することで、当時、アラブ人の半分の人口しか持たないユダヤ人（パレスチナ全土の６％の土地を保有）にパレスチナ全土の52％を与えた。不公平な決議であっても、アラブ人がこれを受け入れていればパレスチナ国家は成立していた可能性が高いが、アラブ諸国はこれを拒否した。一方、ユダヤ人はこれを受け入れた。

アラブ諸国はイスラエルの建国に反発、直ちに武力で侵攻したが、イスラエルがこの戦いに圧勝した。第一次中東戦争でイスラエルが占領した領土は2万6662平方キロ。国連分割案で割り当てられたのが1万9000平方キロだから、結局イスラエルはパレスチナの全土の約80％を支配下に置いたことになる。この戦いでヨルダンはヨルダン川西岸地区、エジプトはガザ地区を併合した。

イスラエルは国際管理下に置かれることになったエルサレムの新市街を占拠、1950年にはここを首都と宣言して、占領を既成事実化しようとした（イスラエルの首都機能はテルアビブにある）。

1956年10月、エジプトはスエズ運河の国有化を宣言。これに対してイスラエル、英国、フランスがエジプト領シナイ半島に侵攻して、エジプト軍を撃破した。第二次中東戦争である。

1967年6月5日、イスラエル空軍がアラブ諸国を奇襲攻撃し、6日間でアラブ諸国を打ち負かした。第三次中東戦争でイスラエルは、シナイ半島、ヨルダン川西岸、ゴラン高原、エルサレム旧市街など8万1600平方キロを新たに占領。即時撤退を求める国連決議を無視し、ここに旧ソ連から移民したユダヤ人らを入植させ、土地の緑化などで併合政策を推進している。

▽パレスチナ人がディアスポラに

イスラエルの建国で苦難の道を歩み始めたのがパレスチナ人で、新たなパレスチナ人のディアスポラ（民族離散）の歴史が始まった。

パレスチナ人とはパレスチナ地方に住むアラブ人を言うが、地理的分布からパレスチナ人は3グループに分けられる。現在、パレスチナ自治区があるヨルダン川西岸（234万人）とガザの住民（230万人、このうち難民105万人）、イスラエル国外のヨルダン、シリア、レバノンに住む人（658万人）、イスラエルに住む人（約100万人）と言われている。

パレスチナ人は1964年に民族解放機構（PLO）を結成、武装闘争を本格化させていく。民間機乗っ取り事件、テルアビブ空港乱射事件、ミュンヘン事件などのテロ活動には、見捨てられたパレスチナ人の自暴自棄的な苦悩がにじむ。

1973年10月、エジプトとシリアがイスラエルを奇襲攻撃する。この第四次中東戦争は国連の仲介で停戦となる。

戦争から平和共存に向けての動きが始まるのは、1978年9月、ベギン・イスラエル首相、サダト・エジプト大統領とカーター米大統領が会談し、エジプトはイスラエルを国家として承認した。エジプトがイスラエルと単独で和平合意したこの会談は、キャンプデービッド合意と呼ばれている。ところがサダト大統領は1981年10月6日、軍事パレードを閲兵中、パレードの中にいたイスラム原理主義者により射殺された。

1982年6月、イスラエルはレバノンに侵攻し、PLOの拠点をたたいた。この時、PLOのヤーセル・アラファト議長（1929～2004）らは、チュニジアのチュニスに亡命した。

1980年9月から88年8月にかけてイラン・イラク戦争が行われ、アラブ諸国はイラクを支援したが、米国もイラクに対して物心両面から支援した。この間、1987年12月、ガザ地区でイスラエルの軍用車両とパレスチナ人が乗った車が衝突、パレスチナ人4人が死亡したことをきっかけに、占領地内の普通の労働者、学生らが全面的な抵抗運動を展開（第一次インティファーダ）、これを機に世界がイスラエルの過酷な占領行政に厳しい批判の目を向けてゆくことになる。

1988年12月、PLOがイスラエル生存権を承認する姿勢を示すと、米国もPLOとの直接対話に乗り出し、中東和平の機運が広がっていく。こうした中で、1990年8月2日、イラク軍がクウェートを侵攻し、91年1月17日、米軍主体の多国籍軍がバグダッドを攻撃する湾岸戦争などで、パレスチナ問題は国際政治の隅に押しやられた格好となった。

▽オスロ合意の破壊

1992年6月23日のイスラエル総選挙で「和平と領土の交換」を主張する労働党のラビン党首が政権につくと、アラファト議長との水面下の対話が始まり、93年9月9日、イスラエルとPLOが相互に生存権を保障する相互承認について最終合意（オスロ合意）をまとめた。ノルウェーが仲介してパリで秘密交渉が持たれた。

同年9月13日、イスラエルのラビン首相とPLOのアラファト議長はワシントンのホワイトハウスでクリントン大統領、ガリ国連事務総長、羽田孜首相らが見守る中で、パレスチナ暫定自治の原則に関する宣言（協定）に調印した。協定はイスラエル占領地のうち、ガザ地区とエリコ（ヨルダン川西岸地区の都市）のパレスチナ人の自治をまず認め、2年以内に最終的な解決のための交渉を開始する、などを決めた。自治機関はエリコに置かれる。協定の発効は、調印から1カ月後。双方は発効後二カ月以内に、イスラエル軍の撤退などの細部を詰めて調印し、この時点から4カ月以内にイスラエル軍はガザ、エリコから撤退を完了することで一致した。

ＰＬＯは東エルサレム問題の解決を先送りして、〝ミニ・パレスチナ国家〟というより〝ミニミニ・パレスチナ自治〟からの出発を余儀なくされた。95年9月、自治拡大協定でジェニン、ナブルス、トルカレム、ラマラ、ベツレヘム、ヘブロンが自治区になった。

95年10月、ラビン・イスラエル首相が暗殺され、代わって登場したネタニヤフ政権は東エルサレムなどでの入植地拡大政策をとり、パレスチナ自治政府やアラブ諸国の反発を呼んだ。

とりわけ２０００年9月28日、イスラエル野党・右派リクードのアリエル・シャロン党首（1928～2014）がエルサレム旧市街の聖地「神殿の丘」（ハラムアッシャリーフ）訪問を強行した。同地は岩のドームとアルアクサ・モスクと呼ばれるモニュメントがある。イスラム教の歴史では、岩のドームはイスラム教の予言者マホメットが天馬に乗って昇天したと言われる聖地だ。

シャロンの訪問は、第三次中東戦争でイスラエルが占領した東エルサレムは絶対にパレスチナに返還しないというデモンストレーションだった。

▽ハマスがパレスチナ自治評議会選挙で過半数獲得

シャロンの示威行動はパレスチナ人の怒りに火を付け、第2次インティファーダが勃発した。１９９３年の和平合意にもかかわらず、民族自決の権利は踏みにじられ、依然として悲願の独立国家は誕生せず、生活も改善されないという強い不満が渦巻いていたからだ。

この訪問直後に、パレスチナ人とイスラエル治安部隊は衝突。衝突はヨルダン川西岸にまで拡大する一方、イスラエル国内でパレスチナ人過激派とみられる自爆テロが頻発したことで、和平交渉は頓挫した。

２００２年６月、ブッシュ米大統領主導のイスラエル、パレスチナ「二国家構想」の実現に向けて国連、欧州共同体（ＥＵ）なども加わり動き始めたが、２００６年１月25日投票のパレスチナ自治評議会（国会に相当）選挙で、対イスラエル武装闘争派のハマスが全１３２議席の過半数を超える74議席を獲得したことで、予断を許さない情勢が続いていた。

オルメルト政権は２００６年７月12日、レバノンのイスラム教シーア派民兵組織ヒズボラに拉致されたイスラエル兵士の奪還を理由にレバノンに侵攻したが、ヒズボラを武装解除させるどころか、イスラエル軍に多くの犠牲者を出す一方、イスラエル北部の各都市に多大な経済損失をもたらしただけで、約１カ月後に停戦を余儀なくされた。

▽ハマスの戦闘員が陸海空からイスラエルに侵入、２００人余を人質に

２０２３年10月７日、欧米諸国の贖罪意識から誕生したと言っても過言でないイスラエル建国と、それによってユダヤ人に土地を奪われたパレスチナ人の苦悩を黙過する欧米諸国に対する怒りを爆発させた事件が起こった。

７日午前６時半ごろ、ロケット弾がイスラエル上空に飛来した。ガザ地区を拠点とするハマスの戦闘員約２５００人が越境攻撃し、イスラエル人ら約１２００人を殺害し、米国人を含む外国人とイス

ラエル人計200人余を人質としてガザに連れ去った。イスラエル軍によればイスラエルに向けて発射されたロケット弾は約2200発、ハマス側は5000発を発射したとしている。ハマス軍事部門のデイフ司令官は、今回の作戦を「アルアクサの嵐」と呼び、イスラエルに対して攻撃を行った理由として、女性への攻撃やイスラム教の聖地「アルアクサ・モスク」に対する冒涜、ガザ包囲への対応だと説明した。

ハマスがイスラエル領内にロケット弾を撃ち込むだけでなく、戦闘員をイスラエル領内へと組織的に侵攻させ、大勢の市民を殺害したり誘拐して人質にしたのは初めてことだ。イスラエルは2008年と2014年にも、ガザへの地上侵攻を行っているが、イスラエルのネタニヤフ首相は、ハマスの軍事的脅威を排除するためにはガザ地区に入り戦闘員を根絶する以外に方法がない、と述べた。

イスラエルはハマスが立てこもると見られるビルを空爆、多数のパレスチナ人を殺害した。事件が起きた当初、国際世論はハマスへの批判であふれていたが、17日、ガザ市内の病院がイスラエル軍の空爆を受け、パレスチナ人約500人が死亡した事件を受けて、「イスラエルのパレスチナ人大量虐殺（ジェノサイド）」の声が圧倒的に広がり、「イスラエルのアパルトヘイト」反対のデモが世界各地で起こった。

▽ヨルダンのラーニア王妃が「ダブルスタンダード（二重基準）」と非難

中東ヨルダンのラーニア王妃は10月24日、CNNのインタビューに答え、イスラエルとハマスの戦争を巡って「明らかなダブルスタンダード（二重基準）」が存在する、との見解を示した。具体的には西側世界が7日のイスラム組織ハマスによるイスラエルへの奇襲攻撃を非難しながら、イスラエル側のパレスチナ自治区ガザへの空爆は非難せず、停戦を求めてもいない点を挙げた。

「銃を突きつけて一家を皆殺しにするのは間違いだが、砲撃で死なせるのは問題ないとでも言うのだろうか？　ここには明らかなダブルスタンダードがあると思う」「アラブ世界にとっては衝撃的というほかない」

10月27日のアルジャジーラの報道によると、パレスチナ人の犠牲者は７３２６人で、そのうち子供は３０３８人。まさに戦争犯罪が日常化している。

ハマスは20日、仲介役のカタールを通じて拘束する人質のうち米国人２人を解放、さらに21日、エジプトとの境界にあるラファ検問所を通じて、ガザ住民への支援物資を積んだトラック20台分と交換にイスラエル人女性２人を解放した。

▽11月22日から30日まで停戦と人質解放

パレスチナの武器を持たない女性や子供をイスラエル軍が容赦なく殺傷する映像が世界を駆け巡り、グローバル・サウスだけでなく、アメリカやイギリス、欧州の親イスラエル感情を持つ市民が怒りの声を上げげた。イスラエルメディア、ハアレツ紙も11月18日、10月7日のガザ国境近くのノヴァ音楽祭に対するハマスの襲撃に関するイスラエル警察の捜査で、イスラエル軍の攻撃ヘリコプターが参加者の一部を殺害したことが明らかになった、と報じた。警察関係者によると、ラマト・ダビデ基地から現場に到着したイスラエルの戦闘ヘリコプターが、ガザから国境フェンスを越えてイスラエルに侵入したハマスの戦闘員やパレスチナ人に向けて発砲したが、音楽祭に参加していたイスラエル人にも発砲した、と攻撃の無軌道ぶりを批判している。

イスラエル国防軍（ＩＤＦ）の地上作戦は、初期段階ではガザ地区の北部攻略に焦点を合わせて実施された。ＩＤＦはガザ地区北部の住民に繰り返し「南部への退避」を勧告、11月5日、ガザを南北に分断したと発表した。ハマスがイスラエル南部に奇襲を仕掛けてから5日で30日目。イスラエル当局によると、奇襲で１４００人以上が死亡し、約２４０人が人質に取られた。死亡したのは主に民間人だとしている。一方、ガザの保健当局によると、これまでに９７７０人が死亡した。うち3分の2は女性と子供だという。９日から、南部への民間人退避などのため、毎日4時間の戦闘休止を実施する、とイスラエルが米国に伝えた。

イスラエル軍は15日、パレスチナ自治区・ガザにある最大のシファ病院を支配下に置いた。病院の地下にハマスの重要な司令部がある、との理由を挙げていたが、証拠は見つかっていない。

欧州、アフリカ、中南米の著名人がガザへの空爆を「大量虐殺（ジェノサイド）」と非難し、国連のグテーレス事務総長もガザを「子どもの墓場」と呼んだにもかかわらず、米国のバイデン政権はイスラエルの軍事行動を「自衛権の行使」と支持し続けた。しかし、あまりの鈍感さに国内外から批判を浴び、バイデン大統領は11月22日、ネタニヤフ首相に圧力をかけ、ガザでの敵対行為を4日間停止させる一方、12月5日、ヨルダン川西岸でパレスチナ人への暴力を続けるユダヤ人入植者に対する米国への査証（ビザ）発給の停止を発表した。

イスラエル政府は11月22日（現地時間）、パレスチナの武装組織ハマスに拉致されたイスラエルの人質少なくとも50人の解放の保証を受けることと引き換えに、最小４日間休戦とする協議案（カタール政府が仲介）を電撃承認した。10月７日にハマスの奇襲攻撃で戦争が勃発してから46日ぶりのことだ。

▽ハマスのガザ地区トップ、シンワル氏殺害で作戦終了の方針

ハマスは11月29日、人質16人を引き渡した。人質解放は６日連続、戦闘休止期間は30日午前7時まで。戦闘の一時停止期限を迎えた12月１日、イスラエル軍は軍事作戦を再開し、２００カ所以上の標的に空爆を行った。イスラエル軍によると、ハマスは戦闘休止合意に違反しイスラエル領を攻撃したからだという。ガザ保健当局は戦闘再開後のイスラエルの攻撃により１７８人が死亡、５８９人が負傷したと明らかにした。そのほとんどが女性や子供だという。

アメリカのブリンケン国務長官は「なぜ戦闘の一時停止が終了したか理解することが重要です。終了したのはハマスのせいです」と強調したが、12月１日、首都ワシントンのイスラエル大使館前にパレスチナ支持者らが集まり、イスラエルにガザへの攻撃を即時停止するよう訴えた。

イスラエル軍は当初、北部にあるガザ市をハマスの最大拠点とみて、住民を南部に強制退避させ、１７０万人余りの難民が発生した。イスラエル軍が東西を横断する道路を整備し、難民たちが北部に戻る道を遮断した中で、南部最大の都市ハンユニスをハマスのもう一つの拠点とみなし、攻撃を予告していたが、同軍は12月６日、ハンユニスの中心部でハマスと市街戦を繰り広げ、ハマスの「防衛線を突破した」と主張。ネタニヤフ首相は、ハマスのガザ地区トップ、ヤヒヤ・シンワル氏の自宅を包

囲した、と述べ、ハマス軍事部門トップのデイフ氏らを拘束するのも近い、との見方を示したが、シンワル氏らは見つかっていない。

イスラエルのガラント国防相は12月11日、ハマスが解体直前であり、彼らをガザ地区からほぼ追い出した、と述べた。ガラント氏はシンワル氏について「ハマスのすべての高官指揮官と隊員の運命は同一だ」とし「降参か死か、第3の選択肢はない」と話し、同氏を殺害すれば作戦は終了する、との方針を示した。国際人権団体ヒューマン・ライツ・ウオッチ（HRW）は12月18日、イスラエルはガザの人々を意図的に飢餓に陥れるという戦争犯罪を犯しているとイスラエルを非難。

一方、ハマスが統治するガザ地区保健省12月20日、10月7日以降のイスラエルの爆撃などで、ガザで殺害された人が2万人を超えたと発表した。この過剰な死者を見ると、イスラエルはパレスチナ民族浄化作戦を行っている、と批判されても仕方ないだろう。

イスラエル軍のハガリ報道官は２０２４年1月6日夜、ガザ北部における「ハマスの指揮系統の軍事的枠組みの解体を完了した」と述べ、「ガザの中部や南部におけるハマスの解体に集中している」とした。ハガリ氏は「解体」にはハマス戦闘員との戦いに加え、地上と地下のハマス関連施設を破壊する必要があるとも指摘、「これには時間がかかる。（ガザでの）戦闘は２０２４年を通じて続くだろう」とも語った。

▽二国家共存に関する国際的決定に立ち返るか

10月7日のハマスの攻撃をイスラエル諜報機関が事前に察知していなかった、とするネタニヤフ政権の言い分を、額面通り受け取る人はいない。パレスチナ人の故郷分断を維持するため、ヨルダン川西岸を支配するパレスチナ自治政府に反対するイスラム過激派、ハマス――統治能力がないテロリストの集団――をガザで育成してきたのは、ネタニヤフ首相だと見られてきたからだ。パレスチナ人とイスラエルが和平を締結する前提条件なしでも、イスラエルはアラブ首長国連邦（ＵＡＥ）などアラブ諸国とのとの関係正常化を推進してきた。アラブの盟主・サウジアラビアも、ハマスはネタニヤフの〝子飼い〟だと見なし、イスラエルとの国交正常化寸前まで来ていたことからも窺える。

ハマスによる攻撃が近づいているという情報をネタニヤフ政権は無視し、ガザ近くのキブツに住むイスラエル人を全く無防備なまま放置した。壁を乗り越えてイスラエルに侵入したハマスのテロリストをイスラエル軍は無差別銃撃したが、殺害した中にはイスラエル人も多数いた。しかし、ネタニヤフ政権はこれらのイスラエル人死者もハマスのせいにした。ガザ北部にハマスの司令部があるという理由で、北部の人々を南部に追い出し、あわよくばパレスチナの土地からパレスチナ人を永久に追い出そうと画策しているように見える。10・7事件は戦争ではない、民族浄化を推進するための「虚誘《きょゆう》掩殺《えんさつ》の計」（イスラエル軍の守りに弱点があるかのように見せてハマスの攻撃を誘い込み、打撃を受けた程度を見計らって、イスラエル軍が一挙大攻勢に出る謀《はかりごと》）であることが明かになった。イスラエルはハマスを一掃する狙いでガザを爆撃しているのではなく、パレスチナ人をガザから一掃する狙いでガザを爆撃している、と言われても仕方ない。

イスラエル国内では、パレスチナ人を軍事力によって排除することはできないとの認識が広がっている。イスラエル軍によって虐殺された人たちの子供や孫は、将来、必ず復讐しようとするだろうから、イスラエルとパレスチナの二国家共存に関する国際的決定に立ち返る必要があり、そのための仲介者は、米国ではなくＢＲＩＣｓ（ブラジル、ロシア、インド、中国の経済成長著しい４つの国プラス南アフリカ）やアラブ諸国だとの見方が出始めている。

▽イスラエルは超リッチマンの利権を守る「防御楯」

イスラエルは建国以来、パレスチナ人の土地を横取りし、抵抗するものは殺害することが日常化した魔性の国だ。本来なら地球に存在することが許されないが、世界の超リッチマンにとっては「防御楯」のようなもので好都合なのだ。

世界支配を目論むイルミナティの中の二つのビッグ・ファミリー、金《きん》とウランの価格を支配するロスチャイルド家は、ユダヤ人の祖国をパレスチナに建国しようとするシオニズム運動の最大の支援者である。しかし、ロスチャイルド家自体はイスラエルに帰ろうとは考えていない。つまりシオニスト（「異化主義者」）ではない。石油価格を牛耳っているロックフェラー家は大富豪としてイスラェル支援を惜しまないが、米国内のユダヤの富豪たちが同化主義者、つまりユダヤ人はディアスポラ（離散）した国の中に同化すべきだ、と考えていることからイスラエルの右派勢力と距離を置いている。

ただ英国と米国に住む超リッチマンがシオニストの支援者になっているのには、もう一つの理由がある。イルミナティによる西側世界の支配体制を守るためには、英米両国民の目を外国にそらす必要がある、と考えているのだ。超リッチマンの「自由と民主主義、法の支配」体制は、多くの貧しき人々の犠牲の上に成り立っている。その事実を両国民に真剣に考えさせないような材料の一つとして、パレスチナの紛争は格好なものだった。

土地争いに民族と宗教が絡めば、紛争は永遠に続く。それに輪をかけるように超リッチマンがマスメディアや映画を使ってユダヤ人の権利と迫害の歴史を絶えず喧伝することで、英米両国に住むユダヤの超リッチマンは安穏と暮らせる体制を維持できると踏んでいる。「シオニズムは、『ロスチャイルド一族のユダヤ機関』の活動と表現するほうが的確であろう」と『赤い楯』の著者、広瀬隆氏は書いている。

2023年10月7日に始まったハマスの攻撃に対するイスラエルの「ジェノサイド」に欧米諸国の市民の目が釘付けになるよう、イルミナティの忠実な子分・バイデン大統領はユダヤ・フリーメーソンの手法である「両陣に立って」演技した。ガザへの空爆をイスラエルの自衛権と容認する一方、ガザの婦女子に対する人道支援を強化するなどバランスを取る格好をとっている。米国は自由、平等、博愛のバランスが大きく崩れた国家であり、民主主義国とは言えない。それを国民に気づかせないようパレスチナ問題を巧みに使っていることが分かるといえる。

第2章　ユダヤの歴史

▽ユダヤ教が民族の命

四王天延孝氏の著書『猶太思想及運動』に戻ろう。四王天氏は「ユダヤ民族の特異性中最も大きなものはユダヤの宗教である。これこそユダヤ民族の生命ともいうべきもので、彼らが今から1806年前に全然亡国になっても、今なお滅びずに雄心勃々として世界制覇を企てつつあるのは全く宗教の賜物である」と強調、ユダヤ教がユダヤ民族を世界の中心を成す民族であると教えていると次のように述べている。

（1）彼らも初めは多神教であったと思われる。ヘブライ語の神という字は今もエロヒムという字が用いられ、複数であるから神々ということになる。しかるにだんだん民族の統一を必要とするところから民族神、ヤハウェのみを崇拝し、これがエホバに転訛して、今日に至っている。そしてエジプトから教祖モーゼが同族を率いて逃れ帰って、シナイ山の上で、雷鳴中にエホバから十戒を受け、これでユダヤ教を確立し始めたのである（約3250年前）。

（2）バイブル全書中の初めの重要な創世記以下五書がユダヤ教の本筋の宗教書である。キリスト教では旧約全書をバイブルというが、ユダヤ教ではこれをトーラーと名付けて、これを遵奉しておる。

キリストは、ユダヤ国に生まれ、目の当たりトーラーの偏狭排他、拝金、形式的などを見て、嫌気を催してあの教えを立てたものと思う。

キリストが新約の教えを立てるのに、なぜにキリスト教がユダヤ教の本体たる旧約全書を捨てずにこれを遵奉して居るか。他に理由もあるが、キリストがユダヤ人から糾弾されたとき、苦し紛れに、わが来たりし律法の一点一画をも破壊するためではなく、むしろこれを完成するためである、と言い逃れして助かったことなどが腐れ縁をなしていると思われる。ドイツその他にはキリスト教が更生するためには、すべからく旧約全書を焼き捨てなければならぬ、と主張するものもあるくらいである。

（3）トーラーはユダヤの神の直接啓示であって本筋のものであるが、これ以外に口碑伝説で残っていたものを書きつづったと称するトーラーに幾倍する浩瀚なものがタルムードである。編纂の年次はキリスト以後5世紀にわたり参与した高僧知識500人に上ると伝えられるもので、内容は神学、哲学、科学から禅問答のような部類もあり、雑多なものである。

（4）最も激烈なタルムードの部分を1923年4月12日、ニューヨークヘラルド新聞が発表したところにより抄録すると（文中にゴイとあるはユダヤ人以外の人々を指すのである）、リップル、ダビデ書37に「いかなる事柄にかかわらず、宗教上の秘密をゴイに漏らしたものは、すべてのユダヤ人を殺すと同罪である。なんとなれば、ゴイがもし我々の教ゆる事柄を知ったならば、彼らは公然我々を殺すべきであるからだ」。ババメチア114の6に「汝らユダヤ人は人間であるが、世界の他の国民は人間にあらずして獣類である」。シュルハンアルクのショッエン・ハミツバット348に「他民族の有する所有物はすべてユダヤ民族に属すべきものである。ゆえに、何等の遠慮なく、これをユダヤ民族の手に収まること差し支えなし」。

（5）タルムードとはユダヤ人の一種の民法であるが、何を教えてあるかといえば、こういうことが書いてある。「人間は獣類より優秀であると同様に、ユダヤ人は地球上のいかなる民族よりも優秀である」「神はユダヤ人にすべての方法を用い、詐欺、強力、高利貸し、窃盗によってキリスト教徒の財産を奪取することを命ずる」。

（6）特記すべきは、宗教上の儀式は割礼である。これは、男児が生まれて8日目の午前、包茎切開手術を施して他民族との分界を明らかにする。すなわちみずから差別を設けるのである。この点についてユダヤ人問題をよく知らない人々は彼らが他民族から差別待遇されて気の毒だ、と安価な同情をするが、身体髪膚を父母に受けたのを態々親がかわいそうなみどりごのうちに傷つけるのである。昔は産褥にある母親が自ら手術を行ったが、近年は、この手術はお坊さんで一寸した外科の心得あるものがやり、命名をする。これにも施行前に相当長い祈祷文があるが、その中に「これで初めて祖先アブラハムの仲間に入ることができた」という文句がある。

▽保守的であると同時に進歩的

四王天氏は、ユダヤ人は保守的であると同時に進歩的であることから日本人には理解しにくい民族だが、フランスではユダヤ化が進んでいる、と次のように語る。

「古典研究家以外に必要なしと思われたヘブライ語を復活させようとしているのは、日本で神代文字を復活させてこれを日常語にしようとする運動に似ていないこともない。アインシュタイン博士自身も死語たるヘブライ語を十分心得ていて、大正11年日本に来て相対性原理の講演をしての帰り道には祖国パレスタインに寄って同族に対してヘブライ語で演説している」

「欧州大戦勃発（第一次世界大戦）の前年、筆者がフランスに久しぶりたどり着いて、土曜日だから大丈夫と思って銀行へ行くと、朝から休むことになっていた。フランスもこれほどまでにユダヤ勢力の下に立つようになり終わったか。しかしそれは、金融界のことであるからユダヤ勢力が盛んであって、これは特別であろうと考えてみた。ところが、労働者もユダヤ人、レオンブルムが総理大臣になって人民戦線をやって以来、1週間を40時間以下と限定したので、平日5日間8時間ずつ働いて土曜、日曜と2日間休業する工場が多数出来たことはますますフランスのユダヤ化に都合良くなったことを看取することができた」

シリア駐在の日本大使に着任する前、外務省の木幡昭七氏はフランスの政治情勢について、「ミッテラン大統領が大統領に就任後、真っ先に訪れたのはジョルジュ・ダヤンの墓であった。ダヤンはフランス社会党に有能な人材を供給するため、同国の選りすぐった学生たちを見出し、同党の発展のため背後から支援していたユダヤ人である。フランス社会党はマンデス・フランス首相をはじめユダヤ人が多く、現在もファビウス首相らがいる。レイモン・アロンが著した本の中でもフランスがいかにユダヤ人の影響を受けているか明らかだ。フランスの200家族と言われる支配階級には多くのユダヤ人がいる」と語った。

ローラン・ファビウス（1946～）の他にニコラ・ポール・ステファヌ・サルコジ（1955～）大統領もユダヤ人。マクロン大統領はロスチャイルド銀行の幹部、ユダヤ勢力が送り込んだものだ。

フランス国立行政学院（École nationale d'administration、略称ＥＮＡ）は、グランゼコール（Grandes Écoles）と呼ばれ、フランス随一のエリート官僚養成学校である。フランス留学した日本人の誰もが「この学校もユダヤ人が指導している」ことを知り、驚く。

金融商品取引法違反容疑（有価証券報告書の虚偽記載）で逮捕された日産自動車会長のカルロス・ゴーンも、フランスのユダヤ・フリーメーソンの大物である。同法違反だけなら政治資金規正法違反事件と同じで修正申告すればよいだけの話で、形式犯罪だ。ゴーンのような大物を逮捕するには軽い犯罪だが、検察当局は巨額脱税で再逮捕する証拠を固めていた。そうでなければ、日産の日本人執行部のクーデターに検察が手を貸したとの批判を浴びかねないからだ。ゴーンはレバノン人だが、祖先を辿ればフェニキア人だ。フェニキア人はギリシャ・ローマ時代にカルタゴを作って、ポエニ戦争でローマと戦った強国で、ハンニバルの戦いはあまりに有名だ。カルタゴはローマに滅ぼされて、フェニキア人５万人が奴隷としてローマに連れてこられた。フェニキア人は貿易や商業、金融にたけていたことから、ローマ帝国は彼らの能力を使い金融・商業都市ベネチアを作った。ベネチアは「新しいフェニキア」を意味するという。ベネチア市のトップは互選で選ばれて、民主政治の一つの形を作っていった。メディチ家が栄えるなどルネッサンス文化の勃興に貢献した。

ベネチアのフェニキア人はユダヤ人と手を結び、ヨーロッパの金融、商業支配に乗り出し、18世紀にはフランクフルトのロスチャイルド家とも手を握る。彼らは結婚などを通じて混ざり合い、アングロサクソンやゲルマンとも違う肌が黒いこともあって「黒い貴族」と言われる階級として定着していく。この「黒い貴族」が英国王室をはじめとするアングロサクソンの貴族階級と手を握り、権力や金融力を蓄えていく。

▽ユダヤ人は「一六勝負的に運を天にまかせての大博打をやる」

四王天氏は、ユダヤ人の凄みは進取の気性であり、一六博打も打つ、と語る。

「彼らの保守的はいたずらに旧体制の殻の中に立てこもって一切世間と隔絶するというのではなく、むしろ進んで他の事物を研究し、自他ともに進歩して、万古不易と信ずる彼らの不動の使命を達成しようとするのであるとみられる。ゆえに、彼らの研究心はなかなか保守的人種とは思えないほど旺盛である。哲学でも科学でも、航海でも電機界、映画、貿易、商業、工業、金融等万般に渡り、よく研究する。本書第一篇総説に述べたユダヤ聖典序文の豪語は空宣伝ではない。ただし、彼らは、元来土地に固着しないために農業だけはあまり関心を持たなかった。先般の大戦（第一次世界大戦）後、パレスチナが手に入って以来、ようやく関心を持たざるを得なくなった。そして着々農業にもある程度の成功を見つつある。」

「彼らの保守的に似ず、進取的な行き方で目につくのは、時々極めて積極的であり、一六勝負的に運を天にまかせての大博打をやることである。彼らは、いずれかの国に土着し、一代か二代位の間に相当の成功するのであるから、元も子もなくなったところで、格別口惜しくはない、またいずれへか新天地を求める。

その点は、祖先伝来の田畑を耕し、風雨寒暑に心血を注いで貯蓄した財産などとは全く違うのである。この乾坤一擲的の大企業精神がわからずに、島国的、土着的観点でユダヤの動きを見ても本当の事がわからず、彼らの公然たる自白まで読むでも懐疑的に、真逆そんなことはあるまい、何か為にする宣伝だ、くらいに片付けてしまう場合が正直な日本人には多いから、特にこの点に注意しておく。」

▽国際主義思想が強いのが特徴

四王天氏はユダヤ人がディアスポラ（流浪の民）ゆえに「彼らは、政治的に経済的に国際主義による機構を設け、各国内において漸く牛耳を執るに至ったユダヤ同士の結合によって天下のことを左右する方が得策であることは頭の良い彼らの当然考えるべきことだ」と言い、さらに次のように語る。

「国際主義思想が悪くて国家主義思想ばかりが良いという問題ではなく、国際主義が国家の蔭を薄くし、ついには、万国主義に持っていくかどうかが問題である。皇国の八紘一宇の大理想は必ずしも他の国家を壊滅するのではなく、各国家互いに有無相通じ各々その特徴を持ち寄って、平和に世界を構成するにあるから、万国主義的ではない。ユダヤのは国家主義を排撃して国際主義に進むから、ついに万国主義となり、ユダヤの世界統一を目標として進むようになるから警戒されるのである。

今彼らの国家主義排撃の代表的なもの1、2を挙げてみると、すでに述べたドイツ生まれのユダヤ詩人、ハインリヒ・ハイネ曰く、『予は、国家主義者を嫌い、終生彼らと戦った。彼らの剣が今や臨終に近い彼らの手から落ちんとするに臨んで、予は必ず共産主義というものが彼らに出会って、止めの一刀を刺して遣わすことを確信し、もってみずから慰めとするものである』

次は、西暦1936年9月24日米国シカゴ市で発行するジュイッシュ・センチネルの所論である。

『世界大戦の最も顕著な、そして最も有害な影響は、新しい国家主義の台頭と、従来残っていた国家主義の振興である。国家主義はユダヤ民族にとっては一大脅威である。今日においても、従来各時代の歴史が証明するごとく、高尚な国家主義文化の発達した強国の中では、ユダヤ人は生活できない』」

▽世界はユダヤ人のため、との思想

四王天氏によると、ユダヤ人は「世界はユダヤ人のためにある」という認識で凝り固まっている。「ユダヤ人は統治権から財産権に至るまで一切独占することを端的に明快に述べたものは、1925年ロンドンで発行された『タルムード寶典』の中の左の文句である。
『世界が唯ユダヤ人ばかりのために造られたのである』（トレージューアス、オプタルムード153頁）

これは実に驚きいった放言で、果たしてしかりとすれば、我々大和民族も、支那民族も、アングロサクソンも、チュートン、スラブ悉く物の数ではない。ユダヤの必要があれば、事を設けてこれらの民族をかみ合わせる世界戦争を起こさせようと、又はスペインのごとき一国内に内乱を起こさせ、たちまちの間に同胞50万人に互いに殺戮の惨事を演出させようとも、彼らユダヤ人の利益になることなら何ら妨げはないことになる。

筆者は、その年にロンドンでその本を手にして非常に憤慨し、ジュネーブの国際連盟に行った時、そのことを後に事務次長までなった有力者某氏に訴え、ユダヤ人諸国が、国際連盟の創立に力を尽くし、事務総長以下部長級全部の椅子をその手に収め、先般の世界大戦をもって世界最終の戦争に終わ

らしめるべく、尽力をなさることは誠に敬服に耐えないが、ユダヤ人諸君がその思想の根本において、世界はただユダヤ人ばかりのために造られたものだというような偏見、独占的の考えを包蔵して居るならば、断じて世界に平和は来ないと思う。不詳ながら必ず第2第3の世界大戦が起こることを予言する、と戒告を与えておいた。その後13年おいてまたロンドンに赴いたとき、同じユダヤ書店を訪ねて上述の不都合な文句が改定されたかと思って楽しみに調べてみると、遺憾ながら、右の文句はそのままになって発売されていた。第2ヨーロッパ戦争（筆者注：第二次世界大戦を意味する）はついにその翌年勃発してしまった。」

「『全地球上にはイスラエルだけに神がある』（アブラハム著ユダイスム第21頁）。また同書35頁には王国と言うことを説いて『それは、地球上における天国であって、聖人たちすなわち理想的のイスラエルによって支配されて全人類をこれに包含するのだ』。これらの根本の猶太思想を把握しないと、現前のユダヤの実際の大規模の運動を見せ付けられていながら、まさかそんな世界戦争、世界革命、世界統一なんぞを考えてはいないはずだと決めつけて、吾人の言うことを行き過ぎと笑うことになるのである。」

▽ユダヤ人は「金が命」と教える

四王天氏はユダヤ人の功利的な思想についても証拠を提示しながら説いていく。

「ユダヤ聖賢の言として伝えられる中に、次の文句がある。『目的は手段を神聖化するのであるから、我々は計画を立てるに際してどちらが良いとか道徳的だとか言うことよりも、どちらが必要であり、有用であるかということに一層の注意を払うべきである』（チェンバーレン著「第二十世紀の創造」）

ユダヤ民族の目的は、世界統一になることは上述してきた彼らの極端なる優越感や独占観や彼らの信仰する預言者の言を一覧すれば分かることであるが、その目的達成の方法としてみずから武力を用いずして金力をもってすることも周知のことである。

その金力を集める方法としてあらゆる方法が許されておることも宗教の部で説いたところである。

抑々《そもそも》彼らの拝金主義は遠く3250余年前エジプトを脱出して、教祖モーセがシナイ山の上で、精神的に神の啓示を受けておる際、別の長老アーロンというのが山のふもとで金の子羊を鋳造して、これを『金神』（ゴールデン・ゴッド）と称して盛んな祭りをやったことなどから一層強くなった。

ユダヤ人の命が金であるぞということを少年時代から深く刻みこむため、ロシアのある地方のユダヤ人は子供に金貨を握らせ、相当高い木の枝にその金貨を持ったままブラ下がらせ、金貨を落とせばすなわち生命を落とす、という教育をする話を聞いた。強《あなが》ち単なる物語ではあるまい。」

「米国のユダヤ系大銀行、クーン・ロエブの御大ヤコブ・シッフが日露戦争の際、財務官高橋是清氏を通じ、日本に貸した2億5000万円は奉納したのではなく、外債として相当の利をつけたのだが、第1次ロシア革命の運動費として綺麗に投げ出したのは1200万ドルと言われる。そして前者も後者もともにロシア国内のユダヤ同胞6百万人の解放を目指したことも今日においては明らかとなった。」

日露戦争が外債頼みだったのはよく知られているが、元国土庁長官の亀井久興氏の著書『許すまじ！日本売却』によると、日本が太平洋戦争に踏み切った理由はいくつかあるが、日露戦争のこの借金も原因の一つであり、戦争でアメリカに勝てば借金を相殺できると考えた人もいたようだ。シッフへの返済は第二次世界大戦後も続けられ、「借金返済は金利を加えて1986年まで続き、返済が終わると休む間もなく年次改革要望書によって、搾取される国づくりに移行し、現在の格差社会につながっていきます」。

財務省はシッフへの返済金が予算書のどこに記載されているかについて明らかにしたことはなかった。

四王天氏は英国のロスチャイルドがナポレオン戦争で大儲けしたエピソードも披露する。

「ユダヤ人の射利的なことは余りにも人口に膾炙しているが、一つの代表的なものを略説すれば、西暦1815年米国が、ナポレオンを撃つためにウエルリントン軍を大陸に派遣し、ワーテルローの一戦に大勝を博した時、ロンドンの銭屋ロスチャイルドは使用人に伝書バトを持たせて従軍させたため、ナポレオン敗北の報は、ロンドンで一番先に知ったが、公報の来るのがドーバー海峡の霧のため遅れることを考え、明日から必ず跳ね上がるべき英国公債をボツボツ市場に売り方に出して民心を不安にし、逆にロスチャイルドの許に、殺到する売り方の株をひどく値切り倒して買い占め、翌日戦勝の報がきて株の大幅値上がりのため、一挙に大もうけをしたことなどはすこぶる有名な話である。左様な逆手を打つことなどはちょっと他民族にはできかねる、何となれば売った人は翌日になれば必ず、地団太を踏んで後悔することが初めからわかっているからである。」

▽ユダヤ人は復讐熱に取りつかれている

四王天氏は、ユダヤ人が数千年の流浪の民ゆえに思想が陰性的で神経的な病症を患っている人が多く、復讐熱に取りつかれており、欧州戦争の真因にはヒトラーに対するユダヤの復讐だ、との見方を示している。

「ユダヤ人があまりに復讐精神に燃ゆるのを憂えてキリストが『仇を復すは我にあり』と述べてユダヤ人を戒めたのであるが、キリストを十字架にかけたユダヤ人は今日なお盛に復讐熱を煽っている。」

「第1次世界大戦は終わり、国際連盟はでき、大体ユダヤ人は彼らの時代は来たと考えたので、少しく有頂天になった。アルベール・コーヘンという文士の如きは、『ユダヤの発言』と題する一書を公にし、その初めの数ページにおいて、次のように書いている。『今日までキリスト教徒諸君はさんざん我々を迫害しておきながら、今頃になって我々に同情を寄せるなどとは押しが強い。我々は今からただ復讐あるのみ』」

四王天氏は「現在の欧州戦争の真因にはヒトラーに対するユダヤの復讐ということが大きな部分を占めて居るのである」と言う。

「コーヘンの如く露骨にユダヤ人が台頭してきたため、これに対して、反ユダヤ熱もまた各国に盛んになってきた。そこでユダヤはまた、鳴りを静め、潜り始めた」と述べ、さらに「彼らが潜水艦式の努力をするのは至当な戦術で、すでに業に皇国に向けてもずっと前からクリオリンの言う通りやって居るのである。前に説いた河合栄次郎博士の国家主義攻撃などは事実において、その一例である。

しかるに、皇国の有力な指導階級の人で、敵ということが判然としてから対策を講じても遅くないと嘯いている人があるが、これは国を誤ると思う。」

▽ユダヤ人は両陣営に立つ戦術

四王天氏は、ユダヤ人は他民族を前線に立たせ、自らは後方から指令を発するという戦術を取るのが特徴だ、と説いている。

「潜水鑑式戦術の一方式として、『ゼンタイル・フロント』と呼ぶものがある。すなわち、『他民族第一線主義』である。ユダヤ人自ら陣頭に立つときは、終局の目的はユダヤ人のためであることが見え透くので必ず失敗するから、他民族を第一線に立たせ、ユダヤ人自らは後方から指令を発し、糸を引き、鞭撻激励を与えるのである。」

「もう一つの戦術は、彼らは両陣営に立つ戦術である。これはユダヤ運動理解のために極めて必要なる予備知識で、これを知らないとユダヤ問題の研究は迷路に入るのである。筆者は年来この戦術を称して釘ぬき戦術と名付けている。すなわち、釘を抜くには、一方のでは目的を達せられない。必ず釘抜きには釘を鋏む双方の部分がいるのである。一国を疲弊せしめるには右翼ばかりからでは難しいから、左翼にも言う事を聞く分子を入れ、右翼すなわち財閥方面にも言うことを聞くものを置き、その対立抗争を起こさせて思うように指導することは在来各所でやってきたところである。」

「ユダヤ財閥が赤化運動資金を出したり、左右両方を統括する秘密結社フリーメーソンの働きを熟知するを要するので以下具体的のことは章を追ってこれを叙述して、右の疑い解くことにする。ただここに『ロシア革命』の著者ユダヤ人、ミールスキーがその著書中に『ユダヤ人は両陣に立つ』と明白に告白したことだけを述べておく。」

▽フリーメーソンは石屋の組合から発達

四王天氏は「今もって皇国の指導者階級でフリーメーソンの存在すら知らない人がある」と日本政府の〝極楽とんぼ〟ぶりにあきれ返っているが、私が政治記者として取材活動する中で、外務省の役人にフリーメーソンのことについて話を向けると、「陰謀論に与したくない」と言われ、話の接ぎ穂に困ったことがある。

四王天氏は、これは「単なる憶測ではない」と、次のように語る。

「つい2、3年前、中央政府の指導者が四国に行った時、教育からフリーメーソンの思想かく乱について質問せられたのに対し、フリーメーソンというものがあるとかいうような話を聞いたこともあるが、まあ外部からの独断的の妄想に過ぎないと答えたそうで、誠に寒心に堪えない。フリーメーソンの存在だけは知っているが、故吉野作造博士はこれを秘密結社でないと曲筆しておる。外国の辞書でも立派に秘密結社と書いているし、現に東京、横浜などで会合の時、食事はともかく、本当の儀式や議事には張り番をして誰も入れないのである。

かくのごとき秘密結社のことであるから、その調査はすこぶる困難であるが、22年に渡り苦心し、単に外国からの情報や浩瀚な数十冊の書物を読破したばかりでなく、海外では危険を冒して調査した結果から記述するのであって、決して単なる外部の憶測ではないことを明らかにしておく。」

「フリーメーソンの起源は、もともと石屋の組合から発達したことである。西洋で市街の真ん中に先のとがったゴチックの高い大寺院などを建築するとき、よほど技術のもっすぐれた職人で、しかも道徳堅固な人でないと安心して工事を任せられない。技巧を誤ったり、私利のために手抜きをしたり、悪い材料を使われたりすると飛んだ災害を起こす場合がある。そこで職人は、厳選してみると、国内からだけでは不足で到底一定の期限内に完成できない。ついに外国から優秀な職人を呼んで手伝ってもらうことになる。かくのごとき客分的職人を迎えるのに、国境でやかましい手続きをしたり、関税を課したりするのは、よろしくないので、国境通過も自由にするし、国内の起居も楽に自由にする。そこで、自由石屋というのがフリーメーソンの起こりであるとされておる。故に今日でも服装や標章には石屋の道具が沢山使われておる。」

「かくのごとく国境を越えて人類が行き来をし、兄弟分として同じ目的に向かって働くということは良いことであるというので、石屋以外の問題にもこれを拡充してゆく傾向が14世紀頃から顕著になり、フリーメーソンという名目で宗教その他の国際的親善工作や、石屋が一つの粗石を受け取ってこれを完成するように、宇宙の一員として互いに琢磨して、人格を完成するというような運動がボッボツ台頭してきた。」

▽1717年、英国で組織化

四王天氏によると、フリーメーソンが秘密結社として組織されたのは1717年、英国のスコットランドにおいてであり、メンバーの最高位は33階級にいて、結社の象徴にはコンパスと定規を組み合わせたものが使われている。

「こんな話をだけを聞き知ってか、日本のある元大臣がフリーメーソンとは人類の最高道徳を磨くところの国際親善機関である。それを陰謀でもやる組織と思うのは、大変な誤解であると人に語ったそうであるが、危ないことである。」

「これをはっきり組織立てたのは1717年英国スコットランドにおいてである。これ以前のメーソンはオペラチーブ（実行的）メーソンと呼び、これより以後のものはスペキュレーティブ（思索的）メーソンと呼ぶのである。ここで英国がフリーメーソン組織の本家本元であることを明らかに認識し、特に組織の場所からしてスコッチ派という名称まで広がって行ったことを注意すべきである。」

「フリーメーソンは秘密結社であるから、めったの人は入会させないのが当然である。秘密結社にしておく訳は次のように、弁解的に書いている。『フリーメーソンとは神の大智慧と、永劫の経験から出発した最高の道徳の組織立てられたもので、外部からの攻撃と内部からの崩壊をまぬがれるために俗人にわからない寓話でベールをかぶせ、象徴で説明して居るのである』」

「フリーメーソンは平等など唱えるが、自らは多数の階級からなっている。初めの間は、見習い工、職工、職長の三種だけであったが、その後、十字軍騎士の名前や貴族的の称号などを加えて、今では33階級になっておる。」

「フリーメーソンの象徴は、多々あるが、極めてありふれて基本的なものはコンパスと定規を組み合わせるのである。コンパスは宇宙のごとく円満を示す。定規は行為の正しいことを示すのである。」

「フリーメーソンには俗人にちょっとわからないように略語を用いることがすこぶる多い。そのうち最も多く用いられるのは、ＭＦなどでＭ…はフリーメーソン、Ｆ…は、フリーメーソン兄弟たちというのである。ヨーロッパでは、フリーメーソンのことを『3点兄弟』という人たちもある。なぜ3点を用いるかというと、弁証法の these（正）antithesis（反）Synthesis（合）を意味する。」

「原則としてはフリーメーソンに加盟していても、決してこれを告白しないのである。第1次世界大戦の直接の原因を為したオーストリー皇太子暗殺を敢行した犯人フリーメーソン、カブリノウィツやプリンチップらは、法廷においてフリーメーソンかと、尋問されても、なぜそれを尋ねるか、自分はそれについては答えることはできぬ、と抗弁し、答えなければ、肯定するとたたみかけられると、沈黙して肯定に委せるというやり方であって、決して自らフリーメーソンですとは言わなかった。」

▽フリーメーソン、大陸に逆輸入

「英国で組織化されたフリーメーソンは間もなくヨーロッパ大陸に輸入された。逆輸入と言っても間違いではないかもしれぬ。何となれば、大陸における宗教上の異端者が英国に渡って、フリーメーソンの基礎を作ったとの説も真実らしいからである。英国系の結社はその標語を兄弟愛（ブラザーリー）、救助（リリーフ）真理（トゥルース）とし、その進み方は漸進主義を取っているが、大陸系の結社はその標語を、自由、平等、友愛とし、その進みは急進主義、革命主義を取るのである。」

四王天氏は、大陸における宗教上の異端者が英国のスコットランドでフリーメーソンの基礎を作ったらしい、と言っているが、恐らくその異端者とは世界最強の秘密結社、神殿騎士団（Temple Knights）のことを意味しているのではないかと推量する。

▽神殿騎士団が金融技術を発達させる

英国に留学した名古屋大学元教授のO氏は「10世紀ころ、ヨーロッパ各地から集められた十字軍の騎士団がエルサレムに派遣された。攻略できなかったソロモンの神殿跡を本拠地にした騎士団を作った。これが神殿騎士団だ」と次のように語る。

「キリスト教の僧侶で、兵士、言うなれば僧兵だ。騎士団を作った僧侶たちはエルサレムを目指して巡礼するキリスト教徒のため巡礼路を造り、宿場、病院などを造った。旅すがら巡礼たちは金と情報を落としていく。神殿騎士団は彼等が落としていく金と情報を握った。また巡礼路は貿易のルートにもなった。神殿騎士団はローマ法王庁や各地の王権以上の金と情報を握るようになった。金融については、巡礼たちが現金を持ち歩けば盗賊に襲われる危険性が大きいので、手紙を持って旅をし、到着した所で名前を書けば金をもらえる仕組みを考えた。為替や小切手の原形である」

「こうした仕事を通じて金融技術を発達させた。イタリアではBANCOとは取引をするカウンターを意味するが、これがBANK＝銀行の語源である。ルネッサンスのころ金融で栄えた人は、こうした仕事を受け継いでいる人たちで、金融神殿騎士団となる。1317年、フランス王家とローマ法王は神殿騎士団が大きくなりすぎたのに手を焼いた。神殿騎士団が、カトリックで許されない異端の思想を持ち込んだため、ローマ法王とフランスの王は結託して神殿騎士団の総長を招き、逮捕し、ただちに処刑した。フランス王は神殿騎士団の総長の財産を手に入れるはずであったが、総長もこうした意図を察知してフランス王に接見する前に金を隠した。神殿騎士団はこの時、秘密結社となってローマ法王とヨーロッパの王権に対抗する組織となる。神殿騎士団の本部はフランスからイギリスに移った。ジャック・ド・モレーの夫人はスコットランド人。『殺されるな』と知った総長は神殿騎士団の秘密と為替を文書でスコットランドに送っている。

フランスの秘密結社は王権を打倒しようとフランス革命のスポンサーとなるなど、この時のトラウマを引きずっていく。イギリスの秘密結社は新たにフリーメーソンを組織化して、イギリスの王権に対して米国を独立させるように動いた。スコットランドの王権は亡命した神殿騎士団の核となるグループを保護した。神殿騎士団の中で一番の名家はシンクレア家で、ここが恐らく世界最強の秘密結社、神殿騎士団の本家といってもいいのではないか。今でもスコットランドにいる」

▽神殿騎士団がイルミナティを作った

イルミナティは、ドイツのインゴルシュタット大学の教会法教授で法学者、イエズス会のイルミニスト（光明派）であり、フリーメーソン結社員、アダム・ヴァイスハウプト（1748〜1830）が、1776年5月1日、自らが主催する哲学・政治理論に関する私的サークル「完全論者の教団」を「バイエルン啓明結社」として立ち上げた秘密結社が原点と言われている。

ヴァイスハウプトはフリーメーソンの目的である人種、階級、祖国の区別を消滅させ、武力によらない世界征服を達成して地上の支配者になるという野望を表明している。フランス革命の首謀者の一人、ラファイエット侯爵と密談を重ねたといわれている。

こうした言わば通説に対し某イルミナティの離脱者は、「ヴァイスハウプトがイルミナティを作ったわけではなく、テンプル騎士団の中の金融業者たちがイルミナティを作り出した。ヴァイスハウプトは、彼らの言わば『使い走り』」と言う。

ヴァイスハウプトのイルミナティは1776年、独立を宣言したアメリカに渡り、支配勢力に浸透し自由、博愛の精神を掲げた政治システムとして民主主義を、経済体制としては資本主義を採用させた、とも言われている。

イルミナティについては、第3章で詳しく述べたい。

▽フランス革命もフリーメーソンの影響が大きい

四王天氏によると、カール・マルクスがヨーロッパを革命で荒らしたころの「一方の旗頭は、フランス生まれのユダヤ人の弁護士クレミウーという男で、それが大陸フリーメーソンの本山グラン・トリアン（大東社）の首領で、1860年全世界ユダヤ同盟を設立して、その協会長になった。クレミウーまでは大陸フリーメーソンの信條には神という字は用いないが、（フランス語で）英語に匹敵する『宇宙の大建築者』という字を英国のフリーメーソン竝《なみ》に用いていた」。四王天氏によれば、英国流は神を認めており、大陸派と対立感情が生まれたという。

四王天氏はフリーメーソン運動の目的は人種、階級、祖国を消滅させることであり、こうした思想運動がフランス革命の成功につながった、と分析する。

「大陸のフリーメーソンの教科書の文句から始めると、平等の実行を解いた後、赤裸々に次のように告白している。『マソン社は、かくのごとくして、革命思想の培養に極めて適切な地盤を提供した』。すなわち、平等論を鼓吹することは革命の下工作であることはこれでも明瞭である。前に述べた新入社員に最後の試案をさせる沈思黙考室のあることを略記し置いたが、そこで読み聞かせられる文章に次の文句がある。『お前が人間的差別を固執するならば、即座にこの席から去れ、ここではそれを認めないのだ。フリーメーソンの目的は、人種、階級、祖国の区別を消滅し、国民的反感を根絶するのにある』」

「18世紀末のフランス大革命は、フリーメーソンが大なる尽力をしたことは彼らの次の自白でも明瞭であり、その旗印が今筆者の批判の対象である自由、平等、友愛の標語であった。それだから革命成立後にフランスでは、寺院、学校、官公、裁判所の壁には三方に自由、平等、友愛の評語を彫り込ませてある。」

▽ロシア革命もフランス大革命の真似

「今世紀のロシア革命もその真似であることは筆者が社会革命党委員の有力ユダヤ人プンピヤンスキーから先年、直接聞いたところでもあり、現に当時用いた革命の赤旗にはロシア語で自由、平等、友愛と書いたものがあるので明瞭である。そして、本家フランスの革命を文学で鼓吹したものの一人が有名なジャン・ジャック・ルーソーである。その代表的作品は、コントラ・ソシアルという本で、俗に民約論と訳され、今なお岩波本で相当出ているが、明治初年文部省が学校肝いりとなり、原語の忠実な訳である社会契約という題で発行され、盛んに民権自由の説を散布したのである。封建固陋の思想を打破するには役に立ったであろうが、皇道の今日のごとく高く、天に輝く時代には暗黒時代のカンテラぐらいで、用はないはずであるのに、日本にも今なおフリーメーソンの代弁者が前期の如くに安価低級な平等思想を演説するし、岩波本などが氾濫をするのを見ると、黙視するわけにはまいらぬ。ついでに申すが民約論を普及した古い文部省も現在の発行者もまた、これを購読する人士も、ルーソーがフリーメーソンであったことはご承知なかろうし、結社員であったと知っても、フリーメーソンの目的も知らず、したがって何のためにああいう論を主張したかを知らずに、ただ釣り込まれるのだと思う。」

▽ユダヤ人、マルチネ・パスカリスが博愛思想を導入

四王天氏は自由と平等の矛盾、相克に関するフリーメーソン内部の議論の決着について、次のように記している。

「自由を縦にしようとすれば、平等を破らなければならず、平等を徹底しようとすれば、自由を抑えなければならぬ。これは、多く論議を要しない。今日までの社会の実相を見れば、直ちにわかることである。すなわち、自由主義を奔逸させた時代にいかに貧富の懸隔が著しくなってきたか、またソビエト・ロシアのごとくに平等をやかましく行い、統制を厳格に行う場合に人々の自由は地を拂うに至ったかを一瞥すれば、足りるのである。このことについて有名な詩人ゲーテいわく『社会改良論者にして、自由と平等と同時に与えようというものは、よほどの低能児であるか。しからざるば、よほどのイカサマ師である』」

「さすがに英国の労働党首領をしたジェームズ・ラムゼイ・マクドナルドは、自由と矛盾する平等の問題を要領よく記している。すなわち『自由が主であって平等は自由を獲得するための手段であ

る』」

「フリーメーソンの内部においても、実は、自由主義を絶対に主張する無政府主義系統のものと、平等主義を振りかざす社会主義、共産主義系統のものと思想的に長く対立していたが、フランス革命の35年前、ポルトガル生まれのユダヤ人、マルチネ・パスカリスというのが自由派、平等派を一致させるために古来あった博愛思想をもって友愛会というのをつくり、三権鼎立の釣り合いをつけ、爾来、自由、平等、友愛をもって標語として、フランス革命を決行し今日におよんでいる。」

▽フリーメーソンの目的は無神論的世界共和国の建設

四王天氏は第1回万国フリーメーソン会議でフリーメーソンの目的が決まったが、それは世界統一を目指す一大組織であると述べている。

「西暦1889年7月16、17両日、パリで開催した第1回万国フリーメーソン会議（これは1789年7月14日フリーメーソンの努力で勃発したフランス革命の100年祭を記念してパリで開催し、その機会に第2インターナショナルをパリで創立した）において定義したところによれば、『フリーメーソンの目的は、無神論的の世界共和国の建設なり』とある。これだけ見ても、いかにフリーメーソンが帝王政治、国家主義反対であるかは明瞭である。また、大共和国などとカムフラージュするが、世界統一を目的とする一大組織であることは上海で入手した貴重な文献の中に左の文句があるのでも確実である。」

西暦1865年7月3日上海のフリーメーソン集会所の定礎式があったとき、大幹部の1人、バッチヤーがやった演説の中に、「フリーメーソンが素晴らしいものである理由の一つは、それが世界的であるからである。おおよそ世界を自己の勢力下に置くことは古来、すべての英雄が夢見たところであった。アレキサンダー大王、シーザー、ナポレオン一世みな然りであった。しかるに、彼らは、単に武力のみに寄ったために失敗に終わった。ところが、彼ら大王、征服者らに達せられなかった事柄が今や我々のメーソンの技術で達成せられたのだ。ヨーロッパ、アジア、アフリカ並びにアメリカにそれぞれメーソンの集会所があり、制服があり、儀式がある云々」。フリーメーソンが世界征服を目指すことはこれだけでも明瞭である。

▽世界革命こそフリーメーソンの事業

四王天氏はムッソリーニとヒトラーがフリーメーソンを解散させる措置を取ったことを伝えている。「西暦１９２２年10月フランスの秘密結社グランド・ロッジというフリーメーソン大組合の決議録２３６ページに次の文句がある。『今日まで国家革命をもって人道のために尽くしてきたフリーメーソンは、世界革命と称する一大革命を成し遂げたいのである。この世界革命こそフリーメーソンの明白の事業である』。」

「第１次世界大戦前には、ドッジの数は2万４７８８、会員数は２３５万８１１８人となっていたが、近年の諸発表には４４８万人となっておる。そのうち米国に約３３０万人、英国に約46万人、カナダに約20万人。すなわち英語系が全体の八割に達す。フランスに約５万人おり、あとは世界各国に分布されてる。

イタリアは1926年までには綺麗に掃除し、ムッソリーニは陸海軍将校にして、誤って加盟したものは直ちに届け出て、脱退を誓えば問わないという布告を出している。ドイツは、1933年初めヒットラーが政権を取ると、2年経って1935年7月15日の外務省令をもってフリーメーソンに解散を命じ、建物を没収し、幾多の秘密書類を押収した。1938年9月には、ニュルンベルクでナチス党大会の時はその一つを開放し、一般の人に開放し、フリーメーソンのいかなるものかを天下に暴露した。」

▽フリーメーソンはユダヤ世界統一事業のための一機関

四王天氏は米国のフランクリン・ルーズベルト大統領はフリーメーソンのメンバーであり、ユダヤ人だ、と述べ、さらにフリーメーソンとはユダヤの世界統一事業のための一機関であるという内部告発も明らかにしている。

「フランクリン・ルーズベルト大統領は1911年11月28日、ニューヨークのホーランド・ドッチで第8号結社に加盟、1929年アルバニーにて蘇格蘭（スコットランド）派の第32階級を授けられる。

その後、10年余り以上経過しており、大統領に三選され数年前にユダヤ民族から有効章を授与されて居るくらい覚えめでたい人であるから、今頃は33階級に上り詰めて居るかもしれん。ことにルーズベルト家は元はオランダにいたフハン・ローゼンフェリドというユダヤ人であったのが、数代前米国に渡ってきてルーズベルトと改めたのであるということを米国のエドモンドソン博士が、多数のリーフレットにして暴露しているが、ルーズベルトは抗議したというのを聴かんし、米国の新聞記者がヤンキー式にあけすけに、閣下にはユダヤ人の血が入っているそうですな、と尋ねると、そうかもしれんと答えたと伝えられている。」

「フランスの教育家、アルバン・セリーという人がフリーメーソンに長年忠実に働いた後、だんだん嫌気がさしてついにこれを脱退して、『予はいかにしてフリーメーソンに加盟し、いかにしてこれより脱退せりや』という一書を公にして内部暴露をやった。ユダヤ人でなくて15階級まで辛抱して昇格し、書記を務めていたのであるから、かなり正確な材料を持っている。その発表によると、下級のメーソンにはユダヤ人は少ないが、段々上の階級に進むに従ってユダヤ人が多くなり、ユダヤ色がだんだんと濃厚になることを書いている。そしてフリーメーソンとはユダヤの世界統一事業のための一機関であることがわかるように論じている。」

「また、米国で発行した百科全書503ページには『モーゼ（ユダヤ教の教祖）はグランドマスター（フリーメーソンの総統領）であった』と告白し、更にその先に『フリーメーソンの術語、象徴及び儀礼はユダヤの思想と言葉で満たされている』と説いてある。」

「しかし、ユダヤ人だけで他民族を決して入会させないフリーメーソン結社もある。この特別なものをブナイ・ブリスと名付け上海にも支部があって、アブラハムという老宗教家がこれを統括していた。此くユダヤ人専門のがあること、ドイツあたりに先年まで他民族だけのフリーメーソンがあったことは、フリーメーソンとユダヤの関係をごまかす一つの方法と見えた。それでフリーメーソンは英国のものだという感じも多分に起こるのである。然るに英国そのものが多分にユダヤの道具になってしまったのであるから、フリーメーソンが英国のものということは、とりもなおさずユダヤのものというのと同じことになるのである。」

▽英国はユダヤ人の保護国

四王天氏は、英国とユダヤ人の緊密な結びつきは血族関係と事業関係に加え、フリーメーソンという特別な機関で深く結びつけられている、と説く。

四王天氏によると、英国フリーメーソンには古い伝統があり、14世紀ごろからメーソン組合やロッジがあった。ハリウェル、ポエジーと名付けられた文献から明らかで、1717年、ロンドンのグランド・ロッジ創立からお目見えした近代メーソンは古いメーソン社から出発、その年に4つのロッジがロンドンで結合して1つのグランド・ロッジを形作った。

英国貴族は当初から英国フリーメーソンの指導者であった。英国王族で一番先にフリーメーソンに加盟したのは、ウェールズ王子フレデリック・ルイス（1707～1751）で、ジョージ2世の子息である。彼は、1737年に入社した。

「英国フリーメーソンの中に、英国の最高アリストクラシーと英国国王等及び王族たちを首領とすることが認められるのである。故に、血縁関係及び事業上の交錯を別問題として、さらに英国貴族とユダヤを結ぶ第三の連鎖として、フリーメーソンをそこに認めるのである。すなわちフリーメーソンというものはユダヤと緊密に結ばれているからである。このユダヤとメーソンとの関係は今日においては常識あるものは誰も否定し得ないのである。この判定はユダヤ人もフリーメーソンもユダヤ、メーソンの友たる歴史家、著作家もともに公言して憚らざるところである。」

「古式メーソンの大組合の重要代表者たるデルモットは、フリーメーソンはユダヤ王ソロモンの宮殿建築当時のユダヤ技術家とそのカアバ（神殿）式仕事から出発したとの説を持していた。すなわち彼はフリーメーソンの起原はユダヤ宮殿の工作場及びその建築の中にあると確信していた。有名な英国著述家でユダヤの友たるヒーレア・ベロックは共著『ゼ・ジウス』の223ページに、『英国におけるユダヤ人の地位』という表題で次のように書いている。『第17世紀にユダヤ人が彼ら自身と居住国との間に一種の橋として造ったフリーメーソンの如き特別なユダヤ機関は、英国において特に強力であった。それだから政治的活動が伝統的に形づくられ重要性を示すことになり、従って英国国家は自然各国政府から他国にいるユダヤ人の表向きの保護者と認められるに至った』」

「1930年4月2日の『フリーメーソン』紙上に上級フリーメーソンのマック・ゴーワンは次のごとく書いた。『フリーメーソンはイスラエルの古い法に基づいて作られたものだ。またフリーメーソンの貴重なすところの内部的の「美」を人生に発生させたものもイスラエルであった』」

「1866年8月3日の『ゼ・イスラエリット・オブ・アメリカ』には、ユダヤ法師（ラビ）アイザック・ワイズの筆になる次の一文が載せられた。

『フリーメーソンはユダヤの組織であって、その歴史、階級、職務、標語及び規則は徹頭徹尾（ただ一つの階級と少数のまれに出るよう用語を除き）ユダヤのものである』

リチャード・カーライルは『マニュエル・オブ・フリーメーソンリー』の中に揚言して曰く『グランド・ロッジの現在のフリーメーソンは全然ユダヤ的である』

ベルナール・ラザール（ユダヤ人）は『反ユダヤ』の中に『フリーメーソンの揺籃の中に確かにユダヤ人がいた。そして、若干の儀礼を見れば、それはカバリストユダヤ（ユダヤ神秘主義）であった』

1928年8月7日の『ラトミア』はフリーメーソンたるルードルフ・クラインの左の文句を載せている。『始めから終いまで、我々の儀礼はユダヤのである。故に天下の人たちは我々がユダヤと深い関係があることを言い得る』

1894年、95年発行『トランスアクション・オブ・ゼ・ジュウイッシュ・ヒストリカル・ソサイティ』第二巻156ページに次のごとく書いてある。『英国グランド・ロッジの紋章は全然ユダヤの象徴から成り立っている』」

▽フリーメーソンは英帝国主義の秘密兵器

四王天氏は「英国貴族とユダヤとがフリーメーソンによって緊密に結ばれていることは実際政治の上に影響を持つのである。1813年における二大組合（グランド・ロッジ）の統合以来、ノリーメーソンはユダヤ＝英帝国主義の最も恐るべき最も有効な秘密武器となった。これを確かめる幾多の証拠がある」とし、次のように述べている。

「英国はフリーメーソンの援助によって反国家革命を欧州大陸の諸国に起こさせ、戦争まで勃発させて諸民族の力を弱めた。ナポレオン戦争の直後英国はスペイン革命によって、これを弱らせスペイン領植民地を奪い取り、スペイン国内ことにジブラルタルに自国の勢力を強化した。英国フリーメーソンは秘密諜報部員となって、コムネロスというスペイン秘密結社と連携をとっていた。1822年にはコムネロスは結社員7万人を数え、スペイン全部に細かな網を張ることができた。ルイ18世のフランスもフリーメーソン及びスペインのフリーメーソン式秘密結社の革命扇動で脅かされるに至った。1822年にはヨーロッパの大国はヴェロナに会議を開催してスペイン問題を解決する必要に迫られた。しかしこの会議は満足に解決できなかったので、フランスは1823年にスペインの軍事占領を余儀なくされた。フランスはこれによって、英国が煽動する革命騒ぎが自国領土におよぶのを阻止したのである。フランス軍がスペインを占領すると、時の英国外務大臣カンニングはフランス、スペイン戦争について公式声明を出した。

「この英国外務大臣カンニングの公式声明を読んで見れば、この当時に於いてすでにヨーロッパを左右する仲裁者の位置に立ち、その判断によって欧州諸国は引き回されることを感じていたことがわかる。英国は前述の場合にヨーロッパ大陸に軍を進める必要は絶対に持たなかったのである。それは人類史上、かつてこれに匹敵するものを見なかったような武力以上の怖るべき力を持っていたからである。この力はいつでも持ち得るものである。その助けによりすなわち英国は、その掌中にある秘密結社によってすべてに勝ち得るので、常に時代の主となっていられた。スペインのフリーメーソン組合は、その国の歴史の中に哀れむべき役割を演じたのであるが、それは、第18世紀に英国人が創立したのであることをここで指摘するのは無益ではない。

いかにこれらの秘密結社がスペイン国家に反対し、革命的であったかについては、フランスの有名な歴史家で政治家であったところのフランソワ＝ルネ・ド・シャトーブリアンが書いている。183

8年発行の著『ヴェローヌ会議』第一巻第38ページにおいて、フェルディナンド7世統治下において、スペインフリーメーソンがやった役割について次のように記述した。（筆者注：１８２０年及び21年の内乱戦中のこと）

それによると、『アルグユエレスとヴィルデスが属していたフリーメーソン結社の外、コムムネロスが興ってきた。シャルルカン時代における記録と人名とを遡ってみると、彼らは、『コムムネロ騎手』と呼ばれ、自由、平等のチャンピオンと自称した。彼らは宣誓一つによってある種の原則に背いた場合には、彼らは王やその継承者まであらゆる人を裁き、宣告し、死刑執行をやることに乗り出した。その宣誓は恐るべきもので殺人は共通の権利であった。これらの秘密結社は法律によって保護され、公のクラブから指示された』」

現代における「コムムネロ騎手」に当たる国家機関は、恐らくイスラエルの情報機関「モサド」だろう。

▽英国の国王までフリーメーソンの首領

四王天氏は「歴史的研究の後、我々は次の結論に達するのである。英国の高級貴族、王族、国王まで初期以来フリーメーソンの目立った首領であった」と述べ、さらに次のように語る。

「フリーメーソンはユダヤ界と緊密に結ばれているものであり、また今日と雖もフリーメーソンは英国においてはその紋章は純ユダヤ象徴から出来上がっているから、英国フリーメーソンは英国上層部とユダヤ界との第三の連接具であって、第一の血液関係、第二の商業その他業務関係とともに英、ユダヤをつなぐものである。

英国政府は英帝国を保存し、必要の場合には、これを発展せしめるために最も恐るべき秘密政治武器としてフリーメーソンを使用している。

14世紀初めのスペイン革命と同じく、クユスチーヌ侯の記録によれば、1830年7月のフランス革命も英国フリーメーソンの仕事であったと同様に、また1914年~18年の世界戦争も主として英国王エドワード7世のドイツ包囲政策の完全なる成功によってドイツに対して惹起された。この包囲政策成功はエドワード7世、英国フリーメーソン首領、ベルグラード、パリ、ローマ、ペドログラード等の政府筋フリーメーソン関係の働きがよく行ったからである。

オーストリー国皇帝夫婦のサラエヴォにおける暗殺が大戦の直接の原因であり、それはフリーメーソンの仕事であったことは的確に立証されている。」

▽第二次世界大戦の勃発もユダヤ、フリーメーソン、英国の力

四王天氏は既に欧州で始まっていた第二次世界大戦についても、「現在の戦争の勃発もユダヤ、フリーメーソン、英国の力に動かされたのである」と次のように分析する。

「現在の英国においては、英国のものと、ユダヤのものと、フリーメーソンのものとは区別がつかない。この三要素は今日英国を支配する上層階級の不可分な一体を成して、恰も一つの単位をなしているかに見える程になっている。ユダヤの血、ユダヤ資本主義、ユダヤ精神及ユダヤ式フリーメーソンが英国の上層貴族の中に余りにもよく巣を喰って、これに由て英国は英国の国民政策を実行し得る

状態にある。」

「現在の戦争は英国の死活問題でないにかかわらず、もっぱら英国から起こっているのを見れば、この情勢の裏には、暗黒なユダヤ、フリーメーソン的勢力が潜んで、それのみが反ユダヤ、反メーソンのドイツを崩壊することに一生懸命になっていることが見透かせるのである。チャムバーレン以外の何人のこれを公然白状したものはない。彼は常に英国はヒットラリスムを破壊するために戦うことを強調し、繰り返しているのだ。してヒットラリスムという語によって強力な英国人等はドイツの反ユダヤ主義と解する。またドイツ国民のフリーメーソンに対立する駆け引きのない態度をもヒットラリスムと呼ぶのであろう。

この暗黒なユダヤ、マッソニックの勢力が反ユダヤ反マソニックドイツ及びその同盟者イタリーの粉砕に最大の関心を維持していると同様に、ポーランド国家の不可侵は彼らにとっては生死の問題である。何となれば膨大なポーランドのユダヤ人口資源は絶えず西欧諸国のユダヤの血を更新し、そしてこれらの国々のユダヤ社会が枯渇しないように保存しておくからである。」

「故に英国及び英国人はユダヤ・フリーメーソンにとってはその目的達成の道具立てである。ユダヤが幾年以来かかって達成に努めた計画というものは英国のものとは全然違うのである。英国は将来のユダヤ世界征服運動の踏み切り台のようなものに過ぎない。しかし、英国のフリーメーソンはまたユダヤにとっては便利なプラットフォルムに以外の何物でもないのである。そのプラットフォルムはフリーメーソンが英国の手先を使って各国を革命の混乱に導くためのもので、その混乱は他日ユダヤ人の指導する世界革命に至らしめ、その世界革命はついにユダヤ世界王国を出現せしめる為の（もの）である。」

▽戦後世界の覇権争いもユダヤが主導

四王天氏はドイツとイタリー枢軸の力が欧州を席巻しており、各地のフリーメーソン結社が解散に追い込まれていることから、英国が秘密兵器フリーメーソンを使った革命と混乱は終息に向かうと予測した。しかし、歴史の真実は、ドイツがソ連に侵攻したものの撃退され、撤退を余儀なくされる中で、英国は米軍の支援の下、ノルマンディー上陸作戦（1944年6月6日に連合軍によって行われたドイツ占領下の北西ヨーロッパへの侵攻作戦。作戦当日だけで約15万人、作戦全体で200万人の連合国の兵員がドーバー海峡を渡って北フランス・コタンタン半島のノルマンディー海岸に上陸した歴史上最大規模の上陸作戦）を成功させ、四王天氏の予期した通りに歴史は動かなかった

ヒトラー・ドイツの失敗は、ソ連の軍事力と「侵略は許さない」とするロシア国民の強い意思の力を見誤ったことだ。ロシアの冬将軍でドイツ人兵士たちは衰退し、モスクワ攻略どころか逆にソ連軍に首都ベルリンまで攻め込まれ、降伏を余儀なくされた。

他方、日本は1942年6月5日からの中部太平洋上の米国領ミッドウェー島付近で行われた日米両海軍によるミッドウェー海戦で、帝国海軍が投入した空母4隻とその艦載機約290機の全てを喪失した戦役を機に、坂道を転げ落ちるように負け戦を重ね、広島、長崎への原爆投下でとどめを刺された。

戦後世界の覇権をめぐる争いは、四王天氏が指摘した通りに、英国貴族とユダヤ金融資本家とフ

リーメーソンが米国のユダヤ富豪と結託して、米国の軍事力と貿易決済通貨のドルを操りながら覇者の地位に迫ろうとしている。ユダヤ国際金融資本家と彼らの配下にある欧米諸国の統治エリートによる支配が着実に進んでいる一つの証拠として、第3章ではイルミナティが世界支配のためのモデル国家として作り上げた日本がどのような形で間接統治されているかについて報告したい。

▽イルミナティは13血統で構成

「Deep state」――トランプ大統領が米国政府の実権を握っているのは「私ではない。『ディープステート』（影の政府）だ」と言って、世界を驚かせた。トランプはディープステートの中身についてまでは言わなかったが、ロックフェラー家など米国を代表する超富豪のインサイダー・グループの配下である米政府の高級官僚たちをそうと呼んだものと思われる。

イルミナティはロスチャイルド家、ロックフェラー家などの富豪が構成するユダヤ・フリーメーソンの上部団体で世界国家実現のための戦略を立案し、決定し、ユダヤ・フリーメーソンのメンバーに実行させる秘密結社だと言われている。秘密結社であることから構成メンバーを正確に言い当てることは出来ないが、一つの有力な説として、次の13血統が最高の意思決定機関を構成しているという。

ロスチャイルド Rothschild：英国のユダヤ金融資本家
ブルース Bruce：スコットランドの貴族
キャバンディッシュ（ケネディ）Cavendish（Kennedy）：英国の貴族

デメディシ De Medici：イタリアの金融業者
ハノーバー Hanover：ハノーバー王朝の一族
ハプスブルグ Hapsburg：ハプスブルク王朝の一族
クルップ Krupp：ドイツの産業資本家
プランタジネット Plantagenet：プランタジネット王朝の一族
ロックフェラー Rockefeller：米国の金融資本家、石油王
ロマノフ Romanov：ロマノフ王朝の一族
シンクレア Sinclair（St. Clair）：スコットランドに拠点を置く秘密結社、神殿騎士団の首領
ウォーバーグ（デルバンコ）Warburg（del Banco）：ドイツ、その後米国に渡ったユダヤ金融資本家
ウィンザー Windsor：英王室

▽ロスチャイルド家かシンクレア家か

13という数字は1776年7月4日、グレートブリテン王国によって統治されていた北米の植民地の中で13州が独立宣言に参加したことと奇しくも重なる。13という数字は米国の1ドル札に10回以上も出てくる。例えば13個の星、13個の文字、13枚の葉、13本の矢、13層の切頭ピラミッド、ANNUIT COEPTIS（ラテン語の標語の文字数、「我々の大胆な企てを嘉し賜え」という意味）など。イルミナティは米国を事実上操って世界支配を達成しようと計画したことから、13という数字にこだわり、構成メンバーを徐々に13まで拡大したのではないか。

13ファミリーのトップにいるのは一体誰なのか。日本円にして約1京円の資産を保有すると見られるユダヤ金融資本家のロスチャイルド家だ、という見方が一般的だ。神殿騎士団について研究した前述の名古屋大学元教授のO氏は、真ん中に座るのはスコットランドに拠点を持つ最強の秘密結社、神殿騎士団の首領シンクレア家だと言う。

O氏によると、フリーメーソン内部の秘密結社としてある神殿騎士団が代々、通商と金融を握ってきた。外国為替相場の指令は現代に至ってもここが発しているという。為替の種はルネッサンス以来の歴史がある。外国為替は昔から同じ人脈が動かしている。貿易取引を伴わない為替取引（貨幣取引）は世界で一日に約百兆円行われており、1％動いても1兆円の利益が出る。売って儲け、買って儲ける。彼等は0・5％から1％変動させる。そのくらいなら目立たない。それで十分なのだ。神殿騎士団の有力な会員（個人）には、例えば「円は明日円安ドル高で動く」と教えると、会員は円を売ってドルを買う。確実に円安となる。「Manupulateできる」というのは他の人が知らないからやる。手の内を明かす人を制限している。それがマニュピュレーション（操作）で、一種のいかさま博打だ。胴元がマニュピュレートし、トヨタ、ソニーなど輸出企業の客は皆損をしている。大蔵省や日銀の通貨当局者にも教える。通貨当局もマニュピュレーションの仲間なのだ。通貨当局が協力しないとマニュピュレーションはできない。

O氏によると、かつて大蔵省の最上階にクラブがあった。今では地下の幹部用クラブとなったが、当時は大蔵省の一般職員も入れない。そのクラブにはロスチャイルド家のシートが貼ってあった。ロスチャイルド家がスポンサーであることが分かる。外国為替管理と通貨情報を握っていた大蔵省が日本の中枢として為替相場を実質的に動かしていた。大蔵当局とロスチャイルド家はツーカーの仲なのだという。

米国の大統領はイルミナティから見ると、広報宣伝係と言っていい。インサイダーであっても、枢機に参画出来ない。アメリカ自体がフリーメーソンによって造られた国であることは、ドル紙幣の裏にフリーメーソンの紋章、例えば切頭ピラミッドの上に描かれた摂理の眼、13個の五芒星があることからも明らかだ。

イルミナティがマニュピュレートして米国の大統領に当選させた人物として、四王天延孝氏は「初代大統領ジョージ・ワシントン、ジャクソン、ボルク、ブカナン、ジョンソン、ガーフィールド、マッキンレー、ルーズベルト（セオドル）、タフト、ジェファーソン、モンロー、ハーディング、ウィルソン、フランクリン・ルーズベルト」を挙げている。

この中に、いつの間にか主人公のような顔をし、自分には元々カリスマ性があったかのように振舞いだしてイルミナティが手を焼いた人もいたようだ。恐らく、ドナルド・トランプもその一人なのかもしれない。

要点を繰り返すと、秘密結社イルミナティはフリーメーソンの最高階層にあるメンバーで構成する政治決定機関であり、1776年の創設以来、一つの策略として「インターナショナリズム（国際主義）」を掲げている。彼らは米国、英国はもとより日本や欧州の中央銀行を利用しながら、配下のアシュケナージ・ユダヤ人のヘッジファンドが「詐騙とヘッジ」の金融ノウハウ（外国為替取引や株式取引でコンピュータを駆使して買いと売りの両賭けをしながら相場が上がっても下がっても利益を生みだし、損が出た場合でも最小限に抑える、とする投資技術）で、欧米の王族、貴族、資本家を儲けさせている。そうすることで、ロスチャイルド、ロックフェラー、モルガン、ウォーバーグらを世界金融権力者として認知させている。

▽公定歩合の極端な引き下げと引き上げでバブル経済から不良債権の山へ

プラザ合意以降の日本の政治・経済を検証してみると、イルミナティの支配が日本の経済をめちゃくちゃにしたことが分かる。

１９８５年の先進５カ国蔵相会議で市場原理を無視した円高・ドル安が決められ、日本政府はこれを容認した。政府が講じた対策はといえば、輸出産業の打撃を回避するため公定歩合を１９８６年１月、５％から４・５％に引き下げ、その後４％→３・５％→３％と徐々に引き下げ、１９８７年２月には戦後最低の２・５％とし、１９８９年５月まで据え置いたことだ。

公定歩合は日歩1厘、年利でいえば３・65％以下になると、誰もが金利負担感を失い、金を借りて土地や株に投資した方が有利だと思う。日本では土地は絶対下がらないという「土地神話」が生きていた時代なので、企業はもとより庶民に至るまで、金を借りまくって設備投資や土地、株式投資に走った。

民営化されたＮＴＴの株式公開もこうしたムードに拍車を掛けた。１９８７年2月9日、ＮＴＴ（旧電電公社）が東京、大阪、名古屋の各証券取引所に株式を上場した。一次売り出し価格は１１９万７０００円。中曽根内閣で民営化されたＪＲ（旧国鉄）やＪＴ（旧専売公社）に先駆けての株式公開となり、個人投資家の人気を集め、初値は160万円と売り出し価格を3割強上回った。その後も買いの熱気は集中、同年4月には株価は最高値の318万円まで上昇。時価総額は50兆円に迫った。

1989年12月29日、日経平均株価が3万8915円の史上最高値を示現、株式バブルの絶頂期を迎えた。この株価3万8915円は本稿を執筆している2023年末に至っても抜かれていない。

一方、政府は1986年に前川レポート(注)を発表し、内需主導型経済への構造転換をめざし、情報処理サービスやソフトウェア、IC産業など知識集約型産業への転換を図ろうとした。しかし、政府・日銀の超低金利政策によって生み出された巨額の資金は、企業の設備投資や商品購入に振り分けられる以上に土地や株式の購入に振り向けられ、「バブル経済」を発生させた、と誰もが見るようになった。

（注）前川レポート：中曽根康弘首相の私的諮問機関である「国際協調のための経済構造調整研究会」が、1986年4月7日にまとめた報告書。当時この研究会の座長であった前川春雄日本銀行総裁の名前に因んで「前川」の名が冠されている。日本の大幅な経常収支の不均衡の継続は危機的状況であるとして、経済政策上の目標として経常収支の不均衡是正と国民生活の質の向上を目指すとしている。そのための内需拡大や市場開放及び金融自由化などが柱で、10年で430兆円の公共投資を中心とした財政支出の拡大や民間投資を拡大させるための規制緩和の推進などを掲げた。

何事においても度が過ぎれば必ず破綻する。土地と株の高騰を危惧した三重野康日銀総裁は、1989年5月に公定歩合を2・5%から3・25%に引き上げ、同年10月には3・75%、同年12月には4・25%にまで引き上げた。これを機に株価は一転、下落し始めたが、その後も、三重野総裁は90年

3月4・25％から5・25％へ、さらに同年8月には6％まで引き上げたのだ。

政府は1989年12月には土地基本法を制定し、翌90年4月からは土地関連融資の総量規制を実施するなど強力な対策を講じたことも土地バブルの崩壊を加速させた。1990年頃、東証第一部の平均株価は3万円台を大きく割り込んでいたにもかかわらず、追い討ちをかけるように公定歩合を6％まで引き上げたのだ。その後の日本経済は、「日銀にはマーケットを読む力がない」と言われても仕方がないような株価と土地の暴落が起こり、下落傾向が止まらなくなった。


日経平均株価の下落とともに不況感が漂い始めたことを受け、日銀は1991年7月、公定歩合を6％から5・50％に引き下げたのを皮切りに公定歩合を小刻みに引き下げ、95年8月には0・5％まで引き下げた。さらに2001年3月0・25％、同年9月には0・1％まで引き下げられた。金がただ同然で借りられる、というカール・マルクスが聞いたらびっくりするような「資本の無価値時代」が到来した。2008年12月以降、0・3％で推移していった。

三重野総裁は外為市場で円高が進むのを横目で見ながら「介入ではアメ細工のように為替水準をどうこう出来ない」と発言して円高を煽ったこともある。マーケットに音痴としか言いようがなかった。急激な円高政策を受け入れたこと自体が間違いだが、それに対する政府の対策が公定歩合を中心とする金融政策に特化されたことと、マーケットを分析する能力に欠けたことなどが重なって、バブル崩壊と金融危機が短時間で起こった。

▽外資系の小売店舗が続々上陸

プラザ合意をきっかけとした円高・ドル安の衝撃で後景に追いやられた感があったが、日米間では1980年代に始まった自動車や半導体などの対米輸出の大幅増加に伴う日米経済摩擦を解消するための「日米構造協議」が進められていた。日本の輸出自主規制と米国内での生産体制の整備などが行われ、円高と貿易摩擦解消に向けて日本企業の海外進出や海外企業の買収が進み、海外直接投資額も増大した。その結果、国内の生産や雇用が減少するという産業の空洞化が生じた。

また大規模小売店舗法（大店立地法）の見直しが焦点となり、大店立地法による規制緩和で、1990年以降、海外資本の大型店の出店も進んだ。外資系小売業の企業数をみると、2000年度の43企業から、2002年度は82企業と、ほぼ倍増している。こうした勢いに押されて、地方の小売店が軒を連ねる商店街は衰退し、街の景観はどこも「シャッター街」に、一方、郊外に駐車場付きの大型店舗が続々と登場した。

日米経済摩擦の解消のための様々な対策が講じられた中で、米国政府が日本政府に強力に要求したのは、金融自由化と国際化のための外国為替法改正、証券取引法改正などの法的措置だ。「金融ビッグバン」は、米政府の要求というよりはイルミナティの強い指示に基づくものであることは言うまでもない。

極端に市場主義が浸透した米国を拠点にして貪欲に富の拡大を目指すイルミナティにとって、各国固有の制度は邪魔なものに映る。イルミナティは米政府を使って「競争条件を対等にせよ」と日本政府に迫った。「対等な競争条件」を大義名分にして邪魔なルールや制度を徹底的に破壊するのが彼らの常套手段だ。

▽国民には意味不明の金融ビッグバン

橋本龍太郎首相は１９９６年11月、三塚博大蔵大臣、松浦功法務大臣に対し、２００１年までに我が国金融市場がニューヨーク、ロンドン並みの国際金融市場として復権することを目標として、金融システム改革に取り組むよう指示した。

改革案の柱として、フリー（市場原理が機能する自由な市場）、フェア（透明で公正な市場）、グローバル（国際的で時代を先取りする市場）――の３原則を掲げた。

既にフリーの原則の下に、①外国の証券会社はこれまで日本の証券会社を通じて日本株の売買をしていたが、東証１部、２部などの上場株式を東京証券取引所（兜町）などで直接売買が出来るようにする、②１９８８年９月３日、日経平均株価（日経２２５）指数の先物市場を大阪証券取引所に開設する、③保険分野への外資の参入――などを決めていたが、フェアでグローバルな市場改革への対応が遅れていた。

グローバルの名のもとにデリバティブ（金融派生商品）などの展開に対応した法制度の整備・会計制度の国際標準化を決め、外国為替法改正、証券取引法改正、金融システム改革のための関係法律の整備等に関する法律が成立している。

橋本内閣が金融ビッグバンの実現を宣言し、１９９８年その最大の柱である外国為替に関する規制がなくなったとき、日本国民の投資形態も変わらなければならなかった。つまり、それまでは銀行に預金し、銀行が企業に金を貸すという間接投資の形を取っていたが、ビッグバン以降は、自己責任で自ら株式や社債に投資するという直接投資に変わらないといけなかった。

ところがビッグバンに踏み切ったにもかかわらず、依然として国民は従来型の間接投資を続けている。そのことは2021年現在、国民の金融資産が約2000兆円もあり、そのうち約1072兆円が現金・預金に滞留していることからも言える。

金融ビッグバンを実現したときの政府の表明は、これから日本国民は単に国内で預貯金をするだけでなく、国際的にも投資を活発化させることによって、従来以上の収益を上げることを期待するというものだった。昔から日本人は「武士は食わねど高楊枝」という言葉に表現されているように、お金儲け、特に投機というようなことは「けがらわしい」と言ってきた。それが突然金融ビッグバンで諸外国の資金が国内に流入し、さらに数百年の経験を積んだ外国の投資銀行やヘッジファンドが日本に乱入したとき、投機の訓練を経ていない日本国民は裸にされる、との危険は当時からも言われていたことだ。が、国民は依然としてそのことに気付かないで、現在も旧態依然たる投資態度を続けている。

金融ビッグバン政策は外圧により強制されたものだが、経済、金融の国際化の流れの中で早晩、克服しなければならない課題でもあった。そのため、金融機関には伝統的な商業銀行業務から投資銀行業務への脱皮を図るための自己改革が求められたが、一向に進展しなかった。

背景に、バブル崩壊に伴う不良債権の増加で銀行の収益力が極端に落ちていることに加えて、財務省は株式投資するのは一握りの金持ちだけと考え、個人投資家を保護しようという発想がまるでなかった。自民党にも金融資本主義経済を運営するノウハウが根本的に欠けている。

金融資本市場化の立ち遅れを一気に解決するため多面的な改革に乗り出した「金融ビッグバン」は、改革に整合性を与える政策が伴わないことで日本経済に大きな混乱を招いた、と言って過言でないだろう。

▽銀行に不良債権の山

土地・株式バブルの崩壊に伴う銀行など金融機関に残った不良債権の山は100兆円を超えるとも言われた。銀行はそれまで不良債権については貸倒引当金を積んできたが、いつまで経っても返済されるめどが立たないため、バランスシートから消して、これを損金として処理しないことには経営は安定化しない。財務省も損金で落とすことを認めた。ただ担保を処分しなければならなくなるため、貸し手の側とトラブルが発生する恐れがある。暴力団が待機していた。それを恐れて金融機関は不良債権処理を先送りしたが、ＢＩＳ規制(注)という国際的な公約がある以上、一刻の猶予もならなくなった。政治はもっと果敢に手を打つべきだったのに、出口の見えない不況の原因も、政府、与党の失政の連続の結果でもあるため、大きな顔をしてものを言えた義理ではなかった。しかし、もはや国際社会が時間的な猶予を与えてくれなかった。日本政府が金融機関の不良債権処理を出来ないのであれば、日本の政治は国際的な信用を失い、「日本には国際管理が必要だ」という議論が出て来てもおかしくないところまで来ていた。

（注）ＢＩＳ規制：銀行の財務上の健全性を確保することを目的として、１９８８年7月にＢＩＳ（Bank for International Settlements ＝国際決済銀行）のバーゼル銀行監督委員会で合意された銀行の自己資本比率規制のこと。

銀行として備えておくべき損失額をあらかじめ見積もり、それを上回る自己資本を持つことを要求している。具体的には、銀行の自己資本を分子、リスクの大きさを分母とする比率（自己資本比率）が国際的に活動する銀行には8％以上であることを求めている（海外拠点を持たない銀行は4％）。日本では1993年3月末から適用された。

▽バブル崩壊に官僚の無力ぶりが露呈された

1998年の『文藝春秋』6月号で、橋本龍太郎内閣の前官房長官だった梶山静六氏は、深刻化する金融危機について「金融は住専を処理すればもう心配ない、という大蔵省の説明を鵜呑みにした」と釈明したが、国民はいつも大事な問題は官僚が決定してきたことを知っており、自民党をなぜ支持するかといえば、官僚の政策を丸呑みする政党であることを感覚的に知っていたからだ。

というのも国民は、明治以降の官僚政治は大筋において間違ってはいなかった、と漠然と感じており、とりわけ予算編成権を握る大蔵省には「経世済民（世の中を治め、人民の苦しみを救う）」の思想が太く流れているようにも思えた。とりわけ戦後の復興と高度成長の達成は優秀な官僚による政治の成果だ、と見ている国民は多かっただけに、バブル崩壊による金融危機に国民は唖然とした。

1997年4月、中堅生保の日産生命保険が債務超過に陥り、破綻。これを皮切りに同年11月に準大手証券の三洋証券が会社更生法を申請、戦後初めての証券会社の倒産となった。その後も北海道拓殖銀行、山一證券、徳陽シティ銀行と、相次いで金融機関が経営破綻した。1998年は10月に日本長期信用銀行、12月に日本債券信用銀行と長銀2行が相次いで破綻、金融危機がピークを迎えた。

明治時代から日本には「銀行は潰れない。護送船団方式の一員として政府から保護されている」という暗黙の了解があったが、金融ビッグバンで鉄壁とみられていた「護送船団方式」も打ち砕かれた。

明治維新に伴い、1884年に兌換銀行券条例を制定して、日本銀行を唯一の発券銀行とした。1897年、貨幣法第1条で貨幣の製造および発行の権限は日本政府が有する、と貨幣高権《こうけん》（seigniorage＝シニョリッジについては第5章で説明する）を法律に明記した。それまで国法で設立された日本の諸銀行（国法が許可した民間銀行のことで、両替商三井商店を中心にした第一国立銀行のほか、財閥系銀行とそれに第153銀行まで紙幣発行権を持っていた民間の諸銀行）の通貨発行権を停止させ、銀行群の不換紙幣の焼却処分を命じた。通貨発行権を失ったそれまでの国立銀行群は、期限内に私立銀行に転換した。

日銀券の流通で日本の金融は日銀の支配下に入った。それと引き換えに三井商店が経営する貿易銀行などは、失った通貨発行の権益に代わる権益を政府から引き出した。私立銀行が代償として得たのは「護送船団の一員」として認めさせたことだ。銀行の不測の事態による廃業や倒産は国民生活に甚大な影響を及ぼしかねないため、「預金者保護」はあくまでも親方日の丸、つまり政府が国民の税金で賄わせることを政府に保証させた。国家の存在する限り破綻しない保証を、通貨発行権の放棄と引き換えに取り付けたのだ。

未曾有の金融危機に対して、大蔵省、経済企画庁、日銀など財政、経済、金融政策を預かる当局の政策はことごとく失敗した。経済の国際化の流れの中でグローバリゼーションを求めるイルミナティの支配下にあるＩＭＦ（国際通貨基金）、世界銀行筋の要求に対して「ステップバイステップ」で対応策を考えるべきだったのに、準備もなしに日米交渉の勢いの中で一気に「金融ビッグバン」と銘打った改革を進めようとしたことから、金融業界は大混乱に陥った。官僚の無力と無策ぶりが暴露される形となったが、その上、大蔵官僚たちが政治家と一緒になってバブルのおこぼれに与かろうとした事件も判明し、「公」に奉じる姿勢より私的利益を優先する姿にあきれてものも言えない、というのが庶民の偽らざる気持ちとなっていた。

▽1998年夏の参院選で自民党が大敗

1998年7月の参院選挙は、自民党は「経済失政」の批判を浴びる橋本首相を押し立てて戦うため苦戦が予想されたが、野党も候補者調整が出来ずエネルギーを分散させていることから、自民党は現有勢力を維持出来るのではないかというのが各種世論調査の結果だった。

ところがふたを開けると、自民党の当選者は改選前より16人減少して44議席という大敗で、議席数は非改選の58と合わせても102議席（参院の議席の半数は126人）となった。橋本首相は退陣を余儀なくされ、代わって小渕恵三氏が第84代の首相として登場した。

自民党は参院で過半数割れしても衆院で過半数の議席を保持していることから、これまで通り単独政権を維持することにしたが、それはこれまでの官僚政治、とりわけ大蔵支配の存続を意味した。官僚に国家運営の戦略思想があり、高潔で米国に対しても主張すべきことは主張し、日本の平和と国民の生命、財産を確かに守る知恵があればそれで結構だ。しかし、戦後50年を経て、官僚を主軸とする自民党と経済界のもたれあいのシステムが機能不全に陥っていることは、誰の目にも明らかだった。

▽長銀を特別公的管理下へ

　参院勢力の与野党逆転を受けて、1998年7月30日に召集された第143回国会は、不良債権問題で破綻寸前の日本長期信用銀行をどのように処理するかが最大の焦点となった。政府、自民党は「金融機能の安定化のための緊急措置に関する法律及び預金保険法の一部を改正する法律案」（金融管理人による破綻金融機関の管理及びブリッジバンク構想）等4法案を、一方、民主・平和改革・自由の3野党は「金融機能の再生のための緊急措置に関する法律案」（金融管財人による破綻金融機関の管理及び破綻銀行の特別公的管理構想）、「預金保険法の一部を改正する法律案」（整理回収機構創設）、「金融再生委員会設置法案」等4法案を提出した。

　結局、「バトルトーク」ともいわれる与野党の若手議員の実務者会議ですり合わせを行い、9月24日の自民党と民主、平和・改革の三会派による協議で、3野党案を修正して可決、成立させることで合意した。つまり長銀は一時国有化したうえで、最終的には他の金融機関の「子会社」とすることになった。自民党が住友信託銀行による救済合併を支援するため公的資金注入の必要性を強調したが、民主党などが長銀を「特別公的管理」下で不良債権を処理する考えを譲らず、結局、自民党が民主党案をほぼ丸呑みする形で決着した。

　臼井貞夫・元衆院法制局第一部長は「1955年の保守合同以後の国会で、対案の野党案が成立し、内閣提出法案（ブリッジバンク法案）が廃案となったのは初めてのことだ。また不動産関連権利調整法案のように野党の強い反対で継続審査の手続きが取られないことで廃案となったのは1958年の警職法改正案以来のことだ」と語る。

▽「国が100％株主、一番信用高い」と枝野幸男氏

野党案の最大の柱は、破たん金融機関の株を、破綻と同時に全株国が所有することだ。自民党の保岡興治氏は1998年9月7日の衆院金融安定化特別委員会で野党案の効用について質している。

これに対して、野党案の提案者を代表して民主党の枝野幸男氏は「国が100％株主になるということで、どの金融機関よりも一番高い信用、現在の開銀とか輸銀のような、国が関与している公的金融機関と同じような信用を得ることができます。したがって、支払い停止などというような問題のぎりぎりのところにあったような金融機関が、その危機を当座乗り切ることができるということについて間違いない信用ということになります。国が100％株主でありますので、他に配慮することというと、債権者保護以外には基本的には配慮することなく自由に清算の手続きを進めていくことができる」との考えを表明した。

枝野氏は、破綻後の処理の方がよりコストがかかる、との指摘に対しては、「死にいたる病に不幸にもなってしまっている金融機関については、むしろずるずると隠蔽、先送りをすることの方が債務超過部分が膨らんでいく、というふうな考え方もあるということを申し上げたいと思っております」と述べている。

枝野氏は長銀の処理策については、政府が公的資金を注入して救済しようと考えるのであれば、13兆円のスキームを使って淡々と進めればいい、と述べた。

一方、民主党の古川元久氏は「長銀は実質的に債務超過の状況であって、その意味から破綻しているというふうに考えるべきではないか」と述べている。国会での質疑を受けて、長銀の株価は暴落し、

破綻を早めた。

第143回国会の法律案の提出と成立状況を見ると、新規の衆院議員提出法案の成立は14件で新規の内閣提出法案の7件の2倍になっており、衆法14件のうち金融機能再生関連8法と金融機能早期健全化法は完全な与野党対決法案だった。

▽大蔵官僚に挫折感

大蔵省が自信を持って提出した金融関連法案がことごとく廃案に追い込まれたことで、大蔵官僚の挫折感は与党の自民党より大きかった。参院といえども野党が多数派を握ることの怖さを知った大蔵官僚は、自民党の野中広務氏らに働きかけ、側面から自公連立政権作りに奔走した。

大蔵官僚が復権の快哉を叫んだのは長年、衆院大蔵委員会に所属し「大蔵族」議員の幹部の一人になっていた小泉純一郎氏が2001年4月26日、首相に就任してからだ。それまでの間に、大蔵省は財務省と金融庁に分割され、さらに誇り高き「大蔵」という省名が「財務」に変更されるなど大蔵官僚の胸のつかえは取れることはなかった。大物のブレーンもおらず、自らが政策通でもなく政治力もない小泉氏にとって、知的集団として高い能力を持つばかりでなく、役人の域を超える国会対策を行う財務（旧大蔵）官僚は頼りがいのある政治集団だ。他方、財務官僚も国民人気が高い小泉首相を自家薬籠中のものとして財務省支配の復活を狙ったが、その後の経過を見ると、それが見事に図に当たったといえる。

「金融国会」で大蔵省の落日を感じた財務官僚は、小泉純一郎というキャラクターを使って国民と結び付く形で復権をとげている。そのしたたかさには端倪すべからざるものがあるが、国民を「できの悪い子供」と思っている財務官僚が国の主要な政策を支配することは、国民にとって良いことではない。官僚主導の政治から、市民と市民の意を受けた国会議員が政策を作り上げる良いチャンスだったが、財務官僚の復権は時代をまた後戻りさせた。

菅直人民主党代表は、金融再生関連法案と長銀問題は「政争の具にはしない」と言明していたが、約二カ月間の与野党攻防は、次期衆院選挙をにらんでの「政争」に明け暮れていた。

▽自民党は選挙が怖かった

自民党が自らの政治的信念も主張もかなぐり捨てて妥協した背景は、「衆院選挙が怖かった」という一語に尽きる。自民党は住専問題が発生し、一般会計から６８５０億円の税金を投入した際、「住専問題さえ処理すれば大丈夫。銀行は自己責任で不良債権を処理する」と言った。梶山静六氏が認めたように、自民党は大蔵省の説明をただ請け売りしていただけなのだ。

ところが、住専問題が終わると、信用組合の預金者保護の問題が起き、さらに北海道拓殖銀行、三洋証券、山一證券が相次いで破綻した。その後、長期信用銀行の救済問題が発生し、政府、自民党の説明がいかにその場しのぎのものであったかを暴露した形となった。それ故、総選挙となれば、これまでの自民党の無責任な姿勢を追及されれば「敗北は必至」との強い危機感が同党内に広がっていた。

前出の臼井氏は「自民党が長銀問題でここまで妥協するのであれば、本当なら政権の座を民主党や新党・平和など野党連合に明け渡し、解決を野党連合政権に委ねるべきだった。非自民の野党連立政権が金融問題の処理で立ち行かなくなった時、自民党は内閣不信任決議案を提出し、同党の多数で可決させ、衆院を解散に追い込むという挙に出るべきだった」と、憲政の常道がなおざりにされている戦後政治の慣行を嘆いた。

▽適法手続きが大事

臼井氏によると、自民党がなぜこうした大胆な戦術を打ち出せないかといえば、同党は政権についていればこそ国会議員が集まるのであって、野に下れば表層雪崩のようにパラパラと議員が離れていくことを細川護熙連立政権時代に嫌というほど分かったからだ。

他方、民主党の菅代表には政権を担当するための準備も自信もなかった。長銀問題についての与党合意案は粗雑なものだった。金融再生委員会は長銀の申し出に基づき長銀を国有化する。国営銀行は一般国民がいわば株主となる。行政処分によって金融管財人のような人間が長銀に乗り込み、長銀の普通株を強制的に買い上げる。国家による土地収用と構図は同じだ。しかし、国家が国民の土地を権力によって強権的に収容する場合でも、地主に対し正当な保証が行われる。しかも収容手続きは手順をおって行われる。長銀の普通株を買い上げる場合でも、正当な保証と適正な法手続きが必要だ。株主の権利を不当に侵害しない手続きが必要なのだ。

金融管財人は、長銀の普通株の価格を査定し、金融再生委員会が国家による買い上げ価格を決定するが、価格が正当との認定を下せるか。株主がこれを不服とした場合どうなるか。詰めるべき点は多かった。

▽長銀公的資金の資本注入を申請せず

ところで長銀は1998年2月18日施行された金融機能安定化措置法に基づき、なぜ公的資金の資本注入を申請しなかったのか。既に先の国会で枠組みができていただけに不審が広がった。仮に、長銀が整理回収銀行に対して、5000億円の優先株（または劣後債）を発行したい、と申請すると、整理回収銀行は預金保険機構に対して貸付の承認申請を行う。預金保険機構は金融危機管理委員会に対して、長銀の優先株引き受けが適正か審査してもらう。同委員会が長銀からの申請を承認して「良い」との判断を下したら、同委は首相に対して同案件について承認を求める。首相は承認案件を閣議に諮って決定する。閣議で資本注入が決まったことを受けて、整理回収銀行が長銀の優先株を引き受ける、という形で資本注入が行われる。

預金保険機構は、金融危機管理勘定にある13兆円を元手に整理回収銀行に対して貸付を行ったり、整理回収銀行が日銀からの借入れを行う際の債務保証を行うことができる。長銀は直接には整理回収銀行から資金を受け取るが、実際には預金保険機構の金融危機管理勘定から資金供与される。同勘定の13兆円は政府が預金保険機構に国債を交付しているだけで、現金が予算措置されている訳ではない。預金保険機構が長銀の優先株取得のため5000億円の国債の償還を請求すれば、国は一般会計で5000億円を予算措置して国債を償還する。ここで初めて現金が動くことになる。

▽国民経済全体から判断を

長銀が立ち直れば、整理回収銀行は長銀の優先株を株式市場で売却し、投下した資金を回収し、預金保険機構に返済する。こうなれば、野党が税金投入をまるでどぶに捨てるがごとくいうが、長銀が倒産しない限り、どぶに捨てたことにはならない。

長銀問題のポイントは、総資産（資本金、有価証券、債券、土地、貸付金）は27兆円もあるが、債務（預金などの返済義務があるもの）超過に近い状況にある大銀行を、公的資金を投入してでも助ける価値があるかどうかの判断だった。

自民党は、公的資金を資本注入してでも長銀は破綻させるべきではない、との考えであったが、他方、民主党や新党・平和、自由党は貸付金の中で不良債権化するものが多く、資本金を食いつぶしても債務超過に陥る銀行を延命させることは、経済混乱を拡大するだけであり、公的管理の下で会社を整理する方が、長い目で見ると得策と考えた。

大蔵省も結局、救済の価値はない、と判断した。長銀救済で一体誰が得をするか、といえば健全な借り手と貸し手であり、国民経済に大きな混乱を引き起こさなければ、国債レートの格付けも日本を代表するメーカーの格付けも下がらないことから、日本国民全体にとってプラスとも言えた。

長銀問題解決の道筋は、長銀の融資の実態などに関する情報の開示と、公的資金投入に関する当時の小渕首相の説明責任だったが、ついに小渕首相からこうした詳細な説明が聞かれることはなかった。国の政策に矛盾や混乱がなければ、投機筋もつけ入る隙がない。重要なのは政治の断固たる姿勢なのだ。

臼井氏によると、「長銀の経営者が公的資金の導入を求めなかったのは、恐らく整理回収銀行が長銀の経理を精査すれば、経営者の特別背任事件など刑事事件が明るみになることを恐れたため、と推量される」。銀行経営者のモラルハザードがメガバンクを破綻した好例として歴史に記録されることになった。

▽長銀の譲渡先は米投資会社、リップルウッド・ホールディングス

世界の超リッチマンのグループがインフォーマルな組織＝イルミナティを作って一国の経済どころか世界の経済や政治を動かすほどの活動をしているとは、日本人には理解しがたい話だ。債務超過で経営破綻し、特別公的管理（一時国有化）されている長期信用銀行の〝譲渡劇〟を見ると、やはり世界には超リッチマンのインフォーマルな組織があり、地球規模でうまい儲け話はないか、鵜の目鷹の目で探しているのではないかと思えた。

１９９９年９月28日、金融再生委員会が長銀の譲渡先に決めたのが、米国の投資会社のリップルウッド・ホールディングスを核とする投資組合「ニュー・ＬＴＣＢ・パートナーズ」だった。

金融再生委の指導のもと、譲渡先の選定作業に着手したのが１９９９年1月。まず、5月上旬にリップルウッドが買収に名乗りを上げ、続いて米ＪＰモルガン・オリックス連合、２０００年春の合併を予定する中央信託銀行・三井信託銀行、仏投資銀行パリバが追随して、7月中旬までに4グループが出揃った。

「ニュー・ＬＴＣＢ・パートナーズ」への出資予定企業には、リップルウッド社の他に米国の優良企業などが並んでいるといわれる。金融再生委員会は長銀の債務超過約3兆６０００億円の穴埋めに加えて、その後の資産劣化に対応する引き当て金に５０００億円程度の公的資金を投入。譲渡に当

たっても2400億円の資金を投入し、譲渡後に債権が劣化した場合の二次損失は、20％の減価を条件に3年以内に限り預金保険機構に引取りを請求出来るという好条件の契約となっている。

▽長銀を貢ぎ物に

リップルウッド社はニューヨークに本社を置く、従業員も数十人という小所帯の投資会社といわれるが、それはあくまでも窓口で、背後には超リッチマンのインフォーマル組織が控えている、と見る方が自然だ。大蔵省幹部はこうしたインフォーマルな組織が存在し、しかも巨額の金を一つの方針の下に動かせることをプラザ合意などで知っていた。それ故、長銀の譲渡先として争っていたと言われる中央信託銀行・三井信託グループはいわば世論の目を欺く〝目くらまし〟で、金融再生委は初めからリップルウッド社に長銀を貢ぎ物として献上することで、同組織とうまく渡り合っていこうと考えたのではないだろうかと推量する。

1998年頃の東証の時価総額は、バブルの最高値1989年12月末に比べて約300兆円減少しており、海外に流出した外国金融機関の金は約240兆円と見られた。ただ日本の家計の金融資産は1333兆円もあったことから、大蔵省は国民に対して「日本経済を再生するため株を買おう」とか、経営者に対しては「株主にもっと利益を還元し、大衆が株を買うような環境を作ろう」と指導すれば、外資を当てにすることなく、東証の株価を高値誘導する可能性はあった。

株価が高くなれば国民は含み益を当てにして積極的に消費するのは、株価バブルの1980年代末期に体験済みだ。約500兆円のＧＤＰ（国内総生産）の6割を個人消費が占めていることから、個人消費が1割増えれば、その波及効果は減税や公共事業費の増大の比ではない。問題は株主優遇策が先か、大衆に株を購入するよう奨励するのが先かだが、当時の経営者は、企業経営出来るのは資本を提供してくれる人があってこそ、という姿勢に欠け、儲けの大半を社内に留保して、自分達は交際費を使い放題に使っていた。こうした経営姿勢の哀れな結末が長銀の破綻だった。

世界の覇権を目指す金融資本家グループは既に西欧の民族資本を傘下に収めていたことから、次は日本の番だったが、日本の政治家には「日本国民の資本を守らねば」という危機感が全くなかった。

長銀売却の経過をざっと振り返ってみると、8月には譲渡先候補がリップルウッドと中央・三井に絞られたのだが、この段階では金融再生委や大蔵省の〝民族派〟の強い意向もあって、中央・三井が優勢と見られていた。だが、中央・三井側が提示した買収条件は、「公的資金による支援5000億円」。金融再生委はこれを「公的資金負担額が膨らみすぎる」ということから不服とした。

リップルウッド社のテイモシー・コリンズCEO（最高経営責任者）が先頭に立って活発なロビイング（陳情活動）を展開し、小渕内閣の大蔵大臣である宮沢喜一氏の知己でもあるポール・ポルカー前FRB（米連邦準備制度理事会）議長が日本の政府・与党筋に働きを強めた。

リップルウッド側が金融再生委と長銀に提示した公的資金負担額は3000億〜5000億円。金融再生委はこのリップルウッド案を、中央・三井の条件に比べて公的資金の負担が軽いと評価した。外資への譲渡は、政府・金融再生委にとって「苦渋の選択」ではあったが、リップルウッドによる長銀買収やむなし、の腹を固めたのだった。

一方、日本政府の意向を感知したテイモシー・コリンズCEOは、9月6〜11日に訪米した金融再生委の柳沢伯夫委員長（自民党の派閥は宏池会に所属）と極秘に接触（10日）。長銀買収の条件を詰めて、最終的に折り合いをつけた。リップルウッドによる長銀買収は極めて政治的な濃密な人間関係のなかでの決定なのである。

外務省北東アジア課長時代の渋谷治彦氏（元ドイツ大使）から聞いた話だが、渋谷氏がドイツ在勤中、鈴木善幸内閣時代の官房長官を務めた宮沢喜一氏から電話があり、ドイツの某ホテルで開かれる学会に宮沢氏の代理で出席してほしい、と言われた。会議に出ると、高名な国際政治家と学者ばかりで、私がなぜこうした会議に出席しなければならないか不思議に思った。夜、ホテルのバーで飲んでいると、主催者のオーストリアのノーベル経済学受賞者のフリードリヒ・アウグスト・フォン・ハイエク氏（1899～1992）が隣に座り、雑談した。古典的自由主義者のハイエク氏は、「日本の植民地支配は、欧米のそれに比べると、インフラを整備するなど上手くやっていたように思う」などと語っていたという。宮沢氏が国際的なインナーサークルのメンバーだったことを窺わせる話である。

▽**裁定取引に驚き**

金融ビッグバンによってもたらされた脅威は、外国証券会社が１９８８年9月3日、大阪証券取引所に開設された日経平均株価先物市場を使って裁定取引（さや取売買）を始めたことだ。日本人には思い付かない発想の売買で、日本の大手証券会社も「外国の証券会社が高い所で買った現物株を安値でどんどん売っている。これはどういうことだ」と驚きを隠さず、それが裁定取引だと知っても戸惑うばかりだった。

この裁定取引が、１９９０年１月から始まった株価暴落＝バブル崩壊の引き金を引いた、と言っても過言でない。つまり外資が１９８９年末までに先物を売り、現物を買うという取引の反対売買を、１９９０年１月から行っているのだ、ということを日本人投資家の大半が理解できずに、外資の現物売りに真っ青になって、一緒になって現物売りに走ったのが株価暴落のきっかけとなった。

裁定取引について『現代用語の基礎知識』は次のように説明している。

「本来、同じ価格の商品が違う値段になっていた場合、高い方を売り、安い方を買うことによって値ザヤを稼ぐ手法。様々な市場で見られるが、株式市場では通常、株価指数先物と現物との裁定取引を指す。株価指数先物と現物指数は最終決済日には必ず値段が一致するもので、例えば先物が割高なときには、先物を売って、現物株のポートフォリオ（投資配分）を買っておけば、その後の株価水準がどうなろうと一定の利益が得られる。先物と現物間の価格不均衡を是正する取引である」

東証の日経平均株価指数の先物[（メモ1）]は大阪証券取引所とシカゴ、シンガポールの両証券取引所で売買されている。６カ月の日経平均株価先物指数の合理的な価格は、金利がいくらになっているかで弾き出される。計算の上で弾き出される価格より市場の先物価格が上回っていれば、証拠金を支払って先物を売る。

（メモ1）日経平均株価指数の先物：先物取引は、例えば3カ月後または6カ月後にある特定の商品を特定の価格で売買することを契約する取引。商品先物と金融先物があり、株式を対象としたのが株式先物取引。１９８８年９月の大阪証券取引所で日経平均株価指数の先物が、東証ではＴＯＰＩＸ先物の取引が始まった。両金融商品とも実際の株式ではなく株価指数を対象としているので、株価指数先物と呼ばれる。

その一方で、日経平均株価に採用されている225種の株式を1000株ずつ買えば、正確な現物の指数が出てくるが、それは繁雑過ぎるので、日経平均株価に連動する数十銘柄の現物株を東京証券取引所で買えば、現物指数の近似値が達成出来る。

先物は一枚、二枚という単位で買う。実勢の先物価格が1万350円であるとき、一枚買うと1035万円かかる。このとき先物の本来価格が1万300円であるなら、現物価格で1030万円に相当する株のポートフォリオを買う。現物指数と先物指数が決済日には一致するのであるから、先物を売り、現物のポートフォリオを買った時点で実際の先物指数と合理的な先物指数の価格の差額、この場合は5万円が利益として確定することになる。

東証の日経平均株価に強く連動する数十銘柄の現物株を買うと、先物指数が上昇し、これを競って買う動きが出てくる。当然のことながら先物価格は合理的な価格を上回る値を付ける。株価の先物指数と現物指数は最終決済日には必ず値段が一致する、という習性を使った投資のテクニックを、米国の証券会社は日常茶飯事のように行っていたのに、日本の証券会社はどこも知らなかった。

経済学に「裁定の論理《(メモ2)》」というのがある。この論理を体で知っている経済人が日本にはいなかったのだ。超低金利時代の当時、日本の銀行はいくらでも融資したから外国人投資家は裁定取引で大儲けしただろう。

東証株価指数に強く連動する銘柄をどの程度の規模で買うのが一番効果的か、という理論も米国では研究されているといわれており、このソフト開発でも日本は立ち遅れていた。

（メモ2）裁定の論理：『日本経済事典』（日本経済新聞社）は次のように説明している。

「同じモノには同じ価格が付くはずである。この単純な論理を突き詰めていくと、証券の価格や企業の財務政策にとって極めて重要な結論が得られる。（ブラック・ショールズのオプション価格の理論や、モジリアーニ・ミラーの定理）は、この単純なロジックから導かれた。

これをおでんを例にとって説明してみよう。

大根一つ１００円、こんにゃく一つ80円。ただし、大根とこんにゃく各一つの盛り合わせだと１６０円。盛り合わせの方が割安なのである。このような価格設定ができるのは、これらの価格が客に売る時の価格だからである。

仮に、これらの価格で買い取ってもらえるならば、何が起こるだろうか。盛り合わせを１６０円で買う。大根とこんにゃくに分けて、それぞれ１００円と80円で買い取ってもらう。これで20円ほどもうかる。これを繰り返せば、いくらでもお金を懐にできる。

「大根・こんにゃく各一つの盛り合わせ」に対して、１８０円と１６０円の二つの異なった価格が付けられているからだ。これでは店は損をする一方だから、こうした価格が付けられない。自由に売買できるときには、同じモノは同じ価格にならざるを得ないのである。

例を少し複雑にしよう。三つの盛り合わせ、（1、1）（2、1）（2、3）を考えるのである。括弧の中は、（大根の数、こんにゃくの数）を表す。これらがそれぞれ１８０円、２４０円、４２０円であったとしよう。先程よりも、少し頭を働かさなければならないが、この価格でも自由に売買できればやはりもうけられる。

例えば、第2、第3の盛り合わせを1盛りずつ買って、第1の盛り合わせを4盛りつくり、これを売る。購入価格６６０円、売却価格７２０円であるから、この取引から60円もうかる。

2番目と3番目から、1番目と同じ盛り合わせをつくったが、1番と2番とで3番と同じ盛り合わせをつくることも可能である。つまり1番目を4盛り買うと同時に、2番目を1盛り売る。これで3番目と同じ組み合わせになる。これを手に入れるのに、1番目を4盛りで７２０円だが、2番目を1盛り売っているから２４０円の収入。差し引き４８０円になり、3番目の価格４２０円に比べて割高である。

このように、実質的に同じモノに異なった価格が付けられている状況を、裁定機会が存在するといい、裁定機会を利用して利益を獲得する取引を裁定取引という。」

▽ヘッジの思想が身に付いていない日本人

裁定の機会が存在する、と言われれば、なるほどと思うが、庶民には理解出来ない。商売というものにはヘッジ（hedge、つなぎ）という発想がかなり古い時代からあった。世界の大富豪、ユダヤ人の金融資本家、ロスチャイルドが五人の息子をロンドン、パリ、ウィーン、ナポリ、フランクフルトにそれぞれ送り込んで金融業を営ませたのも、香港生まれ女性が日本人の男性と結婚し、子供はカナダの国籍をとるという発想も、いざとなったら香港以外にも日本やカナダにも逃げられるようにという一種のヘッジの思想である。日本人は島国生まれだからか、生き方でヘッジの発想がない。ヘッジを主体とした金融商品という発想が日本人の想像力を越えているのだ。

ヘッジプラスだましのテクニックが、ユダヤの金融商品「デリバティブ」（derivative、金融派生商品）の特徴と言ってもいい。所詮商売はだまし合いなのかもしれない。大事なことはだますことがあると認識し、だましのテクニックが公にされる中で、それを乗り越えて資産運用しなければならない時代にある。

ところが日本人にはこれができない。だますこともないが、だまされることに極めて弱い。金融資本がグローバルに跋扈する時代にあって、日本人に裁定取引のような、お金を転がすだけで利益を上げる真っ当なノウハウを作り出すことができるのか、と問えば、それは無理との答えが返ってくるだろう。銀行などの金融機関に預金して金利を当てにするような時代は再来しない、と認識すべきなのに、大半の人たちはいまだにそのことが分からない。

▽他社株転換社債は一種のだまし

じっさい、外国の証券会社が日本に上陸してきてだましのテクニックを使うと、いとも簡単に引っ掛かってしまった。裁定取引は一般の投資家には関係ないが、他社株転換社債には多くの人が騙された。

2000年春ごろ、証券会社がオプション（条件付き発注内示）取引で他社株転換社債（EB、exchangeable bond）を売りまくった。社債というのは満期に現金で返すのが原則だ。ところが転換社債というのは社債の性格を持っているが、株主の希望により株に転換出来る。希望しなければ満期に現金で償還される。現金は担保で保全されているから、転換社債はまず損はない。上昇した株に転換出来れば値上がり益も享受出来るという、一石二鳥の安全かつ有利な商品だ。

そこに目をつけたのが、他社株転換社債だ。ヨーロッパの投資銀行などが発行する他社株転換社債は、利率は通常の転換社債の2倍程度の好条件。しかし、その社債はある条件の下に株に転換する。それも社債発行会社の株ではなくて、よその会社の株、具体的にいえば、例えばソニーの株に転換する。その転換も社債を保有している人が「転換したい」と言うから転換するのではなく、ある条件の下に強制転換される。

例えば、ソニーの株価が1万2000円するとき、ソニーの株に転換する他社株転換社債を発行する。額面は100万円で、期間は6カ月、金利は年率6％。ただし、6カ月経過したとき、ソニーの株価が権利行使価格の1万円を下回っているときは、元金はソニーの株券で償還する。割らないときは、金利と元金は現金で返済する。1万円を割ったら元金は現金償還しない。償還金額は100万円×償還当日のソニーの株価÷1万2000円＝の割合でソニーの株券を渡す、というものだ。

償還当日のソニーの株価が8000円とすると100万円の3分の2、時価67万円相当の株券が100万円払い込んだ社債権者に強制的に償還されることになる。約30％の評価損だ。

どこにだましがあるかといえば、まさか1年前に3万2000円の株価をつけていたソニーが、1対2に株式分割したため計算上は1万6000円であり、購入したとき1万2000円の株価が1万円を下回り8000円まで下落するとは思わない。どうしてそんな株価がつくかといえば、6カ月目に大量にソニーの株を売ればいい。大引けにドーンと売れば、わけなく示現する。

ソニーばかりでなく多くの株（例えばアドバンテスト、ソフトバンク、東芝、ファナック、村田製作所、京セラ）にセットされて他社株転換社債が売り出された。2001年1月に償還日を迎えたこれら銘柄の権利行使価格と当日の終値を見たらいい。ほとんどの株価が権利行使価格を下回っていた。

だまされたと歯ぎしりしながら目減りしたソニーの株を持っている一般投資家がいた。ソニーの株主は2000年3月末に35万人だったのが、同年9月末には50万人に増えている。30％増えた。その増えた株主は、他社株転換社債を購入して心ならずも株主になった人のようだ。損したソニーの株を保有している株主が3分の1近くもいることが分かると、潜在的供給者が多いため需給関係は悪化し、ソニーの株価上昇を抑えることになる。ソニーにとってはえらく迷惑な話だ。

▽日経平均連動債という金融商品も曲者

日経平均連動債は、ノルウェー輸出金融公社やドイツ農林金融公庫、スウェーデン金融公庫などが発行する債券で、金利が約4～5％と高いのがセールスポイントだ。リンクする相手が他社株転換社債のように発行会社と別の株券ではなく日経平均株価であり、現金で償還されるのが魅力の一つだ。

日経平均連動債は償還直前の「評価日」までに日経平均株価が大きく下落しなければ、連動債は元本と利息が現金で戻ってくる。例えば、5％と相当高利の社債で、設定価格（ノックイン価格）をあらかじめ設定する。日経平均が1万6000円のときに設定価格を1万4000円に設定する。そして社債の償還期限までに設定価格を一時的にも全く割ったことがなければ、元本に所定の高金利を付けて償還する。が、償還期限までに一時的にも日経平均価格がノックイン価格の1万4000円を割り、評価日に1万円をつけるというようなことがあれば、日経平均連動債を購入した人は「元本×10000÷14000＋利息」という元本割れの現金を受け取ることになる。

そのために使われたのが裁定取引だ。大阪証券取引所では日経平均株価の指数（メモ3）の先物を売れば、大衆投資家は狼狽売りで現物を売る。空売りする人も増える。日経平均株価は見事に暴落する。もとより、裁定取引をしている人は東証で現物を買っているので損害はない。損する人は日経平均連動債を購入した人と、現物で株を保有している人は含み損が発生する。

（メモ3）大阪証券取引所で売買されている日経平均株価（225種）の先物指数。決済日は3、6、9、12月の各20日と特定された限月方式で、最長1年3カ月までをカバーしている。

例えば、日経平均株価が前日比360円57銭高の1万3214円54銭を示現した2001年3月23日の取引状況を見ると、同年6月限月の終値は1万3210円で前日比530円高で3万4529枚、売買高は約4兆5000億円。先物が大商いのうちに高騰するのに連動した形で、東証の現物指数も高騰した。

大証ではこの他に4種類の先物が売買され、同年9月限月は1万3000円で前日比と変わらずで3枚、同年12月限月は1万2800円で前日比300円安で4枚、2002年3月限月は1万2780円で前日比110円安で2枚、同年6月限月は1万2700円で前日比変わらずで2枚の商いが行われた。

1売買単位は平均株価の1000倍で、2001年6月限月を1枚買うためには、1321万円が必要であり、個人投資家の投資対象とは言えない。

▽大阪証券取引所で日経平均株価の先物を売買する合理的理由はない

大阪証券取引所で日経平均株価指数の先物を売買する合理的な理由などない。強いてあげるなら大阪証券取引所の活性化策の一つだ。大阪証券取引所は商いが少なく、潰れてもおかしくないような状況だからだ。午場も東証は3時で商いが終了するのに、大証は、日中取引は午前9時から午後3時10分までの「一場制」。現物も先物も取引できる。裁定取引が専門の証券会社にはもって来いだが、これも地場証券を食わせるための方策のように思える。

先物市場開設に必然性がないどころか、東証の株価暴落の要因となるだけなら、先物取引をやめたらどうだろうか。直ちにというわけにはいかないが、新規の取引をやめることで、終息することは出来る。公的資金で日経平均株価の先物指数を買い、高値に誘導することで東証の現物株に刺激を与えるやり方もあるのかもしれないが、大きな失策を取り繕うようなやり方でしかない。東証で売買されているTOPIXの先物取引も、合理性がないので止めたらいいと思う。

▽株式保ち合い解消と株主重視の経営スタイルが導入される

金融ビッグバンを機に事業会社とメインバンクや取引先企業が互いに株式を保ち合うことを解消する、いわゆる株式保ち合い解消も進んだ。株式保ち合いは戦後から１９８０年代ごろまでは日本特有の資本取引慣行であった。しかし、90年代に入り、株式保ち合いや会社間の閉鎖性・不透明性の問題、バブル崩壊による企業の業績悪化などで、銀行を中心に保ち合いを解消する動きが加速した。

日本的な投資のビヘイビアが崩されていく中で、１９９３年1月14日、東証一部上場企業の東亜燃料の中原伸之社長と私の高校・大学時代の友人、山尾真史常務取締役が解任される事件があった。

その理由は、それぞれが東亜燃料の発行済み株式数の25％を保有するロックフェラー系のエクソンとモービルの日本販売会社が、92年、93年に創立30周年、１００周年を記念する措置として、普通配当20円、特別配当金5円を合わせて年間50円（10割配当）支給するよう要求した。中原社長と山尾君がこれを拒否したため、大株主のロックフェラーの逆鱗に触れ、首を切られたのだ。

東亜燃料の１９９３年12月期の経常利益は前年比14％増の予想だが、税引き利益は２００億円にも達せず、総額３００億円を超える配当を出せる状況になかった。エクソンとモービルは東燃の内部留保が２２３２億円あることから、それを取り崩せと言うのだ。内部留保は大恐慌や大災害など不測の事態に備えるため営々と積みあげられてきた会社の全従業員の貯蓄であり、経営者の責任で使える金だ。中原社長の言い分に合理性があったが、雇われ経営者は大株主の権力行使にかなわなかった。こうした事件以降、日本の大企業では株主重視の経営スタイルが当たり前になった。

日米構造協議の中で米側は、日本の銀行と企業の株氏保ち合い制度は国際基準に違反するとして、銀行が保有する貸付先の企業の株式を手放すよう要求した。２００１年には銀行の株式保有を直接的に制限する「銀行等の株式等の保有の制限に関する法律」が公布された。それによると、当分の間、銀行が保有することが出来る株式はその銀行と子会社の自己資本の総額以下とし、保ち合い解消等により短期間に大量に株が売られて株価が急落して信用不安を起こすことを防止するため、株式の買い取り等の業務を行う「銀行等保有株式取得機構」を設立することなどが規定された。

しかし、株式保ち合いの解消の動きは止まらず、銀行がこれらの株式を売りに出すと、待ってましたとばかりにロックフェラーやロスチャイルド系などの証券会社や投資銀行、ヘッジファンドに買い占められ、これら外資系の会社が大株主として登場している。外国人の社長や常務取締役が経営の在り方に注文を付けるとともに、高額配当（外国資本家への配当には日本で課税されないで本社に送金される）を要求することが常態化している。日本人経営者は国際金融資本家の番頭に成り下がった、と言われても過言でない状況にある。

財務省の渡部晶・財務総合政策研究所長が２０２３年11月28日、参院予算委でれいわ新選組の山本太郎代表の質問に対する答弁で、10億円以上の大企業の統計数値について１９９７年度を１００とした場合、２０２２年度の売上高は１００・８、経常利益は３７９・６、配当金は８０８・７、従業員給与は１００・２、設備投資は86・８であることを明らかにした。経常利益（企業が通常行っている業務の中で得た利益のことで、本業の儲けである営業利益に営業外収益を加え、営業外費用を差し引いて計算する）と配当金が大きく伸びているが、給与は全く上がっていないことから、20数年にわたり労働者が生み出した余剰のほぼすべてが、外資主導の経営で資本家と経営者に搾取されていることが分かる。

▽派遣労働者は製造業まで拡大

中曽根内閣時代の1986年に施行された通訳・翻訳・速記、秘書など特殊な技能を持っている16業務に限られていた「労働者派遣事業の適正な運営の確保及び派遣労働者の保護等に関する法律」(労働者派遣法)が、1999年(小渕内閣)改正された。改正派遣法は禁止された業務を除いては原則として派遣を行うことができるようになり、労働者派遣できる業務が大きく広がった。同法は2003年3月(小泉内閣)、さらに経営側に有利に改正され、例外扱いで禁止だった製造業および医療業務への派遣が解禁された。派遣労働者を現場労働者まで拡大すれば、雇用の安定が大きく損なわれ、低賃金労働者が拡大することは火を見るよりも明らかだったが、政権維持に汲々とする自民党は固定費の削減を狙う財界の圧力に屈してしまっている。中曽根内閣以降の自民党は国際金融資本家に対して、言わば江戸時代の旗本の前で提灯を掲げて先導役を務めた「中間《ちゅうげん》」と言われても仕方ないような悲しい存在になっていた。

2005年頃から外資による買収防衛策の導入や事業提携などを目的として、一時、株式保ち合いが強化された。だが2008年のリーマン・ショックによる株価下落を背景に再び株式保ち合いの解消が進んだ。資本自由化により外資からの乗っ取りを懸念する企業が銀行や関係の深い事業会社と相互に株式を保ち合い、安定株主(会社の業績や浮沈に関係なく、仕事上の付き合いなどから長期にわたり株式を保有する株主。これに対し、株価が上昇して利益が出ると株を手放す株主を浮動株主という）工作を進めたことで、浮動株比率が小さくなり、株価形成をゆがめ、株式市場の健全な発展を妨げるという結果も生じていた。

２０００年後半以降の保ち合い解消は、外資からの批判に応えるためというよりも、保ち合いの中心となってきた銀行が自己資本比率を高めるために株を売っているのが原因だとも言われている。

バブルが崩壊する前は、日本株式の有力投資家の大部分が、株価財産を全く考えずに、金が余っているから株を買い、金が足りないから株を売っているのが普通だった。相互保ち合い解消も株価財産を全く考えずに、保ち合い解消が必要だから株を売るのであって、その保ち合い解消の株の前途はどうなるかなど全く考えないで売った。計画的に売れば、それなりの値が付いて２００万株でも３００万株でも売れたのに、底値付近で売ろうとしている金融機関もあった。

大手の損害保険会社の株式売買についても、その株式の採算を考えて買ったり、売るときも採算を考えて売ってはいなかったという。今期１００億円の資金を調達する必要があると上から命じられ、「それならこの株とこの株を売ろう」と、たまたまその会社があるから売ったに過ぎないのであって、その会社の前途が悪いから売ったのではない、という話を聞いたことがある。銀行、生保、損保の投資態度はこの程度だったのだ。

▽自社株取得も可能に

外国人は、日本社会は政官財が癒着して、既得権益を固守するためのさまざまな規制でがんじがらめの国と思っている。内実はそうだろうか。例えば、自社株取得（金庫株（treasury stock）は自社株を買い取って自社の金庫に保管していることから貯蔵株とも言う）は、１９９４年の商法改正で出来るようになった。欧米では広く認められているのに、日本の場合は規制を加えている。剰余金の限度内で自社株を取得するのは社会通念上許されるべきなのに、自社株を取得したら、消却（メモ４）しなければならないという規制を加えた。規制緩和どころか規制強化の商法改正となっていた。米国の各州会社法では取締役会の決議でストックオプションを創設出来る、とだけ規定している。

　ところが日本では自社株取得に関連して幾つもの条文が出来ている。当初は規制が多いので利用する企業はほとんどなかった。自社株取得に関しては、商法２１０条、２１０条の２、２１０条の３、２１０条の４（メモ５）の４つの条文があるが、金庫株を創設するのであれば、これら４つの条文を廃止して、金庫株１本にしたらよかった。これまでの条文を残して金庫株を創設する、というのだから普通の人は分からない。そういう事例が日本では多かったが、２００１年に商法改正が行われ、整理されていった。

（メモ４）自社株消却：１９９４年、97年の商法改正で定時株主総会の議決に基づき剰余金の限度内で自社株を取得し、消却することが出来るようになった。企業の財務戦略として活用する企業が増えた。ただ企業にとってそれほど魅力的ではなく、金庫株を容認するよう財界側は強く求めた。

（メモ５）商法２１０条：自己株式の取得と質受けを規定した条文であり、２１０条の２、３、４にストックオプション（経営者や従業員に自社株を一定の価格で購入する権利を与える制度）に関する規定が示されたが、同法改正が繰り返される中で、当初付与の上限は発行済み株式数の10％だったが、その後の改正で付与限度は３分の１以下に拡大されている。

▽「金庫株の創設で株価操作」との意見もあった

自社株取得と株価操作を結び付ける議論もあった。株価操作は現在でもいろいろな方法で行われているので、この議論はあまり意味がなかった。トヨタ自動車が自社株取得を発表したニュースが掲載された前日の2001年1月16日、株価は450円も急騰し、出来高は1537万6000株という大商いとなり、インサイダー取引が行われた疑いが持たれた。現行法の下で株価のつり上げはない、という前提自体が間違っている。金庫株制度を創設すると、株価操作に利用しようとする動きが出てくるが、貪欲と恐怖が支配するマーケットでは限界があった。マーケットを馬鹿にしない方がいい。マーケットは恐ろしい。

▽国際金融資本家の食い物にされる日本を象徴する「郵政民営化」

1985年9月のプラザ合意後に発生した強烈な円高、ドル安にもかかわらず、日米間の貿易関係は、米国の対日貿易赤字が1985年末、500億ドルを超えた。米国の二次産業の柱である鉄鋼、自動車、工作機械、民生用電子機器、通信機器、半導体等では製品の品質自体で日本の優位性が目立ち、「防衛費の負担が軽い日本が米国の核の傘にただ乗りしている」といういわれのないいら立ちも加わって、レーガン政権は有無を言わさぬやり方で日本側に圧力をかけてきた。米国の言い分は、①日本市場が閉鎖的である、②高水準の貯蓄が投資に回されていない――ことなどが対米貿易黒字の原因であるというものだ。

レーガン大統領との個人的な信頼関係を大事にする中曽根康弘首相は、首相の私的諮問機関である国際協調のための経済構造調整研究会（会長・前川春雄日本銀行総裁）に対応策を検討させていたが、前川会長は1986年4月7日、報告書をまとめ、首相に答申した。それが前にも書いた前川レポートである。国際金融資本家は前川レポートに基づき、日本の社会構造を米国型の市場原理を第一に考える競争社会に変えながら日本市場に参入し、日本の経済力のスティールを企んだ。その象徴が郵政民営化だった。

▽宮沢首相がレールを敷いた

2001年4月26日、自民党の小泉純一郎氏は皇居での親任式で天皇明仁により第87代内閣総理大臣に任命された。小泉首相は郵政民営化を重要施策の一つとして掲げ、「行政改革の本丸」と訴えた。

誰もが郵政改革は小泉首相の独自政策のように思っているが、宮沢喜一首相が改革のレールを敷いていた。宮沢首相は、小泉氏が1979年の大蔵政務次官就任当時から郵政事業の民営化を訴えていたことに着目し、1992年12月12日、小泉氏を郵政大臣に任命している。同年7月16日、住宅金融専門会社7社の同年3月時点の債務が約13兆9700億円であったことが明らかになり、同年10月30日、大蔵省が都市銀行等21行の9月末の不良債権は12兆3000億円、3月末よりも54％増加していると発表したことなどを受けて、宮沢首相は郵政マネーの活用を考えた。郵政マネーを目の敵にしていた銀行業界などからの「官業の民業圧迫」との声に加えて、郵政マネーを投資資金に使いたいと虎視眈々と狙っていったロックフェラー財閥など国際金融資本家のアプローチにも応えようとしていたのだ。

宮沢首相は、デイヴィッド・ロックフェラー（1915～2017）が主宰する日米欧の政治家や学者らで構成する政策研究会「３００人委員会」のメンバーであり、本人が認めることはなかったが、フリーメーソンのメンバーとも言われていた。１９５1年1月25日、ダレス国務長官が初めて来日した時、羽田空港では出迎えた吉田茂首相よりも先に通訳の宮沢喜一氏にダレスは握手した、とも言われている。

▽米国の企みと小泉首相の恨みが合体

郵政民営化は、小泉首相が首相就任前に米国から提出された日本への「年次改革要望書」にも記載されていた。それを具体化したのが、小泉政権の郵政民営化だ。郵政マネーを米国に差し出すことは、日米間の既定路線だった。

自民党衆院議員で国土庁長官を務め、郵政改革問題が大問題となったとき、自民党郵政事業懇話会幹事長として民営化反対の急先鋒に立った亀井久興氏は著書『許すまじ！日本売却』の中で「90年代から年次改革要望書によって毎年具体的にアメリカの要求を受け入れるようになった。この流れの中で、小泉純一郎が首相に就くと構造改革を経済政策のスローガンに掲げた。だから、小泉は前川レポートが目指した路線に乗ったともいえる」「アメリカの日本社会を構造的に変えるという企みと小泉さんの（衆院選挙で特定郵便局長会が応援してくれなかったという）恨みが合体した姿が『聖域なき構造改革』です。アメリカと小泉さんはまさにwin・winの関係だったのです」と書いている。

▽無名の学者、竹中平蔵慶応大教授が主役に

小泉内閣が鳴り物入りで打ち出した郵政民営化のための法律は、日本郵政株式会社法案、郵便事業株式会社法案、郵便局株式会社法案、独立行政法人郵便貯金・簡易生命保険管理機構法案及び郵政民営化法等の施行に伴う関係法律の整備等に関する法律案の6本で、第162回通常国会の2005年5月27日、審議は衆院郵政民営化に関する特別委員会で始まった。ここで主役に躍り出たのが竹中平蔵氏だ。竹中氏は国会議員ではない。国民の大半が知らない経済学者だった。

竹中氏はハーバード大学の客員准教授などを経て慶応大学教授に就任した。ジョン・ロックフェラー4世（1937〜）と親しい小沢一郎自民党幹事長が1993年、『日本改造計画』を刊行したが、その執筆協力者に竹中平蔵教授が名前を連ねていることから、日本政界への紹介者は小沢一郎氏だろう。1998年に小渕恵三内閣の経済戦略会議の委員に就任し、森内閣のIT戦略会議で議員になる。

2001年4月26日、発足した第1次小泉内閣で竹中平蔵氏は金融・経済財政政策担当大臣に任命され、第2次小泉内閣で内閣府特命担当大臣（金融経済財政政策）に任命されて、郵政改革問題に取り組んだ。郵政改革関連法が成立すると、第3次小泉内閣で郵政民営化担当大臣に任命されている。

▽郵政民営化は中央省庁等改革基本法に違反しない、と竹中大臣

自民党の大野松茂氏は2005年5月7日の衆院郵政民営化特別委で「郵政民営化は、小泉総理御自身が改革の本丸と位置づけ、官から民へ、民でできることは民でという方針のもとに、並々ならぬ熱意と情熱を持って取り組んでこられました。まさに小泉内閣の最重要課題ともいうべき政策課題で

す。郵政民営化関連法案については、さまざまな疑問、不安、懸念をお持ちの方がおられます。自由民主党においても、郵政改革に関して激しい議論を重ねてきました。なぜ今急いで民営化に取り組む必要があるのか、郵政事業を民営化することによってどのようなメリットがあるのか」と前置きして、大野氏は最初の質問として「中央省庁等改革基本法第33条1項6号の規定について、同法においては、民営化等の見直しは行わないこととすると規定されております。この規定をもって、郵政事業については将来にわたって民営化等の見直しは行わないという立法府の意思であるとして、政府が郵政民営化法案を国会に提出するのは法律違反ではないかという意見さえある」と述べ、政府の見解を質した。

これに対して竹中国務大臣は、「中央省庁等改革基本法第33条第1項第6号の規定は、国営の新たな公社を設立するために必要な措置を講ずる際の方針として定められたものである。したがって、民営化問題も含めまして、公社化がなされた後のあり方を何ら拘束するものではない。これが政府としてのこの条文に関する見解だ」と述べた。郵政公社を設立した後の措置について政府を拘束する条文ではない、と述べている。

竹中大臣は、2002年6月の総務委員会で、当時の津野内閣法制局長官がこの条文について明らかにした政府解釈を取り上げ、「津野長官は『この第一項で、政府は、次に掲げる方針に従い、と、まず方針を言っているわけでございます。その方針に従って総務省に置かれる郵政事業庁の所掌に係る事務を一体的に遂行する国営の新たな公社を設立するために必要な措置を講ずるものとする』。まさに、次に掲げる方針に従って必要な措置を講ずるというふうになっているわけでありまして、これは、郵政三事業において国営の新たな公社を設立するために必要な措置を講ずる際の方針の一つとして、民営化等の見直しを行わない旨を定めているものでございまして、公社化以降のことまでも規定したものではないというふうに解されるわけであります。これは、当時津野法制局長官の答弁でございます。政府の見解は、まさにこういうものでございます」との見解を表明した。

▽国民から集めた約３４０兆円の金を官から民に流す道を開く

大野松茂氏は「現在の日本郵政公社は、経営状況にも特に問題はなく、提供するサービスの質についても国民はおおむね満足している状況にある。なぜ郵政事業を民営化しなければならないのか」と民営化の必要性、目的について質した。

これに対して竹中平蔵郵政民営化担当大臣は、改革のメリットは次の3点だと次のように述べている。

「郵便局を通じて、国民から集めた約３４０兆円もの膨大な資金を官から民に流すその道を開く、これが第一のメリット。第二は、約40万人の郵政公社の職員が民間人になるとともに、従来免除されていた税金が支払われること等により財政再建にも貢献するなど、小さな政府の実現に資する。第三の点としては、国の関与をできるだけ控えて、民間企業と同一の条件で自由な経営を可能にすることによって、まさに質の高い多様なサービスが提供されるようになる」

大野氏「郵政の民営化によりまして、３４０兆円に及ぶ膨大な資金を官から民に流す道を開くということも民営化の中にはございます。郵貯、簡保の資金は大量の国債に運用されているのが実態でありまして、民営化したからといって本当に資金の流れが官から民に流れるのかという疑問の声が聞かれます。なぜ郵政民営化により資金の流れが官から民に変わるのか、この点について、より詳しい説明をお願いいします」

竹中国務大臣「郵政の改革というのは非常に多面的な性格を持っておりますが、その中でも最も重視しなければいけない側面の一つが、やはり今大野委員御指摘の金融面での改革、金融面でその効果をいかにしっかりとしたものにしていくかということであろうかと思います。郵貯、簡保、現在約340兆円の資産を預かっている、これは家計が持っている金融資産の四分の一に当たるという大変膨大な資金を集めている。これは政府が集めているお金で政府保証もついている。したがって、郵政公社の資金、340兆円の資金というのは、いわば官の資金だ。そして、これは官の資金である以上、国民負担を回避するという観点から、安全資産に運用せざるを得ないという宿命を持っている。したがって、結果的にその大部分を公債、国債等の公的な部分に還流させている。つまり、官が集めて官で使う、そのお金がストックベースで家計の金融資産の四分の一にも達しているというのが、今の郵政の金融からとらえた側面であろうかと思う。

これが、民営化によりまして、郵貯・簡保資金が定義上民間の資金となる。現在法律で厳しい制限が課されている資産運用についても、これはもちろん民間の企業の責任において、みずからの資産負債管理の責任においてということでありますけれども、規制が緩和されて、民間の経済活動を支えていく道が開かれるということになるわけでございます。

しかしこれは郵貯の改革だけで実現するというものではございません。郵政はいわばその入り口の部分に当たります。この大きな官の資金の流れを変えるためには、入り口と出口とそしてその経路、それぞれについてしっかりとした改革を進めなければいけない、これが成就して初めて、実はまさに官のお金が民で使えるというルートが開かれてまいります。

この出口に関しましては、既に御承知のように特殊法人改革が進んでおりますけれども、さらに政策金融につきましても、中期的にその残高をしっかりと減らしていくという方向で検討を進めつつあるところでございます。

その中間の財政投融資のところにつきましては、御承知のように（平成）十七年度までを特例としてまだ運用の道が開かれておりますが、いずれにしても、財投債、財投機関債等々で市場を通してしっかりとした資金の配分、アロケーションが進むような仕組みも進みつつある。

この入り口、出口、そしてその流れの中途、これをすべて合わせることによって、今申し上げましたような官の資金を民にする、民に流すという道が完成していきます。その入り口であるまず郵政については、官の制約を取り払って、みずからの責任においてリスクをとれるような資金に性格を変えていく、これが全体の流れを完成させるための実は大変重要な必要条件になってまいるというふうに考えている。そうした観点からの実は非常に大きな改革の大変重要な部分をこの郵政の民営化が担っているというふうに理解をしております」

▽急いで民営化に取り組まなければならない理由

大野氏「日本郵政公社でありますが、平成15年4月1日の発足からまだ二年余りしか時間が経過しておりません。日本郵政公社は四年を一期とする中期経営目標とそれを達成するための中期経営計画を策定して、総務大臣は中期経営目標期間の終了ごとにその達成状況を評価することとされている。公社化して最初の中期経営目標の結果もわからない段階にございます。なぜそれほど急いで民営化に取り組まなければならないのか」

竹中国務大臣「四年を一期とする最初の中期経営計画の結果を見てからでもよいのではないか、なぜそんなに急ぐのかという御質問がございました。改革は急がねばならないのではないかという点に関して、ぜひ二点申し上げたい。

第一の点は、現在の郵政事業を取り巻く環境が著しく非常に速いスピードで変化しているという点です。郵便に関して見ますと、IT革命によってEメールが私たちの身の回りでも物凄い勢いで普及をしている、これは世界的な傾向です。結果として、世界の郵政も同じように郵便物の減少に悩んでいるわけであるが、日本の郵便物も毎年二ないし二・五％減少しているという厳しい状況がある。

第二に、金融に関しても、金融の技術革新などによって、民間が提供する金融サービスが非常に広範かつ多様な展開を示している、そのような中で郵貯の残高等々も低下をしている。要するに、技術革新が金融面でも非常に激しいということ。

第三として、物流サービスを見ると、これまたすさまじい勢いで変貌している。特に国際物流の面で、今アジアでは、中国、韓国等々、すさまじい勢いで国際物流のマーケットが拡大をしている。中国など十数％、場合によっては二割に達するような成長マーケットがあって、結果として、オランダやドイツでは民営化された郵便会社による国際展開が劇的に進んでいる、そのような大きな環境変化があるということだと思う。公社の中期経営計画を見ましても、今後の経営見通しはやはり楽観が許されないということが示されている。こうした環境変化に適切に対応するためには、速やかに郵政事業を民営化することが必要である、環境変化がやはりそれだけ早いというのが第一の点でございます。

民営化を急ぐ第二の点としては、実は、やはりこの民営化には大変時間がかかるということだ。民営化が最終的な姿に至るまで、これは各国の例を見ても相当の年数がかかっている。準備の期間が要る、そして移行期間が必要である。

今回の法案においても、2007年までを準備期間、それから約十年間を移行期間というふうに想定しているが、そうすると、あと十年たっても我々はまだ郵政民営化が完成していないということで、私は、国民的に十年たっても郵政民営化の議論をしているのだと思う。そういった長期の移行期間、準備期間を要するということを考えると、直ちに民営化に取り組むべきではないか、郵政公社が非常に頑張って力のあるうちにこそ改革を進めるべきではないか。そのように考えて、今回の法案を提出させていただいている」

▽金融部門を切り離して全株式を売却が目的、と小泉首相

亀井久興氏は郵政改革のうさん臭さについて、「小泉さんは私の疑念に対して、ポロっと『金融部門を切り離して株式会社にして、その全株式を市場で売却することが目的だ』と本音を言った。さすがに『金融部門をアメリカに渡すためだ』とは言わないが、郵政民営化の制度設計をするとき、竹中さんは17回もアメリカの政府関係者や保険会社などの経営者と会っている。日本の法律を作るのにどうして17回もアメリカに相談したのか。アメリカの意向が強かったことが窺える」と語った。

亀井氏は著書の中でこう書いている。

「郵政事業の中で、小泉純一郎さんと竹中平蔵さんの関心は、貯金と保険だけ。とにかく金融部門を切り離して膨大な金融資産を自由にコントロールしたい。上場企業にして株を売却できればそれでいい、というのが小泉さんと竹中さんそしてアメリカの考えでした。竹中さんは、この計画が国民に察知されると困るので一切表に出ないようにして訳のわからない制度設計を行いました。郵政事業が黒字にならないことは百も承知。これで民営化しようというのだから、いかに無謀な政策だったか理解してもらえると思います。この時私は『世界の経済市場は、異業種であろうと、どんどん吸収合併や買収が行われている。この時代に三事業一体でうまく回っている郵政を分割するのはおかしい。必然性がない』と主張しました。アメリカの操り人形でなければ、こんな無謀なことを考えるわけがありません。裏を返せば、どんなに無理をしても、たとえトリックを使ってでもやり遂げなければならない使命、もしくは危機感が2人にあったということです。」

ゆうちょ銀行とかんぽ生命保険、すなわち金融2社を切り離してその株を市場ですべて売却し、海外企業も買えるようにする。これが郵政民営化の目的だったというのだ。

▽自民党議員の保身によって郵政は民営化された

郵政民営化関連法案は、2005年7月5日、衆議院本会議で自民党議員から造反が多数出たことで5票差の賛成多数で可決されたが、2005年8月8日、参議院本会議においては否決された。自民党執行部の党議拘束にもかかわらず、多数の自民党国会議員が反対に回った異例の展開となった。

小泉首相は郵政民営化の賛否を国民に問いたいとして、衆議院を解散した。「郵政解散」と呼ばれた。反対派の一部は自民党を離脱し、新党（国民新党、新党日本）を結成。他方、離党せず自民党に残った議員は、党公認を得られず、無所属候補として第44回衆議院議員総選挙に出馬。郵政民営化に反対した国会議員の小選挙区全てに、小泉首相は対立候補（いわゆる「刺客候補」）を送り込んだ。

小泉首相は9月11日投票の衆院選挙戦で、既得権益を得たものとはとてもいえない郵政公社の公務員を槍玉に挙げて、彼らがいるからこの国は一向に改革が進まない、という印象を国民に与える演説だけを徹底的に行い、長引く不況に悩み、閉塞感にとらわれる労働者や中小零細事業者の票をかっさらった。

総選挙の結果は、与党が3分の2の議席を超える「圧勝」となり、総選挙を受けて召集された特別国会で、小泉政権は10月14日に郵政改革関連6法案を可決・成立させた。

国民新党から出馬した亀井久興氏は「郵政民営化の是非が議論されていた最初の段階では自民党の中でも反対意見が圧倒的に多かったのに、小泉首相の人気に圧倒された議員、特に重要ポストに就いていた人たちに『賛成に回って小泉首相に気に入られよう』という動きがあった。郵政が民営化された理由は政策の是非ではない。自民党議員の保身によって郵政は民営化されたのだ」と無念さを隠さない。

▽鳩山内閣で民営化が棚上げされたが、衆参のねじれ国会でご破算

郵政民営化法が成立後、日本郵政公社は解散された。ところが2009年8月30日に行われた第45

回衆議院議員総選挙で、民主党、社会民主党、国民新党の3党は過半数の議席を獲得し、3党連立の鳩山由紀夫内閣を樹立した。郵政事業の抜本的見直しを掲げて総選挙に臨んだ3党は鳩山内閣で暫定措置と処分の停止等に関する法律（郵政株式処分停止法）を制定した。

鳩山政権は第174回国会の2010年4月30日、郵政改革法案、日本郵政株式会社法案、郵政改革法及び日本郵政株式会社法の施行に伴う関係法律の整備等に関する法律案を衆議院に提出した。これら郵政改革関連3法案は5月31日に衆議院本会議で可決され、参議院に送付された。しかし、鳩山首相の突然の退陣後に内閣総理大臣に就任した菅直人氏は、参院では日程上の関係から審議に入る時間がないとし、3法案は審議未了、廃案となった。

同年7月11日に執行された第22回参議院議員選挙の結果、衆院と参院の多数会派が異なる状況、いわゆる〝ねじれ国会〟が生まれた。ねじれ国会の中で、郵政株式処分停止法により郵政株式の処分が停止された状態が続き、郵政民営化の事業方向が定まらないため、民主、自民、公明の3党が修正協議を行い、郵政改革関連3法案は取り下げ、現行の郵政民営化法等の一部改正により措置することで合意した。

改正の中身は、①持ち株会社の日本郵政の下に郵便2社（郵便事業株式会社と郵便局株式会社）と金融2社が位置付けられる5社体制だったのを、郵便2社を統合して日本郵便株式会社とし、日本郵政の下に日本郵便株式会社、郵便貯金銀行、郵便保険会社の3社がある4社体制とする。②日本郵政株式会社が保有する金融2社の株式については、そのすべてを処分することを目指し、両社の経営状況、郵政事業に係る基本的な役務の確保への影響等を勘案しつつ、出来る限り早期に処分する。③日本郵便株式会社に対する任意業務規制については、総務大臣への届け出制とし、金融2社と同様、同業他社への配慮義務、郵政民営化委員会への通知等を義務付ける――など。

郵便貯金銀行と郵便保険会社は、日本郵便会社に金融窓口を業務委託することになるため、委託手数料は大きな収益源となるが、郵便事業自体の黒字化は見込めない。とはいえ全国の郵便局で民営化後も郵便、貯金、保険の3事業をスムーズに続ける必要がある。持ち株会社の日本郵政が郵貯銀行と郵便保険を十分にコントロールできる体制づくりが必要だったが、そのための法的な措置は取られていない。

2012年8月30日、菅内閣総辞職に伴い後継首相となった野田佳彦内閣は2013年3月30日、郵政改革関連3法案を撤回することを閣議決定し、衆議院の承諾を得た。同日、民主、自民、公明の3党は郵政民営化法等改正案を衆院に共同提出し、可決、参院に送付され、4月27日、参院本会議で賛成多数で可決、成立した。郵政民営化等改正法は同年5月8日に公布され、同時に郵政株式処分停止法は廃止された。

▽JPモルガン証券が日本郵政の株式を取得

2015年11月4日、日本郵政株式会社（資本金3兆5000億円）とゆうちょ銀行（資本金3兆5000億円）、かんぽ生命（資本金5000億円）の3社の株が同時上場された。黒字経営を見込めない日本郵便（資本金3兆5000億円）は上場されていない。ゆうちょ銀行とかんぽ生命の利益に依存している日本郵政株式会社は特殊会社なので、株式の3分の1を財務大臣が保有している。外資も米国のＪＰモルガン証券、ＪＰモルガン・チェース・バンクなどが計19・２％の株式を購入している。

ＪＰモルガン・チェース・バンクは、２０００年にロックフェラー財閥が所有するチェース・マンハッタン銀行とモルガン財閥が所有するＪＰモルガン・アンド・カンパニー（ＪＰＭ）との経営統合で誕生した米国最大の資産を擁する銀行だ。ＪＰモルガンは年金積立金管理運用独立行政法人（ＧＲＩＦ）から委託されて、２０１４年10月まで日本株式の運用を行っている。

すべての株式を市場で売却することが法律で決まっているゆうちょ銀行は、２０２２年7月の時点で株式の88・４％を日本郵政が保有している。国債主体の運用を多様化しているようだが、大手銀行のようなノウハウがないことから、貸出金は圧倒的に少ない。高度経済成長をけん引した日本興業銀行頭取の中山素平氏（1906～2005）のような大物バンカーがいないのに、〝馬鹿馬鹿しい〟ことをやっていることが誰の目にも明らかになってきた。

かんぽ生命は生保業界の最大手の一つで、郵便局の窓口で簡易保険とアフラックのがん保険を販売している。民営化前、ゆうちょとかんぽが集めた約３００兆円は財政投融資の資金として全国のインフラ整備などのために使われていたが、株式売却が進めばその資金は国民の目の届かない形で使われ始めることは間違いない、との見方が一般的だった。

予期された如く、米国国内で2番目に古い歴史を持つ金融機関であるステート・ストリート（State Street Corporation）が２００３年、郵便貯金と簡易保険の資産管理を担うようになった。

ステート・ストリートの初代頭取はユダヤ人のモーゼス・ギル。大手機関投資家向けグローバルカストディ（ＡＵＣ／Ａ、約５４００兆円）および資産運用機関（ＡＵＭ、約５４０兆円）としてはブラックロックやバンガード・グループと並ぶ世界最大級のアメリカ系金融機関。名称は本社のあるボストンの国際金融市場であった中心街に由来する。大手機関投資家および各国政府との取引が主で、グループとして個人向け業務は展開していない。配下のステート・ストリート・グローバル・アドバイザーズ（ＳＳＧＡ）社は、上場投資信託（ＥＴＦ）のＳＰＤＲ（スパイダー）シリーズを運用しており、Ｓ&Ｐ５００に連動するSPDR S&P 500 Trust ETF（NYSE Arca、ＳＰＹ）は純資産残高で世界最大のＥＴＦである。ＥＴＦとはExchange Traded Fundの略で、日本語では「上場投資信託」という。日本ではＥＴＦは日経平均株価やＴＯＰＩＸ（東証株価指数）、ＮＹダウ等の指数に連動するように運用されている投資信託の一種で、信託銀行が販売している。

因みにブラックロック（BlackRock）は、米国ニューヨーク州ニューヨーク市に本社を置く、世界最大の資産運用会社である。２０２１年末における同社の運用資産残高（ＡＵＭ）は10兆ドル（１ドル＝１５０円で約１５００兆円）と日本のＧＤＰの約2倍。ファンドを通じて主要な上場企業の大株主となっており、Ｓ&Ｐ５００種株価指数を構成する企業の80％以上において、持ち株比率の上位３位までに入っている。同社の大株主は英国のロスチャイルド家。

バンガード・グループ（The Vanguard Group）は、ペンシルベニア州に本社を置く世界最大規模の資産運用会社。世界初のインデックス型投資信託（インデックスファンド）を個人投資家に提供した。２０２０年1月31日時点の運用総資産額は7・１兆米ドル（約１０５０兆円）。ブラックロックに次ぐ、世界2位の投資信託および上場投資信託（ＥＴＦ）の提供者である。

2022年8月10日のブルームバーグによると、バンガード・グループが債券上場投資信託（ETF）の分野で世界首位に躍り出た。「バンガード・トータル・ボンド・マーケットETF」の運用資産が約838億ドル（約11兆3000億円）と、米ブラックロックの832億ドルの「iシェアーズ・コア米国総合債券市場ETF」を抜いたという。バンガードのファンドに投資をする投資家の中で最大の者は、スイス・ジュネーブを拠点とするエドモン・ドゥ・ロスチャイルドグループであり、彼がバンガード・グループの事実上のオーナーであると言って良い。

亀井久興氏は「国際ユダヤ資本はアメリカ政府を使って対日政策の総仕上げに入っているので、きっかけがあれば一気に畳みかけてくる。（日本は）一握りの富裕層のためだけの国家になってしまうのです。アメリカの言いなりになっていれば、立場は安全。そんなことを考える政治家が多い中で、日本はユダヤ資本とどうやって渡り合うか。敵は対米従属（の日本の国会）議員とアメリカの二つ。日本の文化、自然、教育、経済を守ることができるのか、国民生活を守ることができるのか。米国の自治領から脱却して主体性を得ることができるのか、心ある政治家には大きな戦いが待っているのです」と語った。

▽リップルウッド社が日本企業を手当たりしだい買収

米国は為替操作で米国経済の弱体ぶりをカモフラージュしようとしている。プラザ合意で円高、ドル安誘導させることを日本に約束させ、日本は保有する巨額の米国債の資産価値を円に換算すれば大幅に下落させ、その後の超低金利政策によるバブルの発生と破綻、長期にわたるデフレ経済という未曾有の経済危機に苦悩することになる。

米国の金融資本家は、米国内に有力な投資先を失い、日本の企業買収に血道をあげた。リップルウッド社が長期信用銀行を皮切りに日本コロムビア、フェニックスリゾート、日本テレコム、旭テック、シャクリー・グローバル・グループなどを手当たりしだい買収した例はその典型だ。日本テレコムがリップルウッドに買収され、孫正義のソフトバンクに変貌していく過程を社員としてみていた私の高校時代からの友人は、「まさに（企業買収と売却を繰り返す中で莫大な富を得る外資系の）〝ハゲタカ・ファンド〟にやられっぱなしだった」と語った。

彼らの得意は金融（銀行、証券、保険）、ホテル、不動産、大手スーパーなど流通、ゴルフ場など娯楽施設などだ。バブル経済の崩壊を機に日本全国にある約2400のゴルフ場のうち約300カ所がユダヤ人のマーカス・ゴールドマン創業の米大手証券会社、ゴールドマン・サックスなどの外資系企業に買収されている。

小泉首相時代には「聖域なき構造改革」の大義名分の下に郵政民営化の他に、道路関係4公団の民営化、独立行政法人や政策金融機関の統廃合、構造改革特別区域の推進なども行われたが、どれもメリットよりもデメリットの方が大きかった。

▽リーマン・ブラザーズの破綻処理で世界は大不況に

イルミナティはサッチャー英首相、レーガン米大統領時代から世界経済のグローバル化と規制緩和、市場原理主義の経済理論を世界に広げ、デリバティブ（金融派生商品）取引で、世界を文字通り席巻できると踏んだ。金融派生商品は金融工学に基づく合理性のある商品ばかりではなく、詐欺としか言いようがないでたらめの金融商品を生み、資本主義経済の命綱である信用を失墜させてしまう危険な代物だ。こうした世界経済大破局を防ごうとしたのが、2008年9月15日の米国名門投資銀行、リーマン・ブラザーズの破たん処理である。同社はドイツからのユダヤ人移民、ヘンリー、エマニュエル、マイヤーの3人のリーマン家兄弟によって1850年に創立され、米国第4位の規模を持つ巨大証券会社に成長していた。

1996年に世界で約40兆ドルといわれたデリバティブ市場（当時の世界貿易決済額は約2兆ドル。因みに世界貿易額は2021年、初めて21兆ドルを超えた）が、時間の経過とともに拍車がかかり約100倍のレバレッジが利かされて市場を暴走していた。気がついてみると、このまま放置すれば金融機能の根幹が根底から崩れてしまうことになる。イルミナティは米国の金融グループには大損をこうむらせるが、世界の金融資本主義を制度として生き延びらせるためのやむを得ない措置としてサブプライム住宅ローンを証券化し、大量に売却していたリーマン・ブラザーズを、アメリカ合衆国連邦倒産法の第11章に基づき倒産処理手続を実施させた。負債総額約6000億ドル（約64兆円）。米国の歴史上最大の企業倒産である。この影響は莫大で信用収縮による世界的な大不況を到来させた。

イルミナティは、デリバティブ・バブルを収束させなければ金融資本主義体制と基軸通貨のドルが崩壊し、ドル建ての米国債などが紙切れになってしまうことを恐れたのだ。

デリバティブは「バーチャル・マネー本位制」（馬野周二氏）と言った方がふさわしいくらい幻の錬金術である。それを支配する原理はない。リーマン・ブラザーズのデリバティブの失敗をきっかけに、欧米の金融資本家は詐騙とヘッジを利かせた金融派生商品をけがらわしいものを扱うようにゴミ箱の中に捨てている。

イルミナティは米国政府の力を使って金融業の立て直しを図った。ウォール街を牛耳るユダヤ金融資本家は、バラク・オバマ（1961～）上院議員を大統領に当選させるためにニューヨーク・タイムズ、ワシントン・ポストなどの有力マスメディアを総動員した。国民の圧倒的な支持を受けたオバマ大統領の判断という形で、自分たちが保有する金融機関の救済を図った。

２００９年1月28日付の朝日新聞のインタビュー記事の中で、デビッド・ハーベイ・ニューヨーク市立大教授は、ウォール街の意向を受けたオバマ大統領の出方について「高金利政策を通じて実質賃金の引き下げをもたらしたボルカー元連邦準備制度理事会（ＦＲＢ）議長や、ウォール街の利益を代弁してきたサマーズ元財務長官らが経済政策を主導することになった。彼らが基本的姿勢を変えるとは思えない。金融機関の利益を擁護するために政府を利用するのではないか」と語った。

オバマ政権は金融機関とＧＭなど自動車産業、米国を代表する二次産業の雄を救済したが、小規模の会社は切り捨ててゆき、借金漬けの個人も救わなかった。

大企業はデリバティブ取引で被った損失を決算では損金として処理するが、一方個人はデリバティブに伴う損失を税金から免除されるわけではないことから、立ち直るには多くの時間を要したのではと推量される。

ただ、オバマ大統領はウォール街と妥協しつつも、米金融界のモラルハザードについては厳しく対処した。オバマは２００９年1月29日、ニューヨーク州当局の発表に基づいて金融業界の報酬額を掲載した記事を引き、「ウォール街の銀行家たちは200億ドル（約1兆8千億円）相当のボーナスを自ら支給したことを示している」と指摘。「ほとんどの（金融）機関に崩壊の危険が迫っており、納税者たちに支援を求めている」なかで、危機が起きる前の2004年と同水準の報酬を得るのは「無責任の極み。恥ずべきこと」と切り捨てた。オバマ政権から公的資金が投入された金融大手シティグループも、検討していた約5000万ドル（約45億円）の専用ジェット機購入を断念したと伝えられた。大統領は「ジェット機を買う計画を進めていた（金融）機関」にガイトナー財務長官が翻意を迫ったことを明らかにし、「彼らはもっと認識すべきだった」と語った。

▽日経平均株価が6000円台の大暴落

リーマン・ショックの影響をもろに受けた日本は、日経平均株価が大暴落し、2008年9月12日の終値は1万2214円だったが、10月28日には一時は6994円まで下落した。1982年10月以来、26年ぶりの安値を記録、デフレ（2001年3月16日、政府はデフレを宣言）下の日本経済に一層の暗い影を落とした。

米国内には雇用の場が少なくなり、勢い失業者があふれた。少し働く気のある人間は軍隊に行った。失業者の群れであふれる社会には、犯罪がはびこる。オバマ大統領も一定の周期をおいて戦争を仕掛け、連邦国家としての求心力を回復させようとした。米国にとって戦争は、軍需産業を生き延びさせる公共事業であり、雇用の創出であり、何よりも連邦国家としての統一を図るための統治の知恵として活用されている。このような不遜なアメリカ支配層の考え方は、アメリカ大衆の精神を暗冥のうちに侵食している。

米国を操るイルミナティは楽をして金をもうけること、人を働かせてその成果を横取りすることに長けている。アメリカで猖獗《しょうけつ》する泥棒、万引き、悪徳商法にもこうした傾向があることを日本人は警戒しなければならないのに、お人好しと言うよりも無知故に向こう見ずな行動をとり、大きな損失を被る人や企業が出ている。

▽外国人投資家の上場株式保有が30％を超える

東京証券取引所が２００１年1月10日まとめた２０００年の国内３株式市場（東京、大阪、名古屋）の投資主体別売買動向によると、委託売買代金の累計で外国人投資家のシェアは42・４％と、過去最高になった。外国人投資家のシェアが40％を超えたのは史上初めてだった。

２０００年１年間の外国人投資家の売買代金は１４８兆８１４０億円（１９９９年は１０２兆９００億円）だ。年間では約２兆３６００億円を売り越した。個人投資家のシェアは21・８％で、１９９９年の29％から見ても低下している。

東証に流れ込む外国人投資家の資金量は、小泉、安倍政権時代に一段と大規模なものとなり、売買代金の7割を占める外国人は、ニューヨーク市場と日本市場でヘッジを繰り返しながら儲けを膨らませている。

20年余の時を経て、２０２０年度の外国法人が保有する東証などの上場株式の保有状況を見ると、２２６兆３０００億円（30・２％）――上場株式の時価総額は７４８兆６９５３億円――を保有している。ちなみに、政府の保有状況は８８２５億円（０・１％）、金融機関は２２４兆８３０億円（29・９％）、証券会社は18兆８３４４億円（２・５％）、事業法人は１５３兆５２４億円（20・４％）、個人は１２５兆５４２８億円（16・８％）。金融ビッグバン以降日本の株式市場も政治、安全保障や外交と同様、国際金融資本家グループ、つまりイルミナティに事実上首根っこを押さえられてしまったと言って過言でない。

イルミナティは、米政府を通じて日本政府が金融改革と構造改革を成し遂げ、不良債権の処理、規制緩和を実施し、既得権益にしがみついていた日本人経営者を一掃、郵政民営化を推進する小泉首相、外資の動きやすい環境を作った安倍政権を裏から支える中で、株主としての確かな地保を固めていった。

外資が約３割の株式を買い占めた業種は、海運（32・６％）、金属製品（29・９％）、その他製品（39・３％）、サービス業（27・２％）、証券・先物取引業（27・８％）、精密機器（42・６％）、輸送用機器（26・４％）、機械（34・８％）、電気機器（40・８％）、非鉄金属（29・３％）、情報・通信業（27・６％）、卸売業（26・１％）、不動産業（29・３％）、その他金融業（26・７％）、石油・石炭製品（29・５％）、保険業（30・５％）、医薬品（39・７％）、鉱業（27・０％）。

東エレク、キヤノン、ソニー、東芝、日立などの電気機器、日産、ホンダ、スズキなどの自動車、武田薬品、塩野義製薬などの薬品、第一生命、東京海上などの保険など、日本を代表する企業の株式の30〜50％が外資に買い占められている。

ところで２０２０年の日経平均株価は年間で16％の上昇率となった。売買代金の７割を占める外国人は年間で6兆円以上の売り越し。2桁の上昇率を達成したのは3万8915円という史上最高値を示現した1989年12月末以来のことだ。日本銀行の上場投資信託（ETF）買いは7兆円強と、年間での最大の買い越し主体だった。日銀の2020年度事業決算を見ると、保有する信託財産指数連動型上場投資信託の時価評価は51兆5093億円。外国人投資家に日本の大企業の株式が買い占められていく中で、日銀は〝占領政策〟にささやかな抵抗を試みているのかもしれない。日銀は円を増し刷りして、それでETFを買い、日経平均の上昇に貢献している。日銀の資産勘定には有利子のETFが積み上がり、負債勘定にはゼロ金利の円が計上されている。

▽経常収支の黒字が米国に還流されドル資産で保有

2001年3月16日、日本政府は「持続的な物価下落」を意味するデフレを宣言した。同月19日、日銀は物価上昇率がゼロ％以上になるまでゼロ金利を続けることを決め、公定歩合は0・25％から0・1％に引き下げられた。ゼロ金利政策は2006年7月14日、0・4％に引き上げられるまで5年間続いた。

2007年2月21日、公定歩合は0・75％まで引き上げられたが、経済の成長が見込めないとして2008年10月31日、0・50％に引き下げられ、さらに同年12月19日、0・30％まで引き下げられている。

デフレ下でも日本の経常収支（国の国際収支を表す基準のひとつで、貿易・サービス収支、海外からの利子、配当金などの第一次所得収支、政府開発援助（ODA）のうち医薬品などの現物援助などの第二次所得収支から構成される）の黒字が続いている。ただ経常収支が黒字だといっても、預金金利が日本より高い米国へ、企業が黒字分の金融資産を米国に還流させて米国債、株式などのドル資産として保有しているのが実態だ。お金は金利の高い方へ動くものである。金融ビッグバンで日米間で資金のシフトが自由に出来るシステムが出来上がっていることから、米国は日本に対して金利を上げさせないよう圧力を掛けているのだろう。

それ故、経常収支の黒字が長年続いても、日本経済にはプラスの影響はなかった。日本の企業の国際競争力が失われ、貿易収支の黒字が減少しているが、利子、配当金が増えており、当面は赤字に転落する可能性は小さい。ネガティブな経常収支の黒字である。

▽2020年初めは1ドル＝116円が年央に145円の円安に

戦後の外貨不足時代は外貨集中制が取られて、とにかくドルをため込むための厳しい為替管理が行われた。1ドル＝360円の固定相場制の時代は、ドル稼ぎの優等生である大手造船会社がもたらしたドルは、1ドル＝500円でも政府は交換した、という話を造船関係者から聞いたことがある。1985年9月22日のプラザ合意以来、日本経済は円高ドル安で翻弄され、輸出増などでドルが増え続けて、2020年3月末時点の外国為替資金特別会計の資産残高（主に米国債とドル預金）は約1兆3000億ドル（日銀の外貨準備高を含む）となっている。

2020年初めは1ドル＝116円だったのが、5月ころ145円をオーバーするようになり、外為特会には40兆円の「評価益」が生じていることが国会でも取り上げられた。

10月7日の財務省発表によると、9月22日、1ドル＝145円80銭前後で推移していた円相場が140円台に切り上げられた際に使われたドルの原資、2兆8382億円は、米国債の売却でねん出された。外貨預金は1361億ドルで変動がない一方、外貨建ての証券が1兆367億ドルから9852億ドルに減少していた。

財務省は24日のドル売りの覆面介入で6兆円儲けており、政府は計8兆8328億円を儲けた。財務省が外国為替市場でドルを売って円を購入する行為は、政府が日銀券を市場から吸収することを意味するが、このドルを稼いだのは輸出企業などで働く社員だ。政府自身が汗をかいて稼いだものではなく、輸出業者が製品の代価として受け取ったドルを、政府が日銀券を印刷して交換したものだ。

6月末で外貨準備高は1・31兆ドル（約190兆円）。9月末時点の日本の外貨準備高は1兆2380億ドル（1ドル＝145円で179兆円）。日本銀行が為替介入を実施したのは、1998年6月以来24年ぶりだ。

外貨準備とは、政府や中央銀行がドル預金や米国債、金などで保有する外貨建て資産のことを言い、そのほとんどは財務省所管の外国為替資金特別会計（外為特会）で保有されている。その主要な目的は外国為替相場の安定を図るときに使われる資金と言われている。円高に苦しめられてきた日本は、政府短期証券を発行して、米ドル買い・円売りを行ってきた。財務省が日銀券を増す刷りしてその円を売却すればいい話なのだが、米政府からその手法を取ることを固く禁じられてきたことから、財務省は政府短期証券を発行して市場から円を調達し、その円を外為市場で売却してドルを買うことで円高の是正措置を講じてきている。円通貨の供給量を増やさないで円安誘導しろ、と言う米側の命令に従っての為替介入である。

円安を食い止めるための為替介入など起こるはずがない、と思われてきたことが２０２０年９月に起こった。米ドルの価値が高いときにドルを売るのだから、誰に遠慮する必要もないはずだ。財務省が市場で米国債の購入時点よりも高値で売却し、より多くの米ドルを調達して円を買ったのは恐らく史上初めてのことではないか。米国の了解を事前に取った上での措置だろう。

産経新聞特別記者の田村秀男氏は10月18日付夕刊フジで「対外資産は、政府に帰属する外貨準備（外準）と、民間が保有、運用する外準以外の資産の２つに分けた。両者の合計が対外総資産である。一目瞭然、円安の進行につれて、日本の資産が膨張している。今年６月時点で外準は34・５兆円増、除く外準は１５５・４兆円増で合計約１９０兆円増だった。１年前に比べるとそれぞれ21兆円、98兆円増えた。日本の国内総生産（ＧＤＰ）は年間で５４７兆円程度だから、わずか１年の間に、ＧＤＰの２割超相当の対外資産が増えたことになる。問題は、この『豊かさ』を帳簿上だけにとどめないことだ。いくら金融資産がかさ上げされたところで、国民の生活に反映するＧＤＰ、すなわち実体経済にカネが回らないことには何の意味もない。そのうちに、円安が一転して円高に振れると、増えたはずの巨額の富は蜃気楼のごとく雲散霧消してしまう。そうさせないためには、現在の円安水準を維持することと、できるだけ早く、対外資産の増加分を国内経済に回す政策が必要になる。政府は内需拡大に向けた財政出動を行い、民間は賃上げや設備投資に邁進するべきなのだ」と訴えている。

円安基調は２０２３年11月に入ってから１ドル＝１５０円を超える日もある。鳴り物入りで打ち出した景気対策を柱とする２０２３年度の補正予算の財源に米国債の売却益（恐らく50兆円を超えている）を充て、国民に直接還元すべきだったが、財務省は「外為特会の資産は将来の介入に備え保有している」とする姿勢を変えなかった。元日本銀行政策委員会審議委員の木内登英氏は著書『決定版デジタル人民元』（東洋経済新報社）で「２０２０年のコロナショックの際、金融市場の混乱を機にドルの調達が難しくなり、ドルの調達コストが多くの国で急上昇した。２０２０年の場合には、ＦＲＢが、各中央銀行とのスワップ協定を拡充し、大量のドルを供給したことで、こうした事態は比較的短時間で収束した。その際に、日本はＦＲＢによる主要なドルの供給先となったのである」と述べ、日本の外為特会はＦＲＢ体制を守るために使われていることを示唆している。補正予算の規模は総額13兆１９９２億円と「ツースモール」。円安で家計が苦しくなっているのに、低所得者支援、ガソリン補助金、電気・ガスの補助拡充などの物価高対策は計約２・７兆円。防衛費の増額問題ばかりでなく財政政策まで米国の鼻息を窺う財務省に対し、国民の軽蔑の念は大きくなっている。岸田内閣の支持率が20％台まで下落するのも当然のことだ。

安倍内閣で内閣官房参与を務めた藤井聡京都大学大学院工学研究科教授は、「今の日本は、物価が高いだけではなく、構造的に賃金が下落し続ける構造的デフレ状況にある。そんな中、消費税減税を行えば、物価が引き下げられるのみならず、消費が活性化し、各社が賃上げを進める状況ができ、構造的に賃金が上昇していく帰結となるのです。そして、長期的にはインフレ圧力がかかり、構造的なデフレ状況から脱却していくこともできるのです」と常識的な積極財政への転換を提言しているが、岸田首相は「消費税減税を検討しない」と全く聞く耳を持たなかった。

▽大阪万博とカジノ解禁の真相

２０１８年２月の日米首脳会談前に安倍首相は米国商工会議所のメンバーと会った。その中にカジノの経営者が３人おり、ラスベガス・サンズ、マリナーズ・サンズ（シンガポール）のオーナーと、シーザース・パレス経営者であるユダヤの富豪、シェルドン・アドルソンがいた。アドルソンはトランプ大統領のスポンサーであり、２０１６年の大統領選挙では40億円を資金提供した。トランプ大統領もアトランティックシティのカジノ経営者。ここで安倍首相はカジノ法案を成立させることを約束した。

因みにカジノ建設予定地は大阪の万博用地の隣接地で、この万博会場予定地は大阪湾のゴミ捨て場として埋め立てられたもの。アクセスがトンネル一つ、橋が一つで交通の便が非常に悪い。カジノ建設のために膨大なインフラ整備費用をかけるわけにいかないが、万博のためのインフラ整備なら大義名分が立つ。安倍首相は大阪の松井知事と手を握り、政権の安泰を図った。米国のカジノ建設には竹中平蔵氏が裏で動いている。竹中氏は維新のアドバイザー。竹中氏は「カジノの面積制限はやめてくれ」と松井知事に要望、松井知事と吉村大阪市長は了承した。カジノ建設と万博は出来レースだったのだ。自民党最大派閥の安倍派会長で衆院議長も務めた細田博之氏（1944～2023）はカジノ議連の会長だった。彼はお台場のカジノ建設も約束していた。

安倍政権は米国の傀儡政権と言って過言でなかった。安保法制を整備する一方、規制改革推進会議を使って種子法、水道法、外国人の入国制限緩和、カジノ法など米国の要請をすべて受け入れている。日本を売り飛ばす政権だったのに、野党の政治家には正義感や勇気がなく、強烈な反対の声を上げる人が少なかった。

▽「通貨マフィア」の片棒を担ぐ財務省

プラザ合意以降の日本では、数パーセントの成長を継続出来るという前提の下、国際競争力に乏しい企業が乱立している。そのため雇用形態は非正規労働者を中心に労賃を抑えてわずかな利益を上げながら存続しているという状況が続いている。日本経済が輸出に頼らないで、内需を中心に相当の成長を続けることが出来るように企業体質を改善するためには、財政からの強烈な刺激策が必要だった。それを従来型の公共事業に偏重するのではなく、地方分権を徹底させて人間教育、研究・技術開発、社会福祉、文化産業の創造などに集中して予算をつぎ込めば、2〜3年の間に景気は急回復することが見通せた。こうした大胆な発想の転換が野党の民主党や共産党も出来なかった。2000年ごろの国と地方の公債発行残高が700兆円という数字に幻惑されて、自民党も民主党も国家運営の手綱捌きが消極的になっていた。橋本政権以来、政府が赤字国債を大量に発行して需要を創造するという積極財政政策を推進しようとする政治指導者が登場しない。

他方、1980年代以降の米国経済は見せかけの繁栄を遂げている、と言われても仕方がないのに、米国は世界の覇者のように振舞っている。日本や西側諸国が米国債を買い続けるなど多彩な支援策を講じていることで成り立っているのが分からないはずはないのだが、元外務審議官のN氏によると、米国は日米地位協定をめぐる諸問題を協議する場であった日米合同委員会でも、海軍の将校が日本の経済問題にも言及し、「日本の平和と安全は一体誰のおかげで守られているのか分かっているだろうな、と片肌を脱いで、〝この桜吹雪が見えないのか〟と言わんばかりにすごむ」ので外務省、財務省、法務省などその場に居合わせた日本側の統治エリートも黙り込んでしまう、という。財務省の国際金融問題担当者が「通貨マフィア」と言われるイルミナティのネットワークに組み込まれ、財務省自体が彼らの世界支配の野望の片棒を担いでいる状況にあることから、外務省と別個に財務省が外交活動を行うという二重外交が行われている。

2023年8月2日のキエフ発ロイター電によると、財務省の神田眞人財務官は同日、戦時下のウクライナの首都キエフで、同国のマルチェンコ財務大臣と会談、日本とウクライナの二国間の財務協議を立ち上げた。神田財務官は「戦時下の現地において包括的な対話を行うことが、日本の揺るぎないウクライナ支援の姿勢を強力に示すことになる」と述べ、「日本からは総額76億ドル（1ドル＝150円で1兆1400億円）に及ぶ支援が順次実施されていることについて説明した」という。同財務官はウクライナのビジネス環境を整備し、復旧復興を官民両面から後押しする機会として、「日本、ウクライナ経済復興推進会議を年末から来年初にかけて東京で開催することを改めて紹介した」とも語っている。

イルミナティには金が絡む高度な政治問題は、外務省ではなく命令通りに動く財務省に解決させる方策に習熟していることが分かっている、危うい現実が続いている。

第4章　自衛隊はグローバル政府のための米軍補完勢力

1　米国はロシア壊滅を狙ってウクライナで代理戦争

▽ロシア軍のウクライナ侵攻開始

２０２２年2月24日、ロシアのプーチン大統領はウクライナへ宣戦布告を行わず、ロシア軍のドンバスでの「特別軍事作戦」を開始した。ロシア、ウクライナ紛争は２０１４年2月18日から23日までの5日間、首都キエフで発生したヴィークトル・ヤヌコーヴィチ・ウクライナ大統領を辞任に追い込んだ「尊厳革命」（マイダン革命）を機に本格化している。

２００４年の大統領選挙を不正選挙と決めつけて再選挙が強行され、当選者が入れ替えられた。この政権転覆を主導したのは米国のオバマ政権であることは既に多くの専門家が指摘している。謀略によって誕生したユシチェンコ大統領は２０１０年の選挙で落選し、親ロシア派のヤヌコビッチ氏が新大統領に選出された。ロシアとの経済協力で国を立て直そうとするヤヌコビッチ政権をウクライナの〝ネオナチ〟勢力は民衆の暴動を装ったクーデターで破壊した。クーデターを裏で操っていたのは米国のネオコンである。

ここで米国のネオコンについて述べておく。

２０２２年5月15日の「櫻井ジャーナル」によると、ネオコン（Neoconservatism、新保守主義）の思想的な支柱と言われているレオ・ストラウスは１８９９年にドイツの熱心なユダヤ教徒の家庭に生まれ、17歳の頃にウラジミール・ヤボチンスキーのシオニスト運動へ接近している。カルガリ大学のジャディア・ドゥルーリー教授に言わせると、ストラウスの思想は一種のエリート独裁主義で、「ユダヤ系ナチ」だ。

１９３２年にレオ・ストラウスはロックフェラー財団の奨学金でフランスへ渡り、中世のユダヤ教徒やイスラム哲学について学んだ後、プラトンやアリストテレスの研究を始めている（The Boston Globe, May 11, 2003）が、その段取りをしたのはカール・シュミット（1888～1985。ドイツの思想家、法学者、政治学者、哲学者、ナチス政権に協力）だった。１９３４年にストラウスはイギリスへ、37年にはアメリカへ渡ってコロンビア大学の特別研究員になり、44年にはアメリカの市民権を獲得、49年にはシカゴ大学の教授になった。

シカゴ大学でレオ・シュトラウスの下で学び、ネオコンの一員となったポール・ウィルフォウィッツは国防次官時代の１９９２年2月、国防総省のＤＰＧ（Defense Planning Guidance）草案という形で世界制覇プラン、いわゆる「ウォルフォウィッツ・ドクトリン」を作成した。その時の国防長官はネオコンのディック・チェイニーだ。

旧ソ連圏を乗っ取るだけでなく、ＥＵや東アジアを潜在的なライバルと認識、叩くべきターゲットとされた。支配力の源泉であるエネルギー資源を支配するため、中東での影響力を強めることも重要なテーマになる。1991年12月にソ連を消滅させることに成功、アメリカが唯一の超大国になった、と認識してのプランだ。

しかし、アメリカ支配層の内部にも単独行動主義を危険だと考える人がいた。その中にはジョージ・H・W・ブッシュ大統領、ブレント・スコウクロフト国家安全保障補佐官、ジェームズ・ベーカー国務長官も含まれている。こうした勢力を沈黙させる出来事が引き起こされたのは2001年9月11日。イスラム過激派テロ組織アルカイダによってニューヨークの貿易センタービルなどに対して4つの協調的なテロ攻撃が行われた。一連の攻撃で、日本人24人を含む2977人が死亡、2万5000人以上が負傷した。米国の歴史上、最も多くの消防士および法執行官が死亡した。この事件を契機として米国はアルカイダをかくまうアフガニスタンに戦争を仕掛け、戦争は2021年まで続いた。

アメリカのネオコンは世界革命思想を持った人たちのフラクション（党内の分派）であり、トロツキストである。ソ連共産党内部の権力闘争でトロツキーはスターリンに負けて米国に逃亡し、其処で暗殺された。トロツキーは第4インターナショナルを立ち上げて、世界の一元化を目指した。バイデン政権にはトロツキーの思想の流れをくむトロツキストが入り込み、世界戦争を画策している。彼らはイルミナティの配下にあるが、同組織内での地位は高くない。

1948年、ディアスポラの「異化主義者」のユダヤ人のためにイスラエルが建国された。トランプ大統領はイスラエルの安全保障を第一に考え、エルサレムに首都を認めた。「異化主義者」を支持するトランプと米国に住む「同化主義者」のユダヤ人は哲学が異なる。トランプが、米国の「同化主義者」のユダヤ人が主流を成す民主党とうまくいかないのはそのためだ。

軍産複合体の経営者は「ネオコン」で、常に戦争を必要としている。軍需産業の大株主は以前にも書いたようにイスラエルを世界の普通の人々に目くらまし、「防御盾」として使いたいロックフェラー家やロスチャイルド家などの国際金融資本家である。ロッキード・マーティン社が世界最大の軍需産業である。従業員16万5000人という巨大企業で、国防総省からの受注額は毎年トップ。第二位はボーイング社。ロッキード・マーティン社は核兵器や弾道ミサイル防衛の分野が主要な企業活動である。東西の冷戦が終わっても、米政府が「ならず者国家」「イスラムの脅威」「悪の枢軸」などと「敵の脅威」を作り出すのは、軍需産業の価値の低下を恐れるからである。米国は、経済構造自体が戦争によって支えられている、といっても過言ではない。だから、ネオコンは常に「次の敵」を探すことに躍起となっている、戦争挑発オリガルヒとも言える。

さて、ウクライナ新政権はウクライナ憲法の規定に基づいたものでない非合法政府だったのに米国は直ちに承認した。政権転覆に正当性を与えたことから謀略が透けて見えてくる。新政権樹立の翌日2014年2月23日、政府は「ウクライナ民族社会」の設立を発表。その内容は、ロシア語を使用するすべての者から、ウクライナ民族社会の正当な権利を有するメンバーという地位を剥奪することだった。ウクライナ東部の多数勢力であるロシア系人民の人権を蹂躙する施策を掲げたのである。ロシア系の人々が反発したのは当然のことだ。東部2州では共和国独立が宣言され、クリミアでは住民が住民投票によってロシアへの編入を決定した。

「マイダン革命」の後、欧米派の新政権が真っ先に行ったのは「言語法の変更」だった。それに対して、オデッサ、マリウポリ、ドネツク、ルガンスク、クリミアなど南部のロシア語圏のすべての都市で行われた大規模なデモは、ウクライナ軍によって弾圧された。2014年3月1日、ロシアのウラジーミル・プーチン大統領はロシア系住民が多く住むウクライナのクリミア半島の平和と住民保護を目的に軍隊を派遣した。

一方、欧米の各地から集められたプラビー・セクトール(右派)のネオナチの私兵が「ウクライナ国家警備隊」の兵士として国家の公式地位を与えられ、アゾフ大隊として、ウクライナ東部のドンバス地方(ドネツク州とルハンスク州)でロシア語話者への民族浄化の攻撃を激化させている。アゾフ大隊はウクライナ・マフィアのボスで億万長者のオリガルヒ、ゼレンスキー大統領の財政的後ろ盾であるイホルコロモイスキーが資金を提供していた。

2021年後半になると、ウクライナ軍はウクライナ東部で大規模な軍備増強を行い、ドンバス地方とその市民の武力鎮圧を狙ったことから、プーチン大統領はロシア軍をウクライナ国境へ集結させ、2022年2月24日、軍事衝突の火ぶたが切られた。ベラルーシのアレクサンドル・ルカシェンコ大統領によると、ロシア侵攻の直前の夜11時頃(2月23日)、ベラルーシで実施されていたロシアの軍事演習に対し、ウクライナから2~3発のミサイルが打ち込まれた。プーチン大統領がルカシェンコへその事実を電話で知らせた。その後翌朝5時15分にロシアの特別軍事作戦が始まったという。

プーチン大統領は、今回の軍事作戦をこれまでのウクライナとの間の紛争の総決算と位置付けている。「勝利」の選択肢以外にない戦いになった。

▽プーチンはウクライナの「非武装化」と「非ネオナチ化」を望んだ

スイス陸軍大佐、軍事情報専門家、NATOと国連の代理人であるジャック・ボー氏は2022年5月、スイスの雑誌『Zeitgeschehen im Fokus（時事問題にフォーカスする）』のインタビューで今回のロシア軍がウクライナ侵攻に至る経緯について次のように述べている。インターネットで公開された記事を引用する。

――ロシアの攻勢をどう評価していますか。

「他国を攻撃することは、国際法の原則に反します。しかし、そのような判断に至った背景も考えなければならない。まず、プーチンが狂っているわけでも、現実から遊離しているわけでもないことをはっきりさせなければならない。几帳面でシステマチックな人、とてもロシア的な人です。彼はウクライナでの作戦の結果を知っていたのだと思います。ドンバスの住民を守るための『小規模』な作戦でも、ドンバスの住民とロシアの国益を優先した『大規模』な作戦でも、結果は同じだろうと、明らかに正しい評価を下したのである。そこで、彼は究極の解決策に乗り出した」

――ロシアの目的は何なのか。

「確かに、ウクライナの人々に向けられたものではありません。プーチンは何度も何度もそう言っている。それは、事実にも表れています。ロシアはウクライナへのガス供給を続けている。ロシアはそれを止めていない。インターネットを遮断したわけではありません。発電所や水源を破壊したわけでもない。ただし、戦闘地域ではそのようなサービスは停止しているかもしれません。しかし、ロシアの戦争に対する考え方は、アメリカのそれとは大きく異なります。旧ユーゴスラビア、イラク、リビアでの例があります。欧米諸国がこれらの国を攻撃したとき、まず水や電気の供給、インフラ全体を破壊した」

――なぜ、欧米はこのような行動をとるのでしょうか。

「欧米のアプローチは、その作戦ドクトリンから分析する必要があるが、インフラを破壊すれば、住民が『独裁者』に対して反乱を起こし、彼を排除することができるという考えに基づいている。第二次世界大戦中、ケルン、ベルリン、ハンブルク、ドレスデンなどドイツの都市が爆撃で破壊された時も、この戦略だった。民衆を直接狙い、反乱を起こさせたのだ。暴動で政府が力を失い、自軍を危険にさらすことなく戦争に勝利する。それは理論上のことであって、実際はまったく違うのです」

――ロシアのアプローチとは。

「まったく違うのです。目標を明確に打ち出している。彼らはウクライナの『非武装化』と『非ネオナチ化』を望んでいる。素直に状況を追えば、それこそ彼らがやっていることなのだ。もちろん、戦争は戦争であり、残念ながらその過程で必ず死者が出るのだが、数字で見るのは面白い。3月4日(金)、国連はウクライナ人市民265人が死亡したと報告した。夕方、ロシア国防省は死者数を498人と発表したが、これはウクライナ側の民間人よりもロシア軍の死傷者の方が多いことを意味する。今、イラクやリビアと比較するならば、欧米が放つ戦争とは正反対である」

▽**米国はノルドストリーム2の凍結を狙った**

ジャック・ボー氏はさらに次のように語った。

「2021年3月24日、ウクライナのゼレンスキー大統領はクリミア奪還の大統領令を発布した。そして、ウクライナ軍を南から南東、ドンバス方面へ移動させ始めたのです。明らかにアメリカから開戦の圧力があった。米国はウクライナ自体にほとんど関心を持っていない。彼らが望んだのは、ドイツに対して（天然ガスのパイプライン）ノルドストリーム2の閉鎖を求める圧力を強めることだった。ウクライナがロシアを刺激し、ロシアが反応すれば、ノルドストリーム2は凍結されることを狙ったのだ」

「ロシアは、NATO軍とロシアとの間に距離を置きたいと考えている。NATOの力は、アメリカの核の力にほかならない。それがNATOの本質なのです。私がNATOで働いていたとき、当時私の上司だったイェンス・ストルテンベルグは、『NATOは核保有国だ』とよく言っていました。現在、米国はポーランドとルーマニアに、MK-41運搬システムを含むミサイルシステムを配備している。もちろん、アメリカは純粋に防衛的なものだと言っている。実は、このランチャーから対弾道ミサイルを発射することができるのです。でも、同じシステムから核ミサイルを発射することもできる。これらのランプは、モスクワからわずか数分のところにある。ヨーロッパの緊張が高まっている状況で、ロシアが衛星画像や情報によって、これらのプラットフォームでの発射準備を示す活動を検知した場合、核ミサイルがモスクワに向けて発射されるまで待つのでしょうか。もちろん、そんなことはありません。すぐに先制攻撃を仕掛けてくるだろう。このような状況は、アメリカがABM（弾道ミサイル防衛条約）を脱退した後、さらに悪化した。この条約により、ヨーロッパにそのようなシステムを配備することはできなくなった。まさに、対峙したときに一定の反応速度を保つための工夫だったのです。それは、意図しないミスが起こりうるからだ」

▽ゼレンスキーが核兵器保有を示唆したことでロシアが反発

「プーチンは2月27日に核戦力をレベル1警戒態勢に移行させた。しかし、これは半分に過ぎません。2月11日、12日、ミュンヘンでセキュリティカンファレンスが開催された。ゼレンスキーがいた。核兵器保有を示唆した。これは潜在的な脅威と解釈され、クレムリンに赤信号が灯ったのである」

「もし、ゼレンスキーが核兵器を取り戻したいと思っても、それはプーチンにとって受け入れがたいことであることは間違いないだろう。もしゼレンスキーが国境のすぐそばに核兵器を持っていたら、警告の時間はほとんどない。マクロン大統領の訪問後の記者会見で、プーチンは、NATOとロシアの距離が小さいと、私たちが気づかないうちに複雑な事態になりかねないと明言したのです。

しかし、決定的だったのは対ウクライナ作戦の開始時で、フランスの外相が『NATOは核保有国だ』と宣言してプーチンを脅したことだ。プーチンは、核戦力の警戒レベルを上げることで対抗した。もちろん、わが国のメディアは、このことに触れていない。プーチンは現実主義者であり、地に足がついていて、目的を持っている」

「ウクライナの文脈では、ブリンケン米国務長官がまったく同じことをした。ロシアの攻勢に至るまでの議論の中で、CIA（米中央情報局）や欧米の情報機関による分析が全くなかったのです。ブリンケンが語ったことは、すべて彼が作ったチーム『タイガー・チーム』から生まれたものだ。私たちに提示されたシナリオは、情報分析によるものではなく、自称専門家が政治的意図を持ってシナリオを作り出したものだ。こうして、ロシアが攻めてくるという噂が生まれた。そして、2月16日、ジョー・バイデン米大統領は、ロシアが攻撃しようとしていることを知っていると言った。しかし、どうしてそう思うのかと問われると、ＣＩＡや国家情報長官室には触れず、アメリカには非常に優れたインテリジェンス能力があると答えた」

▽ウクライナのドンバスでの停戦違反事件がすべての引き金

「2月16日、ウクライナ軍による停戦ライン、いわゆる『コンタクトライン』沿いの停戦違反が誇張されるようになった。この8年間、常に侵害はあったが、2月12日以降、特にドネツク、ルハンスク地方で爆発を含め、非常に増えている。これはドンバスにいるＯＳＣＥ（欧州安全保障協力機構）ミッションが報告したことなので、私たちは知っています。これらの報告は、ＯＳＣＥの『デイリーレポート』で読むことができる。」

「このウクライナ軍の行動がすべての引き金となった。その瞬間から、プーチンにはウクライナが両共和国に対して攻勢をかけていることが明白になった。2月15日、ロシア連邦議会（ドゥーマ）は、これらのドネツク、ルハンスク両共和国の独立を承認することを提案する決議を採択していた。プーチンは当初反応しなかったが、攻撃が激化するにつれ、2月21日に議会の要請に前向きに対応することを決めた」

「この状況で、ドンバスのロシア語圏の人々を守るために何もしないのでは、ロシア国民に理解されないので、そうせざるを得なかったのだろう。プーチンにとって、人民共和国を助けるためだけに介入しようが、ウクライナ全土を侵略しようが、欧米が大規模な制裁で対応することは明らかであった。まず、2つの共和国の独立を承認し、同日、それぞれの共和国と友好協力条約（軍事同盟）を締結した。このときから、国連憲章第51条を発動し、集団的自衛権と個別的自衛権の枠組みで、2つの共和国を支援するための介入を行うことができるようになったのである。こうして、軍事介入の法的根拠を作り上げたのである」

「プーチンには2つの選択肢があった。1つは、ウクライナ軍の攻勢に対してロシア語圏のドンバスを単純に助けること、もう1つは、ウクライナ全体を深く攻撃してその軍事能力を無力化することである。また、何をやっても制裁が待っていることも考慮していた。しかし、プーチンは決してウクライナを占領したいとは言っていない。彼の目標は明確で、非軍事化と非ネオナチ化である」

「ウクライナはドンバスとクリミアの間の南部に全軍を集結させていたため、非武装化は理解できる。迅速な作戦により、これらの部隊を包囲することができる。その結果、ウクライナ軍の多くは、スラビャンスク、クラマトルスク、セベロドネツクの間のドンバス地域の大きなポケットに取り囲まれてしまったのだ。ロシア軍はこれを包囲し、無力化を図っている」

▽ウクライナの右翼過激派の震源地は旧ガリアシア

――ウクライナに準軍事組織が多いのは。

「ウクライナ軍は住民の間で信用されていなかった。ウクライナは準軍事組織をますます奨励し、発展させてきた。彼らは右翼の過激派に突き動かされた狂信者である。ウクライナ軍の頼りなさを補うために、2014年以降、例えば有名なアゾフ連隊など、強力な準軍事部隊を発展させてきた。ウクライナ人だけで構成されているわけではない。例えば、アゾフ連隊はフランス、スイスなど19の国籍で構成されている。まさに外人部隊である。ロイター通信によると、これらの極右グループは合計で約10万人の戦闘員を抱えているという」

「その起源は1930年代にさかのぼる。ホロドモールとして歴史に名を残す極度の飢饉の後、ソ連権力への抵抗勢力が出現した。スターリンは、ソ連の近代化を進めるために農作物を没収し、飢饉を引き起こしていた。この政策を実行したのが、KGB（ソ連国家保安委員会）の前身であるNKVD（当時は内務保安省）である。NKVDは領土単位で組織されており、ウクライナでは多くのユダヤ人がトップの指揮官を務めていた。その結果、共産主義者への憎悪、ロシア人への憎悪、ユダヤ人への憎悪と、すべてが一つのイデオロギーに混同された。最初の極右団体はこの頃にさかのぼり、現在も存在している。第二次世界大戦中、ドイツ軍はステファン・バンデラのOUN（ウクライナ民族主義組織）やウクライナ反乱軍など、これらのグループを必要としていた。ナチスはこれらの組織を利用して、ソ連後方で戦った」

「当時、第三帝国の軍隊は、1943年にソビエトからハリコフを解放した第2SS機甲師団『ダス・ライヒ』のように解放者とみなされ、現在もウクライナで祝典が開かれている。この極右の抵抗運動の地理的な震源地は、旧ガリシアのリヴォフ（現リヴィウ）であった。この地域には、ウクライナ人だけで構成された『独自の』第14戦車擲弾兵ガリツィア親衛隊師団もあった」

▽新暫定政府は極右民族主義者のクーデターから生まれた

──第二次世界大戦中に結成されたOUNは、ソ連時代を生き抜いたのですか。

「第二次世界大戦後、敵はソビエト連邦だった。ソ連は戦時中、これらの反ソ連運動を完全に排除することはできなかった。アメリカ、フランス、イギリスは、OUNが有用であることを認識し、破壊工作と武器でソ連と戦うためにOUNを支援した。1960年代初めまで、ウクライナの反政府勢力は、エアロダイナミック、ヴァリュアブル、ミノス、カパチョなどの秘密作戦を通じて、西側から支援を受けていた」

「極右民族主義者のクーデターから生まれた新暫定政府は、その最初の公式行動として、ウクライナの言語法を変更した。このことは、クーデターが民主主義とは何の関係もなく、蜂起を組織した超国家主義者の産物であったことを物語っている。この法改正は、ロシア語圏に嵐を巻き起こした。オデッサ、マリウポリ、ドネツク、ルガンスク、クリミアなど、南部のロシア語圏のすべての都市で大規模なデモが組織されたのである。ウクライナ当局は、軍隊で弾圧するという残酷な対応をした。オデッサ、ハリコフ、ドニエプロペトロフスク、ルガンスク、ドネツクで自治共和国が一時的に宣言された。ドネツクとルガンスクは事実上の自治共和国を名乗り、ウクライナのネオナチと残虐な戦いが繰り広げられた」

▽1991年1月、クリミアはソビエト社会主義自治共和国に

「クリミアはウクライナが独立する以前から独立していたことを、私たちは普段から忘れている。

ソ連がまだ存在していた1991年1月、クリミアはキエフからではなく、モスクワから管理される形で住民投票を実施した。そして、ソビエト社会主義自治共和国になったのである。ウクライナの独立を問う住民投票が行われたのは、それから半年後の1991年8月である。当時、クリミアはウクライナの一部とは見なされていなかった。しかし、ウクライナはこれを受け入れなかった」

「1991年から2014年にかけては、この2つの主体の間で常に争いが起きていた。クリミアには独自の憲法があり、独自の当局があった。1995年、ブダペスト・メモに後押しされて、ウクライナはクリミア政府を軍事力で転覆させ、憲法を破棄した。しかし、このことは、現在の展開にまったく別の光を当てることになるため、決して語られることはない」

「住民投票の後、クリミアはロシア連邦への加盟を求めた。クリミアを征服したのはロシアではなく、当局がロシアに受け入れを要請することを承認した国民である。1997年に締結されたロシアとウクライナの友好条約で、ウクライナは国内の少数民族の文化的多様性を保障した。2014年2月にロシア語が公用語として禁止されたとき、この条約が破られることになった」

「2014年9月5日の『ミンスク合意』（ウクライナ、ロシア連邦、ドネツク人民共和国、ルガンスク人民共和国が調印したドンバス地域における戦闘＝ドンバス戦争の停止について合意した文書。ベラルーシのミンスクで調印された）では、ドンバス共和国の自治が保障されていたように思う。保証人は、ウクライナ側はドイツ、ドネツク共和国・ルハンスク共和国側はフランスとロシアであった。OSCEの枠組みの中で、その役割を担っていたのだ。EUは関与しておらず、OSCEの問題であった。ミンスク協定の直後、ウクライナは2つの自治共和国に対して作戦を開始した。ウクライナ政府は、せっかく締結した協定を完全に無視した。ウクライナ軍はデバルツェボで再び完敗を喫した。大失敗だった」

▽第2次合意「ミンスクⅡ」が実施されなかった

――これもNATOの支援で行われたのでしょうか。

「そう、反乱軍の軍隊がウクライナ軍を完全に打ち負かしたので、NATOの軍事顧問団は何をしたのだろうかと思う。これが2015年2月に締結された第2次合意『ミンスクⅡ』①ウクライナ東部での包括的な停戦、②ウクライナからの外国部隊の撤退、③東部の親ロシア派支配地域に特別な地位を与える恒久法を採択、④ウクライナ政府による国境管理の回復――につながり、国連安保理決議の根拠となった。したがって、この合意は国際法の下で拘束力を持ち、実施されなければならなかった」

――これも国連が監視していたのですか。

「いや、誰も気にしていなかったし、ロシアを除けば、誰もミンスクⅡ協定の遵守を要求していなかった。突然、ノルマンディー方式の話ばかりになった。しかし、それでは意味がない。その『形式』は、2014年6月のD-Dayの記念式典の際に生まれた。第二次世界大戦の元主役、連合国の首脳、そしてドイツとウクライナが招待された。ノルマンディー方式では、国家元首だけが代表で、自治共和国は当然欠席であった。ウクライナは、ルガンスクやドネツクの代表者と話をしたがらなかった。しかし、ミンスク合意を読めば、ウクライナの憲法を（連邦的な意味で）改正するために国民投票を実施すべきだったことがすぐにわかるだろう。この内部プロセスは、ウクライナ政府によって阻止された」

▽米国は限定核戦争戦略理論に基づきユーラシア大陸の東と西で戦争準備

今回のウクライナ領土に限定された紛争の火付け役は米国だ、との見方が一般的だ。というのも、米国は、いかなる戦争も正義のための「報復制裁」との大義名分を確保することを基本とする「限定核戦争戦略」を構築してきたからだ。

この核戦略理論は1957年、ヘンリー・キッシンジャーが著わした『核兵器と外交政策』に基づいて打ち建てられたことから「キッシンジャー戦略」とも呼ばれている。

米国の核戦争戦略は核兵器の進化に伴い変遷しているが、基本を成す考えはキッシンジャー戦略だ。同戦略では、西太平洋とユーラシア大陸でまずソ連による戦術核兵器を使用した限定核戦争を引き起こさせ、米国の被害を極度に小さくした上で、ソ連に壊滅的崩壊をもたらす戦略核兵器を使った戦争を行う、という米国にとって好都合なものだ。巨大なソ連の戦力を東西に分断、分散させてソ連の主要な軍隊を南に向かって誘い出すことによって、米本土を無傷のまま、さらにヨーロッパのこうむる被害も小さくして、ソ連邦を解体させる戦略は周到な準備と体制を必要とするものだ。

限定核戦略戦争は極東とユーラシア大陸の二個所に核戦場を作ることを狙っているが、ユーラシア大陸の西には米国の最強戦力を貼り付けることによって、ソ連を挑発する。そのために、英国から貸与されたインド洋のディエゴガルシア島に一大軍事拠点を構築した。

一方、東の戦場は、日本がすべてを肩代わりすることで、米国の負担を軽減し、米軍の余力をユーラシア大陸に向けるということになっている。米国は中国との和解を成し遂げることで、中ソ対立を固定化、敵対化させる。1972年2月21日に米大統領リチャード・ニクソンが中華人民共和国を初めて訪問し、毛沢東国家主席や周恩来国務院総理と会談、思惑通りに環境整備を進めた。米国は、1975年4月、新戦略に基づいてベトナム戦争を打ち切り、軍事費を新戦略分野へ集中させた。

キッシンジャー戦略に基づくシミュレーション（机上演習）は、次のような解答を引き出している。「そういう地域は自由圏内で、ある程度現地の支援をあてにできる地域か、あるいはまた、新兵器の性質や補給の困難で、中ソの資源の投入の制限されるところのいずれかと一致することがわかる。特に限定戦争の危険のある地域は、トルコの東部国境からのユーラシア大陸の周辺である。東南アジアのその他についても同じことが言える。極東攻撃は海上をこえるか、朝鮮のように、その国固有の兵力の抵抗を排除して進出しなければならない。その上、アメリカは核兵力を活用すれば、脅威地域で侵略国が有効に運用し得る兵力数の最大限度が自ら決まってしまうことだろう。かくして、限定戦争を実施し得る能力を作り上げ、迅速に配備につくことができれば、中ソの内線の利にかかわらず、これを局地戦で破る事は可能なはずである。」（久保綾三、原野人著『核問題入門』）

▽戦略理論は、その目的が敵の意思に影響すること

このようにしてユーラシア大陸のトルコ、イラク、イラン、アフガニスタン、パキスタン、バングラデシュ一帯が西の戦場として設けられ、インドシナ半島が東の戦場として選ばれた。東の戦場での限定戦争を勝利するためには、朝鮮半島と日本列島が重要な役割を果たすことになるという。

ところで限定戦争の戦い方についてであるが、キッシンジャーは「限定戦争では、最も極端な暴力行為を阻止する手段を見つけなければならないばかりでなく、またお互いの作戦が余りにも迅速に成功してしまうため、政治目的と軍事目的の間に関連が生じないようなことのないように現代戦のテンポを遅くするようにせねばならない。この関係が失われるとなるとどんな戦争でも予想できない段階で大きくなって全面戦争になってしまいそうである。厳密に言って、戦争の目標はもはや軍事的な勝利ではなくて、相手も十分理解しているある特定の政治条件の達成でなければならない。大国間の限定戦争では、ある点で、交戦国の一方が資源の投入を増加するよりも、限定敗北を好む場合、または両方がリスクを引き続き冒すよりは、手詰まりで解決する意思がある場合にのみ限定しておけるのである」「戦略理論は、その目的が敵の意思に影響することであって、それを破ることでないという事実、さらに、リスクを計算してみても有利でないことを敵に示すことによってのみ、戦争は限定し得るという事実を、決して見失ってはならない」（同『核問題入門』）と説いている。

▽戦争の規模ではなく戦争における米国の被害を限定する

この新戦略に基づいて、バイデン米政権はＮＡＴＯに対ロシア優位と思われる核戦力を展開し、ウクライナで紛争の火花を散らすための仕掛けを作ってきた。ウクライナの紛争が欧州全域に拡大しても、米国自身がこうむる被害を最小限度にとどめることを狙っており、米軍が乗り出すときは正義のための「報復制裁」との大義名分を確保しておこうとしている。

キッシンジャーのいう「限定」とは、戦争の規模を限定するのではなく、戦争における被害を限定するというのであって、限定する被害とはアメリカ自身の被害を明確に指している。「核兵器を使用する全面戦争とは全面的な核戦争か、全面的な敗北の選択というジレンマに直面する」。戦略の課題とは、核兵器の使用を組み込んだ限定戦争の戦略を準備することとなる。十分な報復力を維持することで全面核戦争を抑止しながらも、敵の行動に反応できる段階的な軍事力の使用が準備されることが核時代の安全保障の課題となる、とするキッシンジャー理論に依拠しながら、バイデン政権はウクライナのゼレンスキー大統領を掌中の駒のように使っている。

2　米国は安倍首相に戦争準備を命令

▽朝鮮半島、台湾有事を前提に集団的自衛権行使のための法整備

2012年12月、首相に返り咲いた安倍晋三氏は、山本庸幸内閣法制局長官に憲法解釈の変更問題を検討するよう指示した。山本氏が拒否すると、2013年8月、安倍首相は山本長官を更迭し、後任に小松一郎駐仏大使を起用した。

2013年2月に再度設置された首相の私的諮問機関である「安全保障の法的基盤の再構築に関する懇談会」(安保法制懇)の論議の行方を見守りながら、小松長官は横畠祐介内閣法制次長と内閣法制局として対応できる限界を見定めようとした、と言われる。

「安保法制懇」は集団的自衛権行使の全面解禁、国連の集団安全保障措置と国連平和維持活動(P

KO）の全面参加を導く憲法解釈を用意した。内閣法制局は安倍政権がそれを受け入れるなら「憲法9条は無きに等しい」として横畠内閣法制次長が自民党の高村正彦副総裁、公明党の北側一雄副代表とひざ詰め談判、安倍首相の出方を窺っていた。

２０１４年5月、安保法制懇の報告書が提出されたのを受けて、安倍首相は①国民の生命と安全を守るためにやる、②米国に奉仕するためではない、③国連決議に基づく集団的安全保障については何でもやるとは考えない、④法律の形にして対処してほしい――との考えを内閣法制局側に伝えた。

２０１４年5月15日、安倍首相は記者会見で集団的自衛権の行使をめぐる憲法9条解釈を変更していく、との考えを示した。当時の日本マスメディアには、安保法制はオバマ政権からの要請を受けて整備されるもので、それは米政権を牛耳るネオコン主導による、ユーラシア大陸の西の戦場はウクライナとし、東は台湾有事や朝鮮半島を前提に日本の自衛隊をフル活動させて、東と西の両サイドからロシアと中国の弱体化を狙うための法整備だとの認識は全くなかった。

▽限定的集団的自衛権の行使のための基本的考え方

限定的な集団的自衛権行使を容認する自衛隊法改正案など10本の自衛隊関連法案をまとめた「平和安全法制整備法案」と自衛隊の海外派兵を恒久化する「国際平和支援法案」の安全保障関連法案が第１８９回国会で成立、２０１６年3月29日から施行されている。

２０１４年5月、安保法制懇が集団的自衛権行使の全面解禁を導く憲法解釈を基本とする報告書を提出したのを受け、小松一郎長官が病気で辞任した後の内閣法制局長官に就任した横畠裕介氏は、高村自民党副総裁と北側公明党副代表と共に安保法制懇の報告を大幅に絞り込み、従来の憲法解釈では集団的自衛権行使に当たる「ホルムズ海峡の停戦協定署名前の遺棄機雷の掃海活動」のケースを念頭に協議を重ねた。その結果、「武力行使の新三要件」を案出し、これに基づき安全保障法制の整備が行われた。

私は2015年7月14日午後、内閣法制局長官室に横畠祐介内閣法制局長官を訪ね、基本的な考え方を聞いた。横畠長官は次のように答えた。

「現実の危険があって法整備をするのではなく、政治の判断で考究すべき課題を憲法9条の下で許される範囲で考えて法整備した」

「ある国が、我が国と密接な関係にある他国に武力攻撃して、日本を敵と位置付けているとき、その国からの一撃を待っていたら手遅れになることがある。武力攻撃を待たないといけないのか」

「我が国の存立を脅かされ、国民の生命、自由及び幸福追求の権利が根底から覆される明白な危険があるとき、自衛の措置として集団的自衛権の行使が許される」

「内閣法制局は存立が脅かされているか、国民の生命に明白な危険があるかについての判断について、政府部内の憲法の最高有権解釈権者として責任を持つ」

「1972年見解を基礎に法的安定性を維持した。『そうだとすれば、わが憲法の下で武力行使を行うことが許されるのは、わが国に対する急迫、不正の侵害に対処する場合に限られるのであって、したがって、他国に加えられた武力攻撃を阻止することをその内容とする「いわゆる集団的自衛権の行使」は、憲法上許されないといわざるを得ない』という文章の裏側を読むと、我が国に対する武力攻撃が発生していないのに集団的自衛権を否定している。日本国憲法は独立国家に固有の集団的自衛権を放棄したわけではない。集団的自衛権の行使に当たるとする武力行使が容認されるのは、武力行使の新三要件を満たす時だけだ。そこで切り分ける」

「武力行使の新三要件は憲法前文、憲法13条、憲法9条を帰納法的に論理解釈して生み出されたものだ。近代兵器の発達に対応した我が国に対する予期せぬ甚大な被害に対処する。その武力行使の目的は、米国のためではない。あくまでも我が国とわが国民を守るためだ。必要最小限度の実力行使にとどまる」

▽高辻正巳・元内閣法制局長官の自衛隊合憲論が手本

横畠長官は「武力行使の新三要件」を作る基礎資料として昭和47年10月14日、田中角栄内閣が参議院決算委員会に提出した「1972年見解」に着目した。「1972年見解」の原型は高辻正巳・元内閣法制局長官の自衛隊合憲論である。

1950年7月、マッカーサー指令でスタートした警察予備隊が保安隊、自衛隊に衣替えする中で、政府部内でも実力組織の合憲性をめぐる憲法解釈で混乱があった。その論争に事実上終止符を打ったのが高辻正巳氏の自衛隊合憲論だ。高辻氏は憲法9条2項の「戦力」の字義に抵触しない戦力（実力組織）があるのではないかと、独自の戦力論を考案、これと憲法前文を組み合わせて帰納法的な論理解釈を行うことで、法的安定性を図り、大村清一防衛庁長官が1954年12月22日の衆院予算委で「憲法九条に関する第一次鳩山内閣の統一解釈」として発表した。

その主な内容は①自衛権は国が独立国である以上、その国が当然に保有する権利である。憲法はこれを否定していない。②他国から武力攻撃があった場合に、武力攻撃そのものを阻止することは、自己防衛そのものであって、国際紛争を解決することとは本質が違う。国土を防衛する手段として武力を行使することは、憲法に違反しない。③自衛隊のような自衛のための任務を有し、かつその目的のため必要相当な範囲の実力部隊を設けることは、憲法に違反するものではない。④自衛隊は外国からの侵略に対処するという任務を有するが、これを軍隊というならば、自衛隊も軍隊ということができる。しかしこのような実力部隊を持つことは憲法に違反するものではない――。

高辻氏は自らが考案した「戦力」論について、私の取材に次のように説明した。

「『戦力』とは、字義上、およそ外国の武力闘争において闘争目的を達成するために役立つ一切の組織化された人的・物的総合力を意味するものと解する。9条2項の『戦力』の不保持は、第1項との関係で、その武力組織の任務に国際紛争を解決する任務が含まれ、その活動能力がその任務の達成に足ると認められるものの保持を禁止するものであり、その任務は、自国に対して武力攻撃が加えられ、国民の安全と生存に対する侵害がもたらされる場合、その侵害を排除することに限られ、その活動能力がその任務の遂行に照らし『合理的に必要と認められるもの』であれば、憲法はこれを保持することを違憲と決めつけているものではない。これを保持するかしないかは、憲法が直接触れるところでなく、国民の総意の決するところにゆだねられているのだ」（参照：中村明『戦後政治にゆれた憲法九条』）

高辻氏は、憲法9条2項の「戦力」を裏側から読むと、2項で禁止しているのは国際紛争解決の能力がある「一切の組織化された人的・物的総合力を意味」するのであり、自衛隊のような急迫不正の侵害を排除するために限られる実力組織を保持することは違憲だ、とは言えないというのだ。

高辻氏は、自衛隊合憲論は憲法の前文からも当然に成り立つと、次のように語った。

「一国の防衛は憲法上の法益の保全である。法益とは何か。憲法の前文を見れば分かる。自国の主権を維持し、国民が平和のうちに生存する権利を有する、と明瞭に書いてある。それと憲法9条2項を重ねて考えれば、(日本が)戦力を保持しないのは、侵略戦争のための戦力であり、自衛のための戦力は法益を保全するために憲法上必要である。それは条理だ」

▽憲法は集団的自衛権を放棄していない

横畠長官は「憲法9条の下で容認されるのは個別的自衛権の行使までで集団的自衛権の行使は容認されない」とする「1972年見解」を高辻流に言わば裏から読むことにより、「武力行使の新三要件」つまり、①我が国に対する武力攻撃が発生したこと、又は我が国と密接な関係にある他国に対する武力攻撃が発生し、これにより我が国の存立が脅かされ、国民の生命、自由及び幸福追求の権利が根底から覆される明白な危険があること、②これを排除し、我が国の存立を全うし、国民を守るために他に適当な手段がないこと、③必要最小限度の実力行使にとどまるべきこと、という三要件に該当する場合の自衛の措置としての「集団的自衛権の行使」は憲法上容認される――を作成した。

横畠長官が着目したのは「1972年見解」の中の「いわゆる集団的自衛権」という言葉だ、と次のように説明する。

内閣法制局第一部の参事官が作成した「1972年見解」の原文には「集団的自衛権」の前に「いわゆる」という文字が入っておらず、角田禮次郎第一部長の字で「いわゆる」が追加され、吉国一朗内閣法制局長官もこれを「了」としていたからだ。横畠長官は、「いわゆる」を追加したことは、内閣法制局はこれまで「集団的自衛権は放棄していない」との立場をとっている以上、将来に向けて無制限ではなく広義のものでもない「限定的な集団的自衛権の行使を容認する」余地を残すために入れたものと受け止めた。横畠長官はここに意義を見出して、次のように考えた。

「いわゆる集団的自衛権はそれ自体悪魔の所業ではない。悪い、危険だ、大国主義の支配の道具だ、というものではない。9条は個別的自衛権の行使を容認している。集団的自衛権の行使はそれ自体悪ではない。1972年見解は『外国の武力攻撃によって国民の生命、自由及び幸福追求の権利が根底からくつがえされるという急迫、不正の事態に対処し』とし、『我が国に武力攻撃が発生した』場合に限られていた。その裏側は我が国に武力攻撃が発生していないにもかかわらず、集団的自衛権の行使を否定している。これについては何の限定もない。いわゆる集団的自衛権については、概念としてはっきりしていなかった。旧日米安保条約、最高裁の砂川判決の法廷文にも概念規定はない」

「独立した主権国は固有の集団的自衛権を保有している。憲法9条で集団的自衛権の行使が縛られている。しかし、放棄したわけではない。限定的な集団的自衛権行使容認論という考えではなく、集団的自衛権を自衛のための必要最小限度の範囲を超えるものとして数量的な概念でとらえるのではなく、武力行使の新三要件を満たしているかどうかで切り分けた」

「かつては武力攻撃が発生したときに、対処すれば足りた。昔は弾道ミサイルに液体燃料を注入しているのを発見したとき、武力攻撃の着手と見たが、現在は固体燃料となり、それも一体、どこから飛んでくるかわからない時代にある。相手国が日本を敵国と位置付けているとき、一撃を待っていたのでは遅い。東京に原爆を落とされてから対処しても手遅れだ。ミサイルの部品を積んだ船の臨検、だ捕などの武力行使を行う権利がある。自衛行動権の一対応として集団的自衛権の行使がある。戦力不保持の問題、交戦権否認の問題もそれでクリアできる。他国に対する武力攻撃が発生し、その被害が日本に及ぶことが明白なとき、今対処しなければ大きな被害が出るのに、それは駄目だ、と憲法は言っていない。それでは遅い、という判断は法律判断と言うよりも政策判断だ。従来のように我が国に対する武力攻撃を待っていれば大丈夫、では遅すぎる。取り返しのつかないことになる」

▽集団的自衛権に関する1972年の政府見解表明の背景

衆院予算委員会は2014年7月14日「7月1日の『武力行使の新三要件』の閣議決定」について、閉会中審査を行った。

公明党の北側一雄氏は質問の冒頭、政府、与党が「武力行使の新三要件」の基礎を成したとする「1972年見解」について横畠祐介内閣法制局長官の見解を求めた。1972年10月14日、当時の田中角栄内閣が参議院決算委員会に提出した「1972年見解」は、同年9月14日、参院決算委員会で社会党の水口宏三氏の質問に対する吉国一郎内閣法制局長官の答弁について、水口氏から政府見解として成文化を求められて、国会に提出されたもので、もとより内容は同じものだ。この見解に集団的自衛権を限定的に容認する文言も、それを許容する隙間もない。

北側氏は「1972年見解」のポイントについて横畠長官に質した。これに対して、横畠祐介内閣法制局長官は次のように述べている。

「この昭和47年の政府見解は憲法第9条のもとにおいて例外的に許容される武力行使についての考え方を詳細に述べたものであり、その後の政府の説明もここで示された考え方に基くものでございます。まず一つ目として、憲法は、第9条において、同条にいわゆる戦争を放棄し、いわゆる戦力の保持を禁止しているが、前文において『全世界の国民が平和のうちに生存する権利を有する』ことを確認し、また、第13条において『生命・自由及び幸福追求に対する国民の権利については、国政の上で、最大の尊重を必要とする』旨を定めていることから、わが国がみずからの存立を全うし国民が平和のうちに生存することまでも放棄していないことは明らかであって、自国の平和と安全を維持しその存立を全うするために必要な自衛の措置をとることを禁じているとはとうてい解されない、としております。この部分は、御指摘のありました砂川事件の最高裁判決の『わが国が、自国の平和と安全とを維持しその存立を全うするために必要な自衛のための措置を執り得ることは、国家固有の権能の行使として、当然のことと言わなければならない』という判示と軌を一にするものであります。

2番目ですが、平和主義をその基本原則とする憲法が、右にいう自衛のための措置を無制限に認めているとは解されないのであって、それは、あくまでも外国の武力攻撃によって国民の生命、自由及び幸福追求の権利が根底からくつがえされるという急迫、不正の事態に対処し、国民のこれらの権利を守るための止むを得ない措置として、はじめて容認されるものであるから、その措置は、右の事態を排除するためとられるべき必要最小限度の範囲にとどまるべきものである、として、このような極限的なものに限って、例外的に自衛のための武力の行使は許される、という基本となる論理を示しております。

三つ目ですが、その上で結論として、そうだとすれば、わが憲法の下で武力行使を行うことが許されるのは、わが国に対する急迫、不正の侵害に対処する場合に限られるのであって、したがって、他国に加えられた武力攻撃を阻止することをその内容とする、いわゆる集団的自衛権の行使は、憲法上許されないといわざるを得ない、として、先の基本論理に当てはまる極限的な場合としてはわが国に対する武力攻撃が発生した場合に限られるという見解が述べられているものと、理解されます」

「今般の閣議決定は憲法第9条の下でも、例外的に自衛のための武力の行使が許される場合があるという昭和47年の政府見解の基本論理を維持し、その考え方を前提として、これに当てはまる極限的な場合は我が国に対する武力攻撃が発生した場合に限られるとしてきたこれまでの認識を改め、我が国と密接な関係にある他国に対する武力攻撃が発生し、これにより我が国の存立が脅かされ、国民の生命、自由及び幸福追求の権利が根底から覆される明白な危険がある場合もこれに当たるとしたものであり、その限りにおいて、結論の一部が変わるものでございますが、昭和47年の政府見解の基本論理と整合するものであると考えております」

▽「明白な危険」とは客観的かつ合理的に疑いなく認められるもの、と横畠長官

北側一雄氏は今回の「武力行使の新三要件」の中で、「我が国の存立が脅かされ、国民の生命、自由及び幸福追求の権利が根底から覆される明白な危険がある場合」の意味についても恣意的に変えら

れるものではない、として説明を求めた。

横畠長官は「新三要件は昭和47年の政府見解における基本論理を維持し、その考え方を前提としたものであり、御指摘の『他国に対する武力攻撃が発生し、これにより我が国の存立が脅かされ、国民の生命、自由及び幸福追求の権利が根底から覆される明白な危険がある』という部分は、昭和47年の政府見解の『外国の武力攻撃によって国民の生命、自由及び幸福追求の擁利が根底からくつがえされるという急迫、不正の事態』に対応するものでございます。これまで我が国に対する武力攻撃が発生した場合のみが、昭和47年の政府見解に言う『外国の武力攻撃によって国民の生命、自由及び幸福追求の擁利が根底からくつがえされるという急迫、不正の事態』に当ると解してきた、ということを踏まえると、第1要件の『我が国の存立が脅かされ、国民の生命、自由及び幸福追求の権利が根底から覆される明白な危険がある』とは、他国に対する武力攻撃が発生した場合において、そのままでは、即ち、その状況の下、国家としての、まさに究極の手段である武力を用いた対処をしなければ国民に我が国が武力攻撃を受けた場合と同様な、深刻、重大な被害が及ぶことが明らかな状況である、ということを言うものと解されます。

いかなる事態がこれに該当するかは個別具体的な状況に即して判断すべきものであり、あらかじめ定型的、類型的に推測することは困難でありますが、いずれにせよ、この要件に該当するかどうかについては実際に他国に対する武力攻撃が発生した場合において、事態の個別具体的な状況に即して主に、攻撃国の意思、能力、事態の発生場所、その規模、態様、推移などの要素を総合的に考慮し、我が国に戦禍が及ぶ蓋然性、国民が被ることとなる犠牲の深刻性、重大性などから、客観的、合理的に判断することになります。なお、『明白な危険』というのは、その危険が明白であること、即ち単なる主観的な判断や推測等ではなく、客観的かつ合理的に疑いなく認められるものであるということと、解されます」

北側氏「第二要件も新たにこの『我が国の存立を全うし、国民を守るために』という言葉が入りました。専ら他国の防衛を目的とした自衛の措置は出来ませんよと、あくまで自国の防衛のための、そういう目的を持った自衛措置に限られますよ、それもやむを得ない時に限られますよということを言っている要件だと私は理解しますが、長官、如何でしょうか」

横畠長官「第二要件におきましては、このたび第一要件で、他国に対する武力攻撃を契機とするものが加わったことから、これまでの、単にこれを排除するために他の適当な手段がないこととしていたのを改め、これを排除し、我が国の存立を全うし、国民を守るために他に適当な手段がないこととし、他国に対する武力攻撃の発生を契機とする武力の行使についてもあくまでも我が国を防衛するためのやむを得ない自衛の措置に限られ、当該他国に対する武力攻撃の排除、それ自体を目的とするものではない、ということを明らかにしているものと、考えております」

▽横畠長官は「丸ごとの集団的自衛権を認めたものではない」と言明

北側氏「72年見解は『集団的自衛権』という言葉が4回使われ、そのうち3回までは『いわゆる集団的自衛権』と言っている。72年見解に言っている『いわゆる集団的自衛権』の行使を認めたものかどうか、ここは、如何ですか」

横畠長官「昭和47年見解における『いわゆる集団的自衛権』はまさにその集団的自衛権全般を指しているもの、と考えます。その意味で丸ごとの集団的自衛権を認めたものではないという点においては、今回も変わっておりません。今般の閣議決定は、国際法上、集団的自衛権の行使が認められる場合のすべてについてその行使を認めるものではなく新三要件の下、あくまでも、我が国の存立を全うし国民を守るため、即ち我が国を防衛するためのやむを得ない自衛の措置として一部限定された場合において、他国に対する武力攻撃が発生した場合を契機とする武力の行使を認めるにとどまるものでございます。

このような、我が国を防衛するためのやむを得ない自衛の措置としての武力の行使は、閣議決定にございます通り、『国際法上は集団的自衛権が根拠となる場合がある』ということでございます。しかしながら、それ以外の自国防衛と重ならない他国防衛のために武力を行使することが出来る権利として観念される『いわゆる』というのが先程の72年見解とぴったり同じであるかどうかあれですが、そのように観念される『いわゆる集団的自衛権』の行使を認めるものではございません」

「今般の閣議決定は平和主義を具体化した規定でございます憲法第9条の下でも『極限的な場合に限っては、例外的に自衛のための武力の行使が許される』という、先程御紹介もございました、昭和47年の政府見解の基本論理を維持し、その考え方を前提としたものでございます。その意味でこれまでの憲法第9条を巡る議論と整合する合理的な解釈の範囲内のものであり、憲法の基本原則である平和主義をいささかも変更するものではない、と考えております。

その意味で昭和47年の政府見解の基本論理を維持し今回の閣議決定に到ったわけでございますけれ

ども、そこで示されました新三要件を超える、それに該当しないような武力の行使につきましては、現行の憲法第9条の解釈によってはこれを行使するということを認めることは困難であると考えております。そこに及ぶ場合には憲法改正が必要であろう、と考えております」

横畠祐介内閣法制局長官は「武力行使の新三要件」は「我が国を防衛するためのやむを得ない自衛の措置として一部限定された場合において、他国に対する武力攻撃が発生した場合を契機とする武力の行使を認めるにとどまるものでございます」と言い、「丸ごとの集団的自衛権を認めたものではないという点においては、今回も変わっておりません」と述べているが、これまで内閣法制局が築き上げてきた憲法解釈の基本原則と論理的整合性が取れているのか、判断は分かれるところである。ただ憲法9条に対する国民の憲法規範意識からはかけ離れたものだ。

▽憲法解釈は変更された、と横畠長官

横畠内閣法制局長官は2014年7月15日の参院予算委員会で、民主党の福山哲郎氏が武力行使新三要件について従来の憲法解釈を変更したものなのかどうか質したのに対して、「法令の解釈と申しますのは、いわゆる当てはめの問題でございますけれども、その意味で変更があったのかということであるならば、一部変更したということでございます」と答弁。

これに対し福山哲郎氏は、「国民の命と安全に関わり、四十年以上も長い安定性を持ち、規範性を持ってきた憲法の解釈を変更しようとしている状況で、ずっと法制局は集団的自衛権の行使はできないと言ってきた。この憲法解釈を変更する閣議決定に対して、立法事実は確認されましたか」と追及。

横畠長官「なぜこのような解釈というか当てはめですけれども変更をするのかということにつきましては、まさに我が国と密接な関係にある他国に対する武力攻撃が発生した場合におきましても、それによって我が国の存立が脅かされ、国民の生命、自由及び幸福追求の権利が根底から覆される明白な危険が生ずる場合、そのような場合があり得るということの説明を受けております」と躱した。

福山哲郎氏は「そんな抽象的な議論は結構です。具体的な事例の立法事実はあったのかと、確認をしたのかと聞いているのです。憲法の下位である法律を改正するときにしても、常に法制局は、立法事実は何だ、なぜ変える必要があるのか、ということをぎりぎり詰めて法治国家としての仕組みをつくってきた」と切り込むと、横畠長官は「私どもは安全保障環境の変化その他軍事的な問題等々についての専門家ではございません。あくまでも法制上の所管を持っているのみでございます。自ら政策的に判断するということはございません。そのような事実があり得るという説明を前提として、法的な論理について検討をした」と述べるにとどめた。

▽立法事実は北朝鮮の核開発、と安倍首相

福山氏は「あり得るというのを前提としてということは、これから出てくるということですか。総理、これから今の具体的な立法事実は出てくるのですか、国民に説明していただけますか」と安倍首相の見解を求めた。

これに対して安倍首相は、「昭和47年当時と比べて我が国を取り巻く安全保障環境が根本的に変容しているのは事実だ。例えば大量破壊兵器や弾道ミサイル等の軍事技術の高度化や拡散の下で北朝鮮

は日本の大部分をノドン・ミサイルの射程に入れている。最近も弾道ミサイルの発射を繰り返している。核兵器の開発も行っている」と述べ、さらに「日本だけではミサイル防衛が行えない。日米の連携の下にこのミサイル防衛を行うということになっていく。グローバルなパワーバランスが変化をしている、国際テロなどの脅威、海洋やサイバー空間へのアクセスを妨げるリスクも深刻化しているのは事実だ。一国のみで平和を守ることができない」と、立法事実として北朝鮮のミサイル開発を挙げた。

▽立法事実はことごとく崩れていった

２０１５年1月26日に召集された第１８９回通常国会は、同年度予算が成立後、限定的な集団的自衛権行使を容認する自衛隊法改正案を軸に、国際平和協力（ＰＫＯ）法改正案、周辺事態法等改正案、事態対処法改正案など10本の自衛隊関連法案をまとめた「平和安全法制整備法案」と自衛隊の海外派遣を恒久化する「国際平和支援法案」の安全保障関連法案の審議に集中し、与野党が対決色を鮮明にした。会期は95日間の延長を含めて同年９月27日までの２４５日間。

３カ月間を超える国会審議では、野党側から限定的な集団的自衛権の行使が憲法上容認される根拠を中心に、米軍への後方支援問題がどのような状況で認められるか、ＰＫＯ協力法改正案が、従来のインフラ整備などに加え、自衛隊員の武器使用基準が緩和されて武装集団に襲われた国連要員らを救出する「駆け付け警護」や治安維持活動の実施が可能になり、これまでより危険な地域へと活動範囲が広がる可能性などが指摘された。

論戦の潮目が変わったのは、6月4日の衆院憲法審査会で、自民党が推薦した憲法学者の長谷部恭男早稲田大学教授が安保法案を「憲法違反」と明言したことだ。これをきっかけに法案への反対世論が盛り上がり、野党側の攻勢が一段と強まった。終盤国会では、政府が限定的な集団的自衛権行使の典型的な事例として挙げていたイランを念頭にした中東・ホルムズ海峡での敷設機雷の停戦協定成立前の掃海作業について「特定な国を想定していない」(首相)、朝鮮半島有事での米艦防護でも自衛隊の護衛が必ずしも必要ないことを認めるなど政府答弁の動揺が目立った。とは言え、政府は維新の党からの「集団的自衛権の行使容認を削除する」修正要求を拒否した。

自民・公明両党と、次世代の党、日本を元気にする会、新党改革の野党3党は参院平和安保特別委での採決直前の9月16日、①後方支援について、実施区域は「活動を行う期間に戦闘行為が発生しないと見込まれる場所を指定する」、②弾薬の提供は「拳銃、小銃、機関銃など(中略)生命・身体を保護するために使用されるものに限る」、③輸送は「大量破壊兵器やクラスター弾、劣化ウラン弾の輸送は行わない」――などに合意、閣議決定や国会の付帯決議で国会関与の強化を担保することとした。

▽新三要件は一義的に判断する要件になっていない

武力行使の新三要件は、「ホルムズ海峡の機雷掃海問題」を念頭に置きながら、前文、9条、13条を合わせて目的論的解釈で生み出された「新解釈」と言っていい。前文プラス13条と9条が対立する関係があるときは、武力行使の要件である以上、本来なら9条を前文と13条より優位に置いて考えなければならないのに、前文プラス13条を9条より優位に置いていることがうかがえる。

新三要件は政府が一義的に判断する要件になっていないことも問題だ。これまでの政府解釈は、集団的自衛権は自衛権発動の三要件の第一の要件である「急迫不正の侵害があるとき」を欠いているから違憲だ、と言ってきた。いうなれば質的制限論で憲法違反とした。

安倍首相は2015年5月28日の衆院平和安保特別委で、新解釈が従来の政府解釈より踏み込んだことについて「憲法との関係ではできますよ、原理的にはできますよというだけだ。法律をつくったとしても、これはやらなければいけないということではない。できるということだけだ。その上に立って慎重な政策判断がある。このいわば三段階になっている。これが混同された議論が横行しているわけであって、法理上は、これはでき得るという答弁をすると、いきなりそれをやるんだという、紙面に躍る場合があるわけだが、そもそも能力も想定もしていないことは、これは起こり得ないわけである」「この自衛隊海外派遣の三原則というのは、これは当然の話なんだが、一番目に国際法上の正当性の確保、そして国会の関与など民主的統制、三番目に自衛隊の安全確保、この三原則について、個々の法制の中でそれぞれについて具体的に法制化をしていく。これをしっかりやろうじゃないですかという提案をさせていただきました」と説明した。しかし、安倍首相の答弁からは新三要件が限定的な集団的自衛権行使であれば違憲とはならない、と判断する至った法的な根拠が示されることはなかった。

▽黒を白と言いくるめる類、と宮崎元内閣法制局長官

同年6月22日、衆院平和安保特委での参考人意見聴取で、宮崎礼壹・元内閣法制局長官は「限定的な集団的自衛権なら合憲であり得るという主張は、まず（昭和）47年意見書の文言自体に反します。同意見書は、結論として、『したがって、他国に加えられた武力攻撃を阻止することをその内容とするいわゆる集団的自衛権の行使は、憲法上許されないと言わざるを得ない』としているのであり、留保なしに、論理的帰結として記述しています。どうしてこの文書を集団的自衛権容認の根拠として使えるのでありましょうか」

「現在の政府答弁は、47年意見書（72年見解）に『我が国に対する』と明白には書かれていないから、『外国の武力攻撃』とある表現には、『我が国と密接な関係にある外国に対する武力攻撃も含む』と読めると強弁して、いわゆる新三要件には47年見解との連続性があると主張しているわけですが、これは、いわば、黒を白と言いくるめる類というしかありません」と「外国の武力攻撃」という言葉を使った裏ワザで集団的自衛権行使を容認する手法は憲法解釈に値しない、と厳しく批判した。

宮崎氏は、憲法9条の下では集団的自衛権行使は認められないと政府自身が言い続け、確立した憲法解釈を政府自身が覆すのは「禁反言の法理にも反し、法的安定性を自ら破壊するものだ」と述べている。禁反言の法理（estoppel）というのは、過去の行動と矛盾する主張を禁じ、取引の安全を保護する英米法の重要な原則である。私人の間では前言を翻すことがよくあるが、役人の世界では前言を翻すことなどあってはならないことだ。宮崎氏が禁反言の法理を持ち出して法制局を批判するのは、異常なことが政治の世界で起こっていることに警鐘乱打したと言っていい。

高辻氏の自衛隊合憲論は憲法9条に基礎をおいて構築されたことで一定の安定感があったが、新解釈は「1972年見解」の「いわゆる集団的自衛権」という文言を基礎にしたレトリックであるとの印象を否めないことも、国民の理解を得られない原因だ。

▽フェイルセーフの原則に基づき自衛隊法88条を改正せず、海外派兵はしない

自衛隊の活動にはいつも危険が伴うことから、内閣法制局は必ずフェイルセーフ（失敗しても安全）の原則に基づき二重、三重に縛りをかけて法律を作る。私が横畠長官に「自衛隊法3条の任務規定に集団的自衛権行使を容認する『存立危機事態』への対処を厳格に規定すべきではなかったか」と質すと、横畠長官は「自衛隊法3条の任務規定には存立危機事態への対処は書きにくかったので、76条（防衛出動）に規定し、『事態に応じ合理的に必要と判断される限度を超えてはならない』とする防衛出動時の武力行使を規定した88条を改正せず、必要最小限度論を維持したことで海外派兵の禁止も守っている」「事態対処法で国会承認を受けることを規定した。どうして存立危機事態なのか、国会に対して説明し、国会の承認を受ける」「個別的自衛権のための武力行使と存立危機事態のための武力行使は88条で同じだ」と述べた。

存立危機事態への対処には、個別的自衛権の行使も巧妙に組み込まれていることがうかがえる。最高裁の砂川判決が「それが一見極めて明白に違憲と認められる場合の外は、その範囲外である」との考えを打ち出したことを踏まえた法案作りになっている。

内閣法制局が生み出した武力行使の新三要件は、個別的自衛権と集団的自衛権の境目をなくした形

で作られており、従来の「自衛権発動の三要件」（①我が国に対する急迫不正の侵害があること、②他に適当な手段がないこと、③必要最小限度の実力行使に留めるべきこと）も武力行使の新三要件で説明が出来る。法律の条文自体には一見明白に違憲、無効なものを探すのは難しい。

しかし、日本を出た米軍の艦船が公海で敵国に襲撃されるとき、自衛隊が米艦船の護衛にあたるのは個別的自衛権を飛び出した形の集団的自衛権の行使に該当する。これを存立危機事態というのであれば、存立危機事態の概念が不明確だ。自衛隊の武力行使が自衛隊法88条2項の必要最小限度のもので敵を殲滅できるのか。必要最小限度の武力の行使であれば、米艦艇を守れないばかりか、自衛隊も撃破されてしまうことにならないか。存立危機事態の武力行使が自衛隊法88条2項と事態対処法3条3項、同条4項で必要最小限度論を採用しているのは、従来の政府解釈との整合性を保つための逃げの論理だ。野党側は「必要最小限度の武力行使とは何か」を政府に明確に規定させ、「その程度の武力行使で守れるのか」と追及すべきだった。

2015年8月24日の参院予算委で、安倍首相は小川敏夫氏の質問に対して、事態対処法3条3項に「武力攻撃事態が発生した場合において、これを排除するに当たっては『武力行使は事態に応じ合理的に必要と判断される限度においてなされなければならない』と規定。同条4項において存立危機の武力攻撃を排除するに当たっては、『武力の行使は事態に応じて合理的に必要と判断される限度においてなされなければならない』と書いてある」と述べた。安倍首相としては存立危機事態への武力行使は「憲法9条の下でも必要最小限度の武力行使は認められている」とする個別的自衛権行使合憲論の枠内であることを強調することで、存立危機事態における武力行使は従来の憲法解釈の枠内であることを訴えたかったようだ。

▽武力行使との非一体化論は維持

米軍への後方支援活動を規定した周辺事態法は重要影響事態法に改正され、周辺事態法の肝である3条1項3号に規定された「後方地域」〈我が国領域並びに現に戦闘行為が行われておらず、かつ、そこで実施される活動の期間を通じて戦闘行為が行われることがないと認められる我が国周辺の公海（海洋法に関する国際連合条約に規定する排他的経済水域を含む。以下同じ。）及びその上空の範囲をいう〉が「重要影響事態」という概念に置き換えられ、重要影響事態法2条3項では「現に戦闘が行われている現場では実施しない」と変更されていることも国民の不安を煽っている。政府は「後方地域」で米軍への後方支援活動を行えば、米軍との武力行使は一体化しない、と説明してきたからだ。

これに対し横畠長官は、「非戦闘地域の概念は生きている。戦場から離れた場所で後方支援すれば、米軍などとの武力行使と一体化はしない。防衛大臣が自衛隊の活動エリアを決める。業務は『円滑かつ安全』に行われることを重要影響事態法6条3項に書き込むことで、合わせ技で武力行使との非一体化論を維持した」と述べ、「世界中のどこに行っても後方支援をやれ」とする外務省の言いなりにはなっていない、と強調する。

さらに横畠長官は「国連平和維持活動（ＰＫＯ）は任務遂行型の武器使用で治安維持活動、住民保護活動を出来るようになったが、ＰＫＯ５原則の中で、特に紛争当事者の受け入れ同意が安定的に維持されることを条文に書き込んだ。安定的に維持されないときは、撤退し、他国の軍隊にやってもらう」「任務遂行型の武器使用には警察比例の原則で縛っている。拡大はしない」「自衛隊員をみすみす危険にさらすようなことはしない」と語る。同幹部は「内閣総理大臣に憲法違反の権力行使はさせない。それは内閣法制局の務めだ」との姿勢を崩さなかった。

▽「後方地域」の概念の生みの親は横畠長官

ところで「後方地域」の概念は、横畠長官が内閣法制局参事官時代に作ったもので、当時の外務省はこの概念を条文に書き込むことに反対したが、内閣法制局が押し切ったいわくつきのものだ。

内閣法制局は「米軍の武力行使と一体化した後方支援は、刑法上の概念でいえば、米軍と共犯関係になるからだ」との理由で「武力行使との非一体化」の理論を構築。大森政輔内閣法制局長官は１９９７年2月13日の衆議院予算委で社会党の堀込征雄氏の質問に対して、理論構成について次のように答弁した。

「例としてはよく、輸送とか医療とかあるいは補給協力ということが挙げられるわけでございますが、それ自体は直接武力の行使を行わない活動について、それが憲法九条との関係で許されない行為に当たるかどうかということにつきましては、他国による武力の行使、あるいは憲法上の評価としては武力による威嚇でも同じでございますが、武力の行使等と一体となるような行動としてこれを行うかどうかということにより判断すべきであるということを答えてきているわけであります。

このような、いわゆる一体化の理論と申しますのは、仮に、みずからは直接武力の行使をしていないとしても、他の者が行う武力の行使への関与の密接性等から、我が国も武力の行使をしているとの評価を受ける場合を対象とするものでありまして、いわば法的評価に伴う当然の事理を述べるものでございます。そして問題は、他国による武力の行使と一体となす行為であるかどうか、その判断につきましては大体四つぐらいの考慮事情を述べてきているわけでございまして、委員重々御承知と思いますが、要するに、①戦闘活動が行われている、または行われようとしている地点と当該行動がなされる場所との地理的関係、②当該行動等の具体的内容、③他国の武力の行使の任に当たる者との関係の密接性、④協力しようとする相手の活動の現況等の諸般の事情を総合的に勘案して、個々的に判断さるべきものである、そういう見解をとっております」（①②③④は筆者が便宜上入れた）

▽テロ対策措置法の「対応措置」は「後方地域」概念の応用編

周辺事態措置法自体が適用され、自衛隊が出動したケースはこれまでないが、2001年9月11日に発生した米中枢同時多発テロ事件に際し、日本政府は「憲法の枠内で武力行使と一体化しない支援は何か考えたい」（小泉純一郎首相）として、テロ対策特別措置法を成立させた。同法2条1項が「政府は、この法律に基づく協力支援活動、捜索救助活動、被災民救援活動その他の必要な措置（以下「対応措置」という）を適切かつ迅速に実施することにより、国際的なテロリズムの防止及び根絶のための国際社会の取り組みにわが国として積極的かつ主体的に寄与し、もってわが国を含む国際社会の平和及び安全の確保に努めるものとする」と規定したのは、周辺事態措置法を応用したものだ。

テロ特措法2条2項が憲法9条1項の規定に基づき、「対応措置の実施は、武力による威嚇または武力の行使に当たるものであってはならない」と決め、2条3項は、「後方地域」の概念をそのまま持ち込み、わが国領域と戦闘行為が行われることがないと認められる公海及び同意がある外国の領域において、諸外国の軍隊等に対する物品、役務の提供等の協力支援活動、遭難した戦闘参加者の捜索救助活動、被災民の救援のための食糧等の輸送・医療等の被災民救援活動のうち必要な措置を政府が基本計画に定め、これに基づき自衛隊等を実施に当てれば、これまで政府が構築してきた憲法9条解釈の枠内に収まる、と踏んで立案されている。

▽イラクでの空自の活動に違憲判決

2003年7月25日、成立したイラク復興支援特措法も周辺事態措置法の応用編であり、同法は国連安保理決議678、687、1441を受けて米英両軍が開始したイラク戦争（イラク復興支援特措法ではイラク特別事態、との概念を打ち出している）に対して、日本ができる米英両軍への後方支援活動とイラク国民への人道復興支援活動及び安全確保支援活動を定めたものだ。

イラク戦争では陸上自衛隊のサマワにおける人道復興支援活動ばかりが強調されているが、それは言わば、日本も米国に協力しています、ということを宣言する「広告塔」で、米軍にとって実質的に意味があったのは、航空自衛隊のC－130H輸送機による輸送活動だ。

航空自衛隊は2003年12月26日から2008年12月まで約200人規模の隊員が4カ月交代で派遣された。

拠点はクウェートのアリ・アルサレム空軍基地に置かれ、イラク南部のナシリア近郊のタリル飛行場との間を往復していたが、陸上自衛隊がサマワから撤収後、米兵とその物資の輸送が主な任務となり、「人道復興支援活動」から「安全確保支援活動」に変更することを閣議で決定した。輸送実績は回数477回、輸送物資量51万4107トン。米兵の輸送の際は米兵の武器も運んでいる。

この空自による米軍を主力とする武装した多国籍軍のバグダッド空輸に関して、2008年4月17日、名古屋高等裁判所はイラク派兵差止請求控訴事件で、大森政輔内閣法制局長官が1997年2月13日の衆議院予算委での堀込征雄氏の質問に対する答弁を論拠にして「米軍の武力行使との一体化であり、憲法9条1項に違反する」との判決を出している。ちなみにこの訴訟で原告側の弁護人を務めた川口創氏は、「中村明さんの著書『戦後政治にゆれた憲法九条（第3版）』が証拠として採用された、と伝えてきた」。

イラクでは「後方地域」概念の応用編に綻びが出ている。安倍内閣が2014年7月1日の閣議で決めた「国際社会の平和と安定への貢献」の（1）いわゆる後方支援と「武力の行使との一体化」の中で①我が国の支援対象となる他国軍隊が「現に戦闘行為を行っている現場」では、支援活動は実施しない。②仮に、状況変化により、我が国が支援活動を実施している場所が「現に戦闘行為を行っている現場」となる場合には、直ちにそこで実施している支援活動を休止又は中断する——ことを強調しているが、戦闘現場近くでは法律が想定していない事態が起こり得ることを、派遣された自衛隊員は知っている。

2015年6月6日付の毎日新聞は「テロ対策の補給活動でインド洋に派遣されたり、イラクの人道復興支援で派遣されたりした自衛隊員のうち56人が自殺し、原因が判明している中では『精神疾患等』が14人（25％）で最も多かったことが5日、明らかになった」と報じている。死を覚悟しての入隊とは言え、見過ごすことができない問題をはらんでいる。

▽政府の憲法9条解釈の基本である6原則の規範群が崩壊し始めた

安倍首相には内閣法制局の集団的自衛権行使違憲論に風穴を開けた、と国の内外、とりわけオバマ政権に対して思わせることで、内閣法制局が事実上独占していた憲法9条の解釈権を政治家の手に取り戻して変更させた、という実績を残したい、という意識が強くあったのだろう。

内閣法制局は内閣の幕僚機関であることから、ここまで大っぴらに「憲法解釈を変更したい」と言う安倍首相の意向をくじくのは、事実上の倒閣運動につながると懸念し、「武力行使の新三要件」を厳格に運用すれば、憲法9条解釈の変更に伴う影響は少ない、と踏んで「名を捨てて実を取った」とも言える。

しかし、安保法制が具体的に運用され出した時、内閣法制局の憲法9条解釈の基本原則となってきた6原則からなる規範群——私が便宜的に整理したもので、憲法学会の通説ではないが、第一の原則「憲法9条の下で認められるのは個別的自衛権の行使だけ」、第二の原則「集団的自衛権の行使は憲法上容認されない」、第三の原則「自衛隊の海外派兵は憲法上容認されないが、武力行使を目的にしない海外派遣は憲法上容認されないわけではない」、第四の原則「自衛権の発動としての武力行使は自衛権発動の三要件に該当するときだけ」、第五の原則「PKO法第24条、テロ特措法12条などの『武器使用』は武力行使に当たらない」、第六の原則「他国の武力行使と一体化しない後方支援は憲法上容認される」(『戦後政治にゆれた憲法九条(第3版)』を参照)——が崩壊する恐れがある。

高辻正巳元内閣法制局長官が作成した「自衛隊合憲論」が憲法解釈の言わば裏ワザであることから、これを基本と成して構築された6原則からなる規範群自体がガラス細工である。しかし、第一の原則と第二の原則が固く守られてきたことで、法的な安定性が維持されてきた。憲法9条に絡む違憲訴訟で国側勝訴が多かったのも、内閣法制局が審査した法律案に対する裁判所の強い信頼感があったからだ。

横畠長官は「内閣法制局は国民の生命に明白な危険があるかについて、存立危機事態の認定について政府部内の憲法の有権解釈権者として責任を持つ」と語ったが、誰からも一目置かれた高辻正巳氏のような大物の官僚が存在しない時代にあって、それが出来るのかどうか。

▽米国が中国包囲網を形成

米オバマ政権の要請で整備された限定的な集団的自衛権行使を可能にする安保法制の狙いは、米国を事実上操るイルミナティの世界支配の道具立ての一つであることは、安倍首相と側近を除いて日本の支配層でも知る人は少なかった。ウクライナを舞台にしたロシアと米国、NATOの激突を見て、日本国民の中にはその意味を知った人も少数ではあるがいる。この人たちは、ユーラシア大陸の東側で第二次朝鮮戦争や中国と台湾の軍事衝突が生じたとき、世界支配を狙う秘密結社イルミナティは、米軍の力を支援する形で自衛隊と日本の工業力を活用したい、と考え、安倍首相に圧力をかけて安保法制を作らせたことに気づき始めている。

バイデン政権は中国包囲網を形成しようと2021年9月、オーストラリアやイギリスと「AUK

US」なる新たな軍事同盟を創設した。ロシア国家安全保障会議のニコライ・パトロシェフ議長は、AUKUSは中国やロシアを仮想敵とする「アジアのNATO」だと批判している。

日本、米国、オーストラリア、インドの4カ国の協力枠組み「クアッド」も、経済面からの中国包囲網だ。2022年5月24日、4カ国の首脳会合が東京の首相官邸で開かれ、今後5年間でインド・太平洋地域の国に対してインフラ整備に500億ドル（約6兆3800億円）以上の支援や投資を目指す方針で一致した。中国が世界覇権を狙って「一帯一路」と銘打って発展途上国のインフラ整備に力を入れているのに対抗したもので、途上国が債務問題で中国に絡み取られないよう支援していく考えを示しているのが特徴だ。

前日の23日開かれた米国のジョー・バイデン大統領と日本の岸田文雄首相による首脳会談。岸田首相の最大の懸念は「非核三原則」を国是とする日本が、ロシア、中国、北朝鮮の核保有三カ国に真正面から対峙できないことだったが、バイデン大統領が「抑止力及び対処力を強化する」と核の拡大抑止政策を適用する考えを示しことで、岸田首相も安堵し、これを歓迎した。米国の核拡大抑止政策という口約束で日本の安全保障に関する懸念が払拭される訳ではないが、日本は米国の核の傘に依存する一種の〝信仰〟を基本に安保、防衛体制を築いてきた手前、それ以上望むべくもなかった。

▽バイデン大統領は台湾有事に軍事的関与をすると明言

会談後の記者会見で、アメリカ人記者が「中国が台湾に侵攻した場合、日本はどうするのか」と質問。岸田首相は「中台海峡問題の平和的解決が重要、という基本的立場は変わっていない」と答える。

その上で「ウクライナのような武力による現状変更は、アジアにおいては認められない」「そのためにも日米同盟は重要であり、アメリカによる拡大抑止を信頼している」と述べた。

バイデン大統領も「台湾に対する方針は変わっていない」と答え、「しかしアメリカはコミットしている。ひとつの中国原則を支持するけれども、それは中国が武力を使って台湾を乗っ取る正当性を持つことを意味しない。そんなことは起きないし、試されないというのが私の期待だ」とした。

同記者は「あなたはウクライナの軍事紛争に巻き込まれることを望みませんでした。台湾を守るために、もし必要になった場合は軍事的に関与するのですか」

バイデン大統領「イエス」

「本当に?」

「それが私たちのコミットメントだから」

米国は「一つの中国」という中国政府の原則を認めて、中国の国連承認を認めた。米国議会は1979年「台湾関係法」を成立させて、台湾防衛へのための武器輸出を認めている。米国は台湾防衛に直接関与するかと尋ねられたとき、これまでは曖昧な態度に終始してきた。「曖昧戦略」である。バイデン大統領が「イエス」と答えたことは、単なるリップサービスではない。ユーラシア大陸の西はウクライナ、東は台湾で紛争を発生させて、米国の軍事力を使っての世界覇権を追求する、というイルミナティの戦略に沿ったものであり、そのチャンスを窺っているのだろう。

▽「インド太平洋経済枠組み」（IPEF）発足

バイデン大統領が強調したかったのは、アジア太平洋地域との経済的結束を強化し、中国の一帯一路構想に対抗する「インド太平洋経済枠組み」（IPEF）発足させたことである。日米の軍事力とIPEFを前面に出して安保と経済の両方で「中国包囲網」を強化し、中国の覇権主義を打ち砕こうとする底意が丸見えだ。イルミナティはバイデン政権の主要なポストを牛耳る役人たちも配下に抱えている。彼らは中国が軍事力だけではなく、経済力やマンパワーを使って途上国のインフラ整備を担う方式で世界覇権を狙っている、と見ており、中国の企みを破断するためには日本の金融力、経済力や技術力を上手に使ってやろうと、と権謀術数に余念がないのだ。

イルミナティは「自由で開かれた国際秩序の強化」という何やら民主的な雰囲気を醸し出す大義名分の下に、世界各国を日本のような間接統治による属国化で世界支配を完結できると踏んでいるようだ。戦後70年余も自民党の内政、外交政策に慣らされてきた日本国民の中には、米国はイルミナティに廂《ひさし》を貸して母屋を取られた国である、という認識はほとんどない。それ故、日本人の大半がイルミナティの世界戦略に日本が巻き込まれていくことがいかに危険なものか知らない。ほとんどの人が、目の前に軍事衝突が発生しない限り気づかない。イルミナティの世界覇権構想に巻き込まれていくことに奉仕する自民党は、大衆の政治感覚は麻痺したままでいい、と考えている節がある。

米国の意向を受けてのことではあるが、自民党内にこれまでの国会審議で積み上げてきた「敵基地攻撃能力」保有論を「敵基地だけでなく司令部や指揮統制機能等」まで対象を拡大しようとするタカ派的発想の「反撃能力」保有論が隆盛となっている。岸田首相は２０２２年12月６日の所信表明演説の中で、「いわゆる敵基地攻撃能力も含め、あらゆる選択肢を排除せず、現実的に検討し、スピード感をもって防衛力を抜本的に強化していく」と言明した。

▽自民党「反撃能力」論を展開するための提言

自民党安全保障調査会（会長・小野寺五典元防衛相）は2022年4月21日の全体会合で、国家安保戦略（NSS）など戦略3文書の改定に向けた提言案の中で、政府が保有を検討している敵基地攻撃能力について「反撃能力」とする名称変更案を正式に決め、岸田首相に提言した。小野寺会長は「中国、ロシア、北朝鮮」を「敵」だと認識している。しかも「3カ国が同時に軍事的行動を起こしたり、同時に大災害発生が重なったりする複合事態があるかもしれないという危機感を日本はもっとも持たなければいけない」と強調している。

日本が高精度の長距離ミサイルを保有して、敵基地や司令塔に反撃を加えたら、敵はひるむか、と言えば、ロシアは「ステータス6」または「ポセイドン」と呼ばれる核弾頭搭載の水中ドローンシステムを保有している。米国防総省もその事実を確認している。この魚雷の主な目的は、敵の海岸に熱核弾頭を投下し、海岸の重要なインフラや工業製品を破壊し、放射性津波や核爆発の破壊的影響を広大な地域に与え、敵の領土に大きな損害を与えることにあると言われている。ロシアの核兵器の能力は米国を圧倒しているという事実を冷静に認識すべきだ。米国のウクライナ紛争の対応ぶりを見れば、それがよくわかる。

中国、北朝鮮は潜水艦発射弾道ミサイル（SLBM）を強化している。日本がロシアや中国、北朝鮮のミサイル発射基地を長距離ミサイルで攻撃しても、中国や北朝鮮の報復攻撃で日本は壊滅的な被害を受けるだろう。

▽ペロシ下院議長の台湾訪問は戦争の火種づくり

米国下院のナンシー・ペロシ議長が２０２２年8月2日、台湾を訪問したことをめぐる中国軍の動静を見れば、近い将来に発生する台湾有事の状況が推量できるように思える。ペロシの目的の第一は米中間の緊張を高め、戦争の火種を創出することだ。

ペロシ下院議長の訪台の狙いは、台湾積体電路製造公司（ＴＳＭＣ）のマーク・ルイ会長との会談だ、とも言われている。世界最大のチップメーカーであるＴＳＭＣに、米国内に製造拠点を設け、中国企業向けの高度なチップ製造をやめるよう説得したと言われている。台湾の半導体製造市場における優位性から、台湾の自立は米国にとって重要な地政学的関心事となっていることが窺える。

ユーラシア大陸の西側ではウクライナを使ってロシアを挑発し、戦争に陥れることでロシアの弱体化を図っている。東側では台湾有事を作り出すことで、中国を台湾との戦争に引きずり込み、米国の海軍力と日本の自衛隊を活用する形で中国の世界覇権の野望を打ち砕こうとの意図が丸出しになってきた。

米戦略国際問題研究所のハーラン・ウルマン氏の著書『アメリカはなぜ戦争に負け続けたのか』（中央公論新社）によれば、冷戦が正式に終結した１９９１年のイラクとの湾岸戦争、92～93年のソマリア内戦への介入、２００１年からのアフガニスタン紛争、03年から始めたイラク戦争、16年に始まったシリアとイエメンでの紛争など、1991年以降の26年間のうち、合わせて19年にもわたってアメリカの軍隊は戦争に従事してきた。第二次世界大戦後の72年間のうち、半分超の37年間は戦争状態にあった。戦績はめざましいものではなかった。しかし、米国民は自国が焦土と化さない限り、余り関心を示さないと言う。

▽中国軍が台湾への軍事侵攻を断行する十大状況

中国軍が台湾への軍事侵攻に踏み切るかどうかを占う目安がある。中国政府は胡錦涛主席時代に台湾海峡政局戦略会議の西山軍事国防戦略機関情報部が「迷わず軍事行動を断行し、台湾を平定する祖国統一の大業を成し遂げる決定を下す台湾側に発生する十大状況」を共産党中央軍事委員会副主席劉華清の声明として発表している。その主なものは①台湾当局が中国を離脱し、独立を宣言したとき、②西側主要国が台湾を独立、主権国家として承認したとき、③台湾が西側諸国の支持を得て、国連加盟を画策し、一中・一台、二つの中国を志向したとき、④米国が政治的、軍事的に台湾を操作したとき――。

この声明が習近平体制下で変更されたとは聞いていない。米国が軍事力を使って介入しない限り、台湾有事は発生しない。ペロシ議長の台湾訪問に対する中国軍の反発は「ペロシ氏が訪台を前に習近平・バイデン会談があり、習近平がペロシ訪台をけん制していたのにもかかわらず、無視され、習近平のメンツが潰された怒り」との見方もある。

中国人民解放軍は4日から4日間の日程で台湾を取り囲むように6カ所に演習地域を設定、弾道ミサイルの発射など異例の規模の軍事演習を行った。初日に台湾周辺海域へ11発の弾道ミサイルを発射。日本の防衛省によれば5発が日本の排他的経済水域（EEZ）に落ち、うち4発は台湾上空を通過した。沖縄ばかりでなく、日本本土にまで緊張が走った。中国の艦船や軍機が台湾海峡の中間線を何度も越えた。6日には台湾本島を攻撃する模擬演習を実施した。7日午前に台湾海峡の中間線付近に中国と台湾の海軍艦艇約10隻が展開、中国の一部の船が繰り返し中間線を越えて台湾側に入った。ただ双方の軍隊はともに自制を示したという。中国国営テレビの深夜放送のコメンテーターは、中国軍は今後、台湾側で「定期的」な演習を行い、中国の「統一」という「歴史的課題」を実現する可能性があると述べた。

▽自衛隊も「存立危機事態」を想定した訓練を実施

米国の思惑に沿って中国軍との海戦への準備が着々と進んでいる。米海軍主催の多国間訓練「環太平洋合同演習（リムパック）」に参加した海上自衛隊の護衛艦「いずも」と「たかなみ」は2022年7月29日から8月3日までのハワイ周辺で実施された訓練で、安倍内閣時代に制定した限定的な集団的自衛権行使を可能にする安全保障関連法の「存立危機事態」を想定した演習を行っている。

第三国への攻撃に演習参加国が共同で対応するリムパックのシナリオ訓練を利用。シナリオの状況が存立危機事態に当たると認定し、海自に防衛出動を命じた上で、米海軍と共同で対処するまでの流れを確認したという。

▽米軍のために汗をかいてほしい、と要求

米国は冷戦時代が進む中で、日米安保条約を片務的と言い続けてきた。「第5条は、米国は自国が武力で攻撃されないのに、日本が武力で攻撃された場合、自分が攻撃された時と同じように実力行使をする。ところが日本は憲法で集団的自衛権の行使が認められていないため、米国本土はもとより、海外にある米軍基地が武力攻撃された場合、日本は米国に対して武力で応援しないことで条約上、良いことになっている。第6条で日本は米軍に基地提供している。在日米軍基地が武力攻撃された時、米軍とともに反撃するが、それは米軍を助けるためというより、日本自身が攻撃を受けたのと同じだから、日本のために個別的自衛権を行使して外敵と戦うことになる。こうした関係は米国にとって負担が大きすぎる」というものだ。

クリントン政権時代に、日本の周辺有事で米国が極東の平和と安全のために活動している時は、日本も集団的自衛権行使に至らない範囲で後方支援活動をしてほしい、と言い出した。片務的な条約とは不平等条約が最たるもので、日米安保条約が片務的というのは、相互防衛のための実力行動のバランスが取れていない、と言っているのであり、米国が安保条約自体を捉えて「片務条約」と言っている訳ではない。米国は「日本は米国のために血を流さないなら、汗をかいてほしい」と、実質的な条約の片務性の解消を求めてきた。日本側は「領土主権は国の主権の根幹である。わが国の領土内にこれだけ多くの米軍基地と、米軍の駐留を認めている。それは『おやすい御用ではない』のだ」との議論をおおいに主張すべきだった。

どちらが国際的に通用する議論なのか。米国が安保条約5条と6条を較量して、米国の負担が大き

すぎると思えば、条約の終了を規定した同条約10条に基づき条約を破棄すればいいのだ。しかし、米国は安保条約が自国にとってメリットが大きいと見て安保条約破棄を通告していない。

▽6条プラスアルファが5条に見合うもの

周辺事態措置法案は安保条約の改正ではない。6条事態について、何故基地提供するのか。安保条約6条は「日本国の安全に寄与し、並びに極東における国際の平和及び安全の維持に寄与するため、アメリカ合衆国は、その陸軍、空軍及び海軍が日本国において施設及び区域を使用することを許される」となっている。つまり6条事態は日本の平和と安全にとって無関係な事態ではない。こうした事態に対して活動する米軍への後方支援は条約上の義務ではないが、絶対におかしいとも言えない。火の粉が及ばない限り、日本は中立的な態度をとる、ということは政策的態度としてあり得る。

日本が侵略されたら、米軍に守ってもらう。その埋め合わせに基地を提供している。こうした関係について、日本を助ける米軍が困難に陥ったとき、日本は何もしなくていいのか、との議論にすり替えられた。つまり6条プラスアルファが5条に見合うものになってしまった。日米が共同対処する対象が日本有事から日本周辺有事に拡大されたのだ。

橋本内閣は1998年4月28日、米軍の後方支援、遭難した米兵の捜索・救助活動、遭難した米兵の捜索・救助活動、船舶検査活動などを定めた「周辺事態に際して我が国の平和及び安全を確保するための措置に関する法律案」、在外邦人救出のため現行の自衛隊機に加えて、船舶やヘリコプターの使用を可能にする自衛隊法改正案、日米物品・役務相互提供協定（ACSA）改正案の三案を折からの第142回国会に提出した。

冷戦後、「日本を守る」ことを目的とした日米安保条約の意義は薄れたが、米国は6条の極東条項に着目して、日本防衛の安保から、アジア太平洋地域の平和と安全に貢献する安保に改定し、こうした目的に添った形での日米防衛協力、日米の役割分担を見直したいと考えた。一方、日本の外務省内に「日米安保は当面の日本にとって究極の安全保障」（政府筋）と絶対視する風潮が強く、元来、米国の意向に逆らった経験もないことから、米国の深謀遠慮を深く顧慮することなく受け入れた。

▽「周辺事態」という概念は安保法制で「重要影響事態」に変形

「周辺事態」という概念は1999年の安保法制制定の流れの中で「重要影響事態に際して我が国の平和及び安全を確保するための措置に関する法律」で「重要影響事態」という概念に置き換えられた。

第1条（目的）は「この法律は、そのまま放置すれば我が国に対する直接の武力攻撃に至るおそれのある事態等我が国の平和及び安全に重要な影響を与える事態（以下「重要影響事態」という。）に際し、合衆国軍隊等に対する後方支援活動等を行うことにより、日本国とアメリカ合衆国との間の相互協力及び安全保障条約（以下「日米安保条約」という。）の効果的な運用に寄与することを中核とする重要影響事態に対処する外国との連携を強化し、我が国の平和及び安全の確保に資することを目的とする」と規定。

第2条で重要影響事態に際して、政府が後方支援活動、捜索救助活動、重要影響事態等に際して実施する船舶検査活動を実施することを定めている。

同条2項は「対応措置の実施は、武力による威嚇又は武力の行使に当たるものであってはならない」。同条3項は「後方支援活動及び捜索救助活動は、現に戦闘行為（国際的な武力紛争の一環として行われる人を殺傷し又は物を破壊する行為をいう。以下同じ。）が行われている現場では実施しないものとする。ただし、第7条第6項の規定により行われる捜索救助活動については、この限りでない」と規定し、重要影響事態への対処により米軍や国連軍との武力行使が一体化しない工夫が施されている。

「周辺事態」という概念が「重要影響事態」という概念に置き換えられると、米国の圧力で、「周辺事態」という概念が「日本の周辺で生じる事態」から「アジア太平洋地域の平和と安全にかかわる問題」にまで拡大され、日米安保条約が日本存立の基盤であるというイデオロギーが政府によって喧伝されると、在日米軍がアジア太平洋地域で攻撃されれば、日本の存立危機につながるとの論理にすり替えられた。日米安保条約は米韓相互防衛条約のような双務的な軍事同盟ではないのに、米軍との集団的自衛権行使は当たり前のような考え方が一般的になってきている。

▽沖縄県民が米軍基地による攻撃にさらされれば、戦後政治の全否定

重要影響事態がどこで起こるかだが、日本政府が主体的に判断出来るかがポイントだ。重要影響事態とは、わが国の平和と安全に重大な影響を及ぼす事態である。米国が「重要影響事態」と言ったからといって、日本も「そうだ」と尻馬に乗ってはならない。「重要影響事態」を客観的かつ冷静に判

断する枠組みを作らなければならないのに、政府はこれまで公表していない。

台湾有事に在日米軍が出撃する可能性は大きいことから、日本政府としては米軍への後方支援に当たるため「重要影響事態」を認定することになる。同時にそれが安保法制に規定された「存立危機事態」に該当することにつながるのか、という極めて深刻な問題が飛び出してくる。2022年7月、ペロシ米下院議長の台湾訪問をめぐる中国側の猛反発が、こうした事態を予測させている。中国が台湾に軍事侵攻したとき、「米軍は台湾に対して軍事的な支援を実施する」とバイデン大統領が発言したことで、米海軍、空軍による軍事力行使は当然視されている。

日本政府はまず「重要影響事態」と認定する基準、根拠を示して、認定することになる。そのうえで必要な措置を取る。米軍の行動に伴い「武力行使の新三要件」に該当する事態に至れば、「存立危機事態」に認定する。三要件を満たしていると判断すれば、首相は自衛隊に対して自衛の措置としての米軍への「集団的自衛権の行使」を命ずることになる。米国の艦船と中国の艦船が武力で応酬し合ったり、戦闘機による空中戦が行われているとき、日本の「存立危機」事態になるかどうかの一義的な判断基準を示していないので国民にはよく分からない。

台湾有事をめぐる米中の軍事衝突を受けて、政府が「存立危機事態」と認定し、自衛隊に集団的自衛権の行使を命令すれば、中国は沖縄の嘉手納基地と同弾薬庫を狙って攻撃をかける可能性が大きい。沖縄は米軍ばかりでなく自衛隊の存在を快く受け止めていないところだけに、政府が「存立危機事態」に認定したときの県民の動揺と混乱は大きいことが予想される。

自衛隊の防衛出動は、内閣総理大臣が安全保障会議を開き、外国からの侵略があったことを確認、それを閣議にも諮り、さらに国会の承認を得て、授権された首相が自衛隊に出動命令を出す。国家安全保障会議設置法、内閣法を前提に自衛隊法76条を発動する。

存立危機事態に対する自衛隊の出動についても、同様の法的措置が取られる。日米関係は日本にとって最も重要な二国間関係である、との考え方を政治の基軸にするあまり、日本政府の姿勢は対米従属そのものであることから、中国との本格的な戦争に突入する可能性は排除できない。

先の大戦における沖縄戦では、通常兵器だけの戦いで、10万人を超える沖縄人が亡くなっている。日米が集団的自衛権を行使して中国軍と沖縄を舞台に戦争するときは、最新鋭の兵器ばかりでなく、核兵器も使用される可能性が大きいのに、政府はそうした事態を想定していないという。県民の犠牲者を少なくするための措置、例えば核シェルターの建設、県民を島から脱出させるための船と航空機の準備など先手、先手で対策を講じなければならないのに、政府も県もほとんど手つかずの状況と言っていい。

自民党政権が沖縄県民を軽んじているのは、今に始まったことではない。それは米国側に「沖縄は米国兵士の血で贖った戦利品だ。米国の植民地に沖縄人を居住させてやっているのだ」という意識が強くあることを知っているからだが、その上、自民党や政府の高級官僚には「沖縄は明治時代から日本政府の植民地」という意識が重なっているからだろう。沖縄の面積は日本全体の面積0・6％しかないのに、在日米軍の全基地面積の70％が沖縄に集中している。沖縄の地政学的な好条件ばかりで、この驚異的な不均衡を説明することは無理がある。

冷戦期から沖縄の米軍基地には核シェルターがあるのに、１００万人の県民のための核シェルターは1カ所もない。台湾有事をきっかけに中国軍のミサイルが沖縄県民の頭上に降ってくる事態が予想される時代にあっても、政府は沖縄県民のために重い腰を上げようとしない。沖縄県民が米軍基地の存在ゆえに中国軍の武力攻撃にさらされ、大虐殺されれば、日米安保体制を戦後保守政治の基本とする政治は全否定されたと言って過言でない。

▽米国の世界戦略の一環としての日米安保条約

米国の立場から安全保障体制を考えると、米国と欧州、米国と日本、米国とアジアの同盟はそれぞれ異なる。NATOはヨーロッパ結集への同盟である。米国はアジアを狙った同盟に失敗したため、アジアの国々の中で日米、米韓がそれぞれ二国間の安全保障条約を締結している。二国間の同盟には強弱関係があり、強い米国が弱い日本や韓国を守ってやるという形だ。

日本と米国の同盟関係について言えば、米国は日本に基地を置いてロシア、中国、中東地域などどこに対しても攻撃出来ることになっている。日本は米国に基地を置いていない。「同盟」という形をとっていても、対等、平等ではない。自民党は「平等」と言うが、米国が1997年、中国との間で戦略的パートナーシップを結んだとき、自民党の幹部らは言葉を失った。「米国はいずれ中国に日本をくれてやるつもりだろう」と憤慨していた国会議員もいた。

米中の戦略的パートナーシップと日米同盟はどう解釈すれば良いのか不信感もあった。パートナーシップは兄弟分という意味だろうが、同盟的な意味でも解釈出来る。日米安保条約を堅持することが重要だ、との立場に立てば、尖閣諸島の領有権をめぐり日米はどのように共同対処するのか、日米安保の再定義が本来は必要なのに、自民党は米国が「尖閣諸島も安保条約5条の適用範囲だ」とする言質を与えることに満足している。ベトナム戦争に韓国は派兵した。その際、米国から援助が与えられた。韓国軍は米国から雇われた傭兵と言っても過言でない。

日米安保条約は条文の中で「同盟」（Alliance）という言葉を使っていない。「同盟」という考え方は、本来は条文に基づいているのに、日米間は1990年の日米安全保障協議委員会でまとめられた日米防衛協力指針（ガイドライン）に基礎を置いている。同盟という概念が強調されたのは第一次（1978年）第二次（1997年）ガイドラインではなく、第三次（2013年）ガイドラインである。「Alliance Coordination Mechanism（同盟調整メカニズム）」という形で「同盟」がうたわれ、「平時から緊急事態までのあらゆる段階において自衛隊及び米軍により実施される活動に関連した政策面及び運用面の調整を強化する」ことにしている。

自衛隊と米軍は同盟調整のメカニズムに基づき秘密にやることもあるし、それを秘密裏に反故にすることもある。冷戦時代ならまだ共産圏に対抗する「同盟」という考えは成り立ったが、ソ連が共産主義を放棄したことで、日米「同盟」は本来なら仮想敵を作る必要がある。しかし、ロシア、中国を仮想敵にすることは出来ない。条約上の文言として書けないことはもとより、新ガイドラインにも「仮想敵」と書かれていない。

それ故、日米「同盟」は日本国民をだます言葉になっている。米国の立場は、日本と同盟関係を結んでいるわけではない（ブレジンスキーは「Protecto rate（保護国）」＝本人は大人だと思っている子供＝と呼んでいる）。米国は日本を「同盟」ではなく、安保条約で縛っている国と認識している。

米国は中国に対して「日米安保条約は（日本の軍国主義復活を防止する）ビンの蓋だ」（キッシンジャー米大統領特別補佐官）と説明し、理解を求めてきたこともある。

自民党は米国との「同盟」があれば、「日本の平和と安全は大丈夫」と国民に訴えるが、尖閣列島問題を見れば分かるとおり、米軍は日本の安全を保障するための防壁として働いていない。「日中間の領土問題は二国間で話し合え」という態度であり、「中国側が日本の領土を侵犯している」という考えを示したことはない。

日米安保条約の実態は、米国が日本という国を、自分たちの世界戦略のために上手に利用しているにすぎないのに、歴代自民党政権と民主党政権は米国の言いなりとなって、事実上の主権を放棄している。日本が基地提供する見返りとして、米国が日本にやってくれていることがあるとすれば、米国市場を開放していることだ。しかし、米国民は日本の製品を安くて品質が良いから買っているだけで、何もお恵みで買い上げてくれているわけではない。

米国は基地を提供させたうえで、日本に対しては駐留経費を日本に肩代わりさせ、湾岸戦争などの戦争費用を負担させている。現実に日本を攻める国がないのに、米国は日本人に不安を煽って日本を米国の世界戦略を担う重要な要素として縛り付けている。

米国は大量の兵器を製造している。ストックがたまると在庫兵器の一斉処分をしないといけない。処分方法の一つが湾岸戦争であり、コソボ紛争、アフガニスタン、イラク戦争であり、シリアに「自由シリア軍」というもっともらしい勢力を使って間接侵略している。ウクライナでも大儲けしている。戦争の費用は誰に支払わせているか。サウジ、日本、ドイツ、クウェート、カタールなどだ。

日米間に米韓相互援助条約のような同盟関係の条約が締結されたとする。日本は同盟に縛られて、米軍が展開する中東やアフリカなど日本の平和と安全に関係のないどこの国や地域にも自衛隊を派兵することになる。日本が自衛隊を派遣する大義名分はあるのか。米国の兵器を消耗して、多くの民間人を殺し、自然を破壊し、空気を汚染し、オゾン層も破壊する戦争に日本は何故、参加しなければならないのか。神様から見れば、それは自滅の道を歩いているように見えるだろう。

▽安保条約は超越的な規範ではない

外務省、自民党、それに民主党（当時）も日米安保条約を超越的な規範であり、日本の存立の基盤のように考えている。国民の大半もこうした風潮に巻き込まれ、安保条約がなくなると、日本の平和と安全が脅かされると考えている。

渋谷治彦元ドイツ大使はかつて私の取材に対して「米国の対日アプローチは50数年前と変わっていない。ハル国務長官は『中国大陸から全軍隊を撤退せよ』と言ってハルノートを突き付けた。〝ゼロサムゲーム〟を展開している。東條内閣に対しては中国から日本軍を全軍撤退しないと石油の禁輸措置を取る、と言った。戦後も同じで〝オールオアナッシング〟なのだ。米国の要求を認めないと『制裁だ』という。日本が強大な武力を持っていれば、50年前と同じことが起こりえた。客観情勢が変わった面と変わっていない面がある。50数年前は、日本を見下したアプローチだった。戦後は、競争相手に対するアプローチをしてきた」と語った。

日本の政治家が米国に対していつも弱腰な背景には「ヒロシマ、ナガサキへの原爆投下が国民のトラウマという心理状況――米国は怖い、三発目の原爆を投下されないように注意しなければならない――になっている。米国はそこを巧みに突いて、日本に対して常に要求のレベルを上げてくる。

イラクへの自衛隊派遣が大問題になったとき、米国の要請に「ご無理ごもっとも」と言う自民、民主の二大政党の弱腰を見て、米国は日本の憲法9条の規範を侵しかねない不当な要求を突き付けた。国民はこうした米国の出方を踏まえ、日本の指導者には胆力がある人を選ばねばならない、と思うべきなのに、これまでのしがらみ第一に自民党や公明党の候補を選んでいるのが実態だ。

何しろ英国の首相、ヘンリー・ジョン・テンプル（第3代パーマストン子爵、1784～1865）は「英国は永遠の友人も持たないし、永遠の敵も持たない。英国が持つのは永遠の国益である」と言ったが、米国も自分の国益――それも1％の富裕層が40％の国富を握る体制を守る、という意味での国益――を中心に物事を決める国であり、人権大国でも民主主義の牙城でもないのである。

日米安保条約は米ソの冷戦構造の時代には有効に働いた面もあった。ソ連は崩壊し、核大国としてのロシアは残っているが、2021年のロシアのGDP（国内総生産）は1兆7755億ドル、日本のGDPは4兆9374億ドルで、日本の約3分の1。ロシアは石油、天然ガスなど資源大国であり、小麦などの食糧輸出国ではあっても、ウクライナ紛争を見る限りでは世界規模の長期的戦争を継続するだけの工業力はない。

中国は、経済成長を最優先させており、軍事大国路線を歩むような兆しは見えない。確かに核兵器とそれを運搬する弾道ミサイルを保有しているが、国民は生活水準の向上に躍起となっており、中国共産党が仮に軍事大国路線と覇権主義を追求すれば、国民から大きな反撃を受けるだろう。国民の中には戦争政策を支持する空気はない。北朝鮮についても、核開発技術の向上が指摘されているが、戦争を仕掛けることも、戦争を継続し、勝利する展望も描ける条件はない。日米安保条約を日本の存立基盤でとらえる必然性はないのが実態だ。

▽中国包囲網はNATO、日米安保など〝軍事同盟〟の連携で構築

バイデン政権を事実上牛耳るネオコン勢力は安倍首相時代、日本に限定的な条件下であっても米軍と集団的自衛権行使が可能な安保法制を制定させた。

2021年4月17日、菅首相とバイデン大統領による日米首脳会談を受けて発表された共同声明の中では、中国包囲網への日本の積極的な関与を促している。共同声明で「日本は同盟及び地域の安全保障を一層強化するために自らの防衛力を強化することを決意した。米国は、核を含むあらゆる種類の米国の能力を用いた日米安全保障条約の下での日本の防衛に対する揺るぎない支持を改めて表明した」と尖閣列島問題をめぐり中国占有に怯える日本人の心を見透かしたように、「米国に頼れ」と言っている。さらに共同声明は「台湾海峡の平和と安定の重要性を強調する」と、「台湾」を名指しすることで、中台紛争を煽った形だ。対中国との貿易が全体の4分の1を超える日本の経済状態などを考えれば、日中間で軍事的緊張を高めることは「百害あって一利なし」の無謀なことであるのは言うまでもなかったが、菅首相は米国の対中戦略を唯々諾々と受け入れている。

こうした流れの中で、岸田文雄首相は2022年5月23日、訪日中のジョー・バイデン米大統領との首脳会談で、米日同盟の「抑止力及び対処力を強化する」と言明するとともに、アジア太平洋地域

との経済的結束を強化することで中国を牽制する「インド太平洋経済枠組み」（ＩＰＥＦ）発足を宣言した。米国主導の「中国包囲網」に日本は金縛りされているのに、岸田首相も抵抗する姿勢は見せなかった。こうした動きに対して中国の王毅外相は同日「アジア太平洋地域は今、歴史の岐路に立たされている。この地域に軍事集団や陣営対決を引き込もうとする試みを明確に拒否する」と警告した。

ところが岸田首相は6月29日、北大西洋条約機構（ＮＡＴＯ）首脳会合に日本の首相として史上初めて出席した。同会合にはＮＡＴＯ加盟国30か国、ＮＡＴＯの主要パートナー国・機関として日本、豪州、ニュージーランド、韓国、スウェーデン、フィンランド、ジョージア、ＥＵの首脳等が出席した。同会合のテーマはロシアのウクライナ侵攻問題、インド太平洋地域の安全保障情勢であったが、ＮＡＴＯという軍事同盟と日米安保条約、米韓同盟、米国と英国、豪州の軍事同盟「ＡＵＫＵＳ」などいわゆる西側諸国の軍事同盟を結集させてまずはロシアを弱体化させ、ロシアと中国を切り離し、世界の覇権を狙う中国を抑え込みたいという、米国とそれを裏から操る秘密結社イルミナティの思惑を窺わせるものだった。

▽２０２３年度予算案の防衛関係費、過去最大６兆７８８０億円

２０２２年7月8日11時31分頃、奈良県奈良市の近鉄大和西大寺駅北口付近で、安倍晋三元首相が選挙演説中に銃撃される事件が発生した。統一教会に恨みを持ち、安倍元首相が統一教会と関りがあると判断した山上徹也容疑者によるもので、安倍元首相は同日死亡した。

国政選挙なしで政治に没頭できる「黄金の３年」を、岸田首相にとって目の上の瘤のような存在で

あった自民党最大派閥の長・安倍晋三氏が政界から消えた中で政権運営できることは、首相にとって「得たりやおう」ではあったろう。

そこで岸田首相が真っ先に取り組んだのが、安保・防衛体制の強化である。米国大統領からの〝命令〟を忠実に実行しようと考えたのだろうか。岸田首相は2022年12月23日の閣議でバイデン米大統領に明言した「防衛費の相当な増額」を実現するため、2023年度予算案で防衛関係費（米軍再編経費を含む）を22年度当初予算比26・4％増の6兆7880億円と、9年連続で過去最大を更新した。

岸田首相は2023年1月に訪米する際のバイデン大統領への「手土産」として米レイセオン社製のトマホーク購入に道をつける一方、米政府から装備品を買う「有償軍事援助」（FMS）による契約額を過去最高の1兆4768億円、前年度の3797億円から1兆円以上も上回る〝爆買い〟を決めた。

▽中身の全く違う「武力行使の三要件」

岸田首相は国民的な議論もなく、他国の領域内を攻撃できる反撃能力（敵基地攻撃能力）の保有を決断し、米国が推進する統合防空ミサイル防衛（IAMD）にも自衛隊を参入させる方針を固めた。これは自衛隊の指揮権を事実上、米軍に委ねるような防衛政策の転換と言っても過言でない。

政府は安保関連3文書【「国家安全保障戦略」（NSS）―「国家防衛戦略」（現・防衛計画の大綱）「防衛力整備計画」（現、中期防衛力整備計画）】の「国家防衛戦略」の中で、反撃能力について、「我が国に対する武力攻撃が発生し、その手段として弾道ミサイル等による攻撃が行われた場合、武力の行使の三要件に基づき、そのような攻撃を防ぐのにやむを得ない必要最小限度の自衛の措置として、相手の領域において、我が国が有効な反撃を加えることを可能とする、スタンド・オフ防衛能力等を活用した自衛隊の能力をいう」と定義している。

政府は反撃能力（敵基地攻撃能力）ついて、1956年2月29日の衆院内閣委員会における船田中防衛庁長官の答弁前段（注）を根拠に、反撃能力の合憲性を強調している。しかし鳩山、岸内閣時代の「武力行使の三要件」と岸田政権が使う「武力行使の三要件」は、言葉は同じだが、中身が全く異なるものだ。鳩山、岸時代は個別的自衛権行使をするにあたっての武力行使の三要件であるが、岸田政権の武力行使の三要件は「限定的な集団的自衛権を行使する」に際しての「武力行使の三要件」である。たとえて言うならば、国民に山手線に乗っているつもりにさせて、実は京浜東北線に乗せている、と言っても過言でない、質《たち》の良くないトリッキーな法解釈テクニックを使っているのだ。岸田政権は武力行使の新三要件を根拠にすれば敵基地攻撃が可能な長距離ミサイルを保有しても憲法違反にならない、とする合憲性の法理を明らかにしていない。

（注）「わが国に対して急迫不正の侵害が行われ、その侵害の手段としてわが国土に対し、誘導弾等による攻撃が行われた場合、座して自滅を待つべしというのが憲法の趣旨とするところだというふうには、どうしても考えられないと思うのです。そういう場合には、そのような攻撃を防ぐのに万やむを得ない必要最小限度の措置をとること、たとえば誘導弾等による攻撃を防御するのに、他に手段がないと認められる限り、誘導弾等の基地をたたくことは、法理的には自衛の範囲に含まれ、可能であるというべきものと思います」

▽敵基地攻撃能力の保有は憲法9条違反

2023年5月2日付、日本共産党の機関紙「赤旗」は、「敵基地攻撃と憲法9条」と題する連載記事の中で、鳩山（一郎）時代の個別的自衛権行使の第一要件「我が国に対する急迫不正の侵害があること」を前提とした法理としての敵基地攻撃能力の合憲論と、安倍時代の「武力行使の新三要件」の第一要件つまり「我が国に対する武力攻撃が発生したこと、又は我が国と密接な関係にある他国に対する武力攻撃が発生し、これにより我が国の存立が脅かされ、国民の生命、自由及び幸福追求の権利が根底から覆される明白な危険があること」は似て非なるものなのに、安倍時代の武力行使の新三要件を前提に鳩山時代の法理としての敵基地攻撃能力の合憲性を合体、援用するのは論理的な整合性に欠ける、と指摘している。赤旗の取材に対して内閣法制局の参事官は、真っ当な回答を述べることは出来なかった。

坂田雅裕元内閣法制局長官は雑誌『世界』（2023年2月号）に「憲法9条の死」と題する論文を発表、他国の軍隊のように集団的自衛権の行使や海外派兵が出来ず、専守防衛に徹してきた自衛隊が他国の領域内を攻撃できる反撃能力保有に踏み切ったことについて、「憲9条第二項は死文と化した」「立憲主義の否定だ」と批判した。元内閣法制局長官が政治の現場を預かる近藤正春内閣法制局長官の憲法9条解釈を憲法違反と批判したのは異例のことだ。坂田論文の概要を以下に記述する。

坂田氏は自衛隊が他国の軍隊とは違う異質な実力組織であるのは、憲法9条2項に戦力不保持の規定があるためで、この規定により自衛隊は個別的自衛権行使に当たっても「本邦の領域とこれに近接する公海、公空に限られ」、装備についても相手国領土への攻撃的兵器は持てない、との制約を受けている。2015年に安保法制が施行され、存立危機事態に際して集団的自衛権の行使が容認されることで「我が国が武力攻撃を受けて初めて武力行使をする、という憲法9条の大きな縛りが解き放たれただけではなく、我が国周辺の公海、公空までという自衛隊の武力行使に課されていた地理的な制約をも消し去ってしまった」。

坂田氏は「安保法制によってそれまで自衛隊を他国の軍隊と区別し、これを憲法9条にいう『戦力』ではないとしてきた最大の柱（海外での武力行使の禁止）が倒れた後も、政府は専守防衛の防衛戦略は不変であるとし、あたかもこれが自衛隊の合憲性を担保する呪文であるかのように唱えている」ことは笑止千万だと言う。そして「国家安全保障戦略に言う専守防衛が武力攻撃を受けない限り反撃能力を用いないこと、つまり先制攻撃をしないことだけを指すとすれば、世界の大多数の国が『専守防衛』の平和主義国家だということになる」「海外での武力行使をしないということが、我が国の専守防衛の神髄だ」と強調する。さらに「専守防衛の自衛隊は盾、米軍が矛という役割を分担し、飛んでくる火の粉を払うために必要な範囲内での装備にとどめることによって、自衛隊の実力は他国に脅威を与える戦力には至らず、これを我が国の平和主義の証として来たのである」と述べ、他国に脅威を与えない装備にとどめることが、憲法9条が実力組織たる自衛隊の装備にはめた唯一のタガだった、と説く。

坂田氏は「新たな防衛戦略に基づいて自衛隊には十分な反撃能力を備えるに到れば、憲法9条は残されたこの最後の規範性をも失い、法規範としては価値のないものになってしまう」と述べ、防衛予算が10兆円を優に上回る日本が憲法9条に基づく特別の平和主義国家とみなされる余地はほとんどない、と言うのだ。坂田氏は「憲法9条の平和主義が時代にそぐわず、今の自衛隊では国を守ることが難しくなったと考えるのであれば、正面から国民に訴えるのが政治の王道だ」と言い、憲法の規定に反する立法や政策を積み重ね、国民の誤信に乗じて国のかたちを変えてしまう昨今の政治は、法治国家の名を汚すものと言わざるを得ない、と糾弾した。

岸田首相は世界の覇権を狙う中国を封じ込めるため、米軍が主導する防空・ミサイル防衛体制、つまり「統合防空ミサイル防衛」（ＩＡＭＤ）についても、日米豪印の枠組みである「クアッド」を活用する考えを打ち出しており、ＩＡＭＤに参加するために法理としての合憲性を見出す観念論を生み出すことなく、敵基地攻撃能力を実施する道を選択した、と言える。

米軍は日本列島からフィリピンにいたる「第1列島線」で中国を抑えなければ、グアムなどを通る「第2列島線」も越えてしまう、との危機感から、これを阻止するために日本の自衛隊がインド、オーストラリアなど同盟国と一体となってＩＡＭＤに参加するよう求めていたが、岸田首相は憲法9条の理念を無視してゴーサインを出したのだ。「一見明白な」憲法9条違反の政治を突き進んでいる。

米軍が構想するＩＡＭＤは先制攻撃を前提としている。攻撃対象も軍事基地にとどまらず、指揮統制機能（政府中枢など）やインフラなど多岐にわたっている。自衛隊が米軍の射撃統制を受けてこうした攻撃を実行することになるので、自衛隊と米軍は完全に一つの軍になると言っていい。実際に戦闘が始まれば、首相は自衛隊の指揮権を失うことになる。

▽「トマホーク」の取得に２１１３億円を計上

６兆７８８０億円は国家安全保障戦略に盛り込まれた敵基地攻撃能力の保有や弾薬不足の解消、装備品の可動率向上などに重点的に予算配分することになる。敵基地攻撃を可能にする長射程ミサイルの調達など「スタンド・オフ防衛能力」の強化には、約1兆４２０７億円を充てるが、日本が独自の長射程ミサイルを製造するまでの間、米国製巡航ミサイル「トマホーク」を取得する。そのための予算として２１１３億円を計上した。

トマホークの射程は１６００キロ。日本周辺から北京、平壌に届く。湾岸戦争やイラク戦争、シリア攻撃などで米軍が使用している。防衛省関係者によると、イージス艦の発射装置や射撃管制ソフト、戦闘指揮所などを改修すれば、1隻当たり最大で90発以上のトマホークを搭載可能だ。目標まで精密誘導する米軍衛星とネットワーク化されれば、米軍の情報に基づき敵基地攻撃を行える。

イージス艦、護衛艦、潜水艦に配備し、沖縄の自衛隊基地には当面配備しない方針のようだ。米国の尉官クラスがイージス艦に同船して実践指導し、米軍との共同訓練を重ねるという。内閣総理大臣はトマホークの発射についてゴーサインを出す権限を有するが、トマホークをいつ発射するかについては米軍が判断することになるだろう。中国の中距離ミサイルに対抗する「抑止力」論が強調されて、トマホーク導入に対する支持が日本維新の会、国民民主党ばかりでなく立憲民主党内にも広がり、国会にはあたかも大政翼賛会が誕生したような雰囲気が広がっている。

内閣総理大臣在任中に「非核三原則」（核は保有しない、製造しない、持ち込まないという核に対する三原則）と「専守防衛」の理論体系を形成した佐藤栄作首相は、１９６７年3月25日の衆院予算委で、社会党の石橋政嗣氏が防衛力の限界について質問したのに対し、「通常兵器による局地侵略、これを抑止する力、これが、私どもが考えておる防衛力の限度であります。それより以上のものを考えてはおりません」「攻撃的な戦力を持つといえば、これは明らかに憲法違反だ」と答弁した。敵のミサイル基地の射程外にあって、北京や平壌に届く射程1600キロのトマホークを、攻撃的な兵器と言わずに何といえばよいのか。

▽専制政治はファッシズムにつながる

岸田政権がトマホークを保有し、中国や北朝鮮に相当な打撃を与えることが可能となったことで、戦争は抑止できるのか。全面戦争に拡大する危険はないのかについて政府から十分な説明がない。

中国の核弾頭を搭載したミサイルを配備した基地を日本のトマホークで反撃すれば、核攻撃したのと同じ効果があるのではないか。つまり、トマホークはGPSで精密に誘導された兵器で、狙った標的を必ず仕留めることができる、と言われている。「やられたら、やり返す」とする日本が反撃する一発が命中することで核搭載ミサイルが配備された敵基地は福島原発と同じように爆発、炎上し、地域全体に大きな被害が及ぶ。全面戦争のきっかけになる。

日本は核武装しなくても、中国の核搭載ミサイル配備基地を叩けば、核攻撃したのと同じ効果を発揮できることを踏まえてトマホークを配備するのか分からないが、トマホークの破壊力は想定を超えるものがある。

中曽根康弘防衛庁長官は1970年3月30日の衆院予算委で「ICBM、あるいは中距離弾道弾、このように他国の領域に対して直接脅威を与えるものは禁止されている」と述べた。政府は憲法9条の下では長距離爆撃機は持てない、ＩＣＢＭ（長距離弾頭ミサイル）も航空母艦も持てない、としてきたが、トマホークも中距離弾道弾となるが故に保持できない、と解釈するのが自然だ。

「トマホークの保有は抑止になる」と防衛省は主張するが、相手国に多大な被害を与える反撃能力は、「政府の持てる装備も必要最小限度の実力行使にとどまる」とする従来の政府の憲法9条解釈を超える議論だ。トマホークのようなこれまでの憲法解釈を逸脱する装備について、「抑止力向上のため欠かせない」と開き直る人もいる。憲法9条という国家の根本原理を超える抑止力論は、「政治の問題」ではない。日本という法治国家の原則を守るか否かの基本にかかわることであり、「それが政治だ」と言うならば、行政権は憲法を無視して何でもできることになる。専制政治が危険であることを誰もが知っているはずだ。それを国民が容認すれば、一切の人権を蹂躙する「ファッシズム」につながる。にもかかわらず、国民の中に全体主義的な支配を自発的に承認する空気が広がっている。

▽レーザー光兵器でミサイル迎撃システムを作れ、と岩野正隆氏

日米安保条約を廃止した後、北朝鮮、中国、ロシアから核攻撃を受けたときどうするか。軍事専門家の岩野正隆氏は「自前の核ミサイル撃破システムを持つべきだ。これは憲法9条に基づく防衛手段である」と説いている。

陸軍士官学校の同窓会「偕行社」の1999年3月の会報「偕行」で、岩野正隆氏は「近未来の紛争の予測」「飛翔体迎撃のイノベーション（新しい発想で考案したもの）」とのタイトルで次のように

述べている。
「21世紀の4半期あたりは、NMD（国家ミサイル防衛）はキネティックエナジー（機械的打撃力）のロケット・システムであろう。30年頃から高出力レーザーや荷電粒子ビームがそれにとって変わるだろう。現在日本ではイージス艦用のSM-3を開発中である。これについてハドソン研究所のパリイ・スメルノフ博士は『日本は高出力レーザー及び荷電粒子ビームについて世界最高レベルの研究をしている』と言っている。

私はこれについて多大な関心があったので、東京の浜松町の宇宙開発事業団に行きH2ロケットなどの飛翔体を研究し、次いで茨城県筑波の高エネルギー物理学研究所へ日参し、所長や研究員からいろいろ説明を受けた。そこには窓のない巨大な空母のようなコンクリート建物があり『放射能危険』の標識があった。入り口には指紋センサーがあり、筆者は登録していなかったので、助手の背中にくっついて入ったら、警報が鳴り響き、ガードマンが駆けつける騒ぎとなった。

ここにはクライストロン電子発生機、400メートルのリニアック加速機、ウィグラー偏光超電磁石などがあり荷電粒子ビームが出来る装置である。

隣の広大な地域には直径900メートルのトリスタン加速機があり75000ギガボルトの巨大装置で、アメリカのブルックヘブンの加速器に匹敵するものである。私は何かSF映画の中に入ったような気がした。

ところが現在はもうトリスタンは廃棄され、さらに数十倍巨大な加速機が98年から運転されている。教授室の黒板に自由電子レーザーと白墨で書かれていた。これこそミサイル迎撃の本命である。しかし、教授たちは軍事には全く無関心に見えた。私は黙って横目で見て帰った」

▽レーザー光兵器と人工衛星の組み合わせでミサイル防御

「宇宙であるが、ここも軍事上重要な範囲である。宇宙といっても、何光年の彼方とか宇宙人との戦争などは空想小説の領分だが、38万キロの月当たりまでの空間は、軍事上軽視は出来ない。即ち、偵察衛星、航法衛星、早期警報衛星、通信衛星などの人工衛星は重要である。さらにＡＳＡＴ（戦闘衛星）という、敵衛星やミサイルを攻撃破壊するもの、ＦＯＢＳ（軌道爆撃衛星）などもある。

21世紀には、月面やラグランジュ平衡点（月と地球の引力の平衡する点で五つある）の宇宙基地設定なども問題化するだろう。人類の紛争をこんなところまで拡大してもらいたくはないが、従って、宇宙制空権という言葉も生まれよう」

「ＮＰＴ（核不拡散防止条約）にサインにした核非保有国は、何に安全を求むべきかとなると、在来型の軍事常識だと急ぎ核兵器を製造し、保有し、対抗能力を持つとなるが、ここでも発想のイノベーションが必要となる。即ち、核に関する限り、スウェーデン流の『防御は最良の防御』を使う。それは１００％確実なミサイル防御力を持つことである」

宇宙空間に大量破壊兵器を配備することを禁止する宇宙国際法はあるが、宇宙空間で武器使用すること自体を禁止する国際法はない。北朝鮮が先制攻撃したミサイルを撃ち落とすことが違法なら、自衛権が損なわれる。国際法も国家の主権を守ることが第一の原則であり、自衛権が一つの自然権であるように、国際法により自然権が損なわれることがあってはならない。

ミサイル迎撃システム自体に問題はない。それがあることで人命が失われるのであれば問題だが、宇宙空間に人工衛星を飛ばして、それにレーザー光兵器を装備してはならない、という国際法はない。100％違法性はない。米国とソ連はものの分かった人たちで、これ以上核装備を拡大すれば、地球は破滅だ、馬鹿々々しいことは止めようということでABM（対弾道ミサイル）条約やSTART（戦略兵器削減条約）を開始した。ICBM（大陸間弾道ミサイル）を宇宙空間に飛ばすことが禁じられていないのに、それを撃ち落とす防衛手段が禁じられるわけがない。レーザー光兵器を人工衛星に装備しない方が自衛権を損なう、と考えるべきだ。

ミサイルが発射されて、それを撃ち落とすか否かの判断は現場でやっても構わない。人工衛星の打ち上げには、国際社会に対して事前に通告するが、仮に人工衛星であったときそれを誤って撃ち落とした場合、事後に賠償すればいい。レーザー光兵器は国際法上危惧するものは何もない。レーザー光の軍事転用については、国内法上の問題があるかもしれないが、法律を改正すれば済む話だ。

岩野氏が指摘するように、レーザー光に関して日本は技術的基盤がある。外務省は北朝鮮が核・ミサイルで暴走するなら、日本にはレーザー光システムで迎撃する、と言って、外交カードとして使うこともできる。軍縮交渉が本格化するかもしれない。

宇宙から発射するレーザー光の方が、劣化が少ないので命中する確率が高いかもしれないが、当面地上配備型でレーザー光兵器を配備して、何十発と打ち続ければ、ミサイルを撃墜又はコースを変えることができるだろう。電力は地上配備型なら無限だ。宇宙配備だと原発を搭載した宇宙船が必要になるかもしれない。

岩野氏は「このＮＭＢ（国家ミサイル防御）は速やかに完成しなくてはならない。銀行がつぶれても株が下落しても、国民は死なないが、核を被爆すれば確実に死ぬ。秒速７・９㎞近い高速で電離層（５００㎞）の高高度を飛来するミサイル、これを捕捉し、瞬時に予想弾道計算し、迎撃ミサイルを発射し、会合点に導き破壊する。この動作を、仮に１３００㎞の地点の敵国から発射されたミサイルに対するものとすると、２００秒（３分間）の間に行わなくてはならない。

このためには、超高速度Ｃ１(注)の指導組織と座標取得、伝達、計算、指令、発射と敵の妨害に対するＥＣＭ（電子攻撃）など万全の周辺技術、特に発射探知とバンドを弾道測定の衛星が完備しなくてはならない。これは核弾頭とミサイルを作り、慣性誘導で目標に命中させる攻撃より数十倍難しい技術である。攻撃手段ならば、日本の技術で３ヶ月もあれば完成するが、ゴールキーパーの方は大変である。ゴールキーパーが完成すれば、日本の安全は80％保証される」と強調する。

(注) Ｃ１：Command, Control, Communication, Computer and Intelligence の略。指揮、運用、通信、計算、情報の意味。衛星中継と光ファイバーの長所を利用し、グローバル通信と秘匿性に進展があるだろう、との見方が一般的。

▽民族としての自尊心を取り戻すため独自の軍事技術開発を

岩野正隆氏は「21世紀は、悲しむべきことだが決して平和な天国にはならないだろうと思う。21世紀には全面核戦争や多国群大戦はほとんどなかろうが、国益、民族、宗教に基づく陰湿巧妙な紛争は、絶えず起こり、多大な人的損耗を伴うであろう。日本はいくら平和、平和と絶叫しても、常に桃源郷の安全地帯におれないかも知れない。そのため、一応必要な身構えだけはしておくべきだろう」と訴えている。２０２２年2月24日に始まったロシア軍のウクライナ軍事侵攻を目の当たりにして、岩野氏の歴史認識の確かさを改めて感じた。

私は「まえがき」で、セバスチャン・ハフナーが『ヒトラーとは何か』の中で「制度としての戦争を廃絶する唯一の方法は世界国家であろう。そして世界国家への道はおそらく世界征服戦争に成功する以外にないだろう」と書いていることを紹介した。中国の毛沢東主席も毛語録の中で、「戦争、この人類が相互に殺し合うという怪物は、人類社会の発展が、やがて消滅させるであろうし、遠からず消滅させることが出来よう。しかし、それを消滅させる方法はたった一つしかない。それは戦争をもって戦争に反対し、革命戦争をもって反革命戦争に反対し、民族革命戦争をもって民族反革命戦争に反対し、階級的革命戦争をもって階級的反革命戦争に反対することである。人類の社会が階級もなく国家もないところまで進歩したときには、戦争も反革命戦争も革命戦争も、さらに不正義の戦争も正義の戦争もなくなる。これこそ人類の永久平和な時代である。我々が革命戦争の法則を研究するのは、我々があらゆる戦争を消滅させようと念願するからであり、ここが我々共産党員と、あらゆる搾取階級とを区別する境界線である」と述べ、マルクスの階級史観に基づくものではあるが、ハフナーと同じような戦争不可避論を述べている。

世界覇権を目指す米国、中国、ロシアが「制度としての戦争を廃絶する唯一の方法は世界国家であろう」と考えて、戦争を繰り返して引き起こしているのか分からないが、第二次世界大戦が終了した直後から世界各地で戦争が絶え間なく起きている。

日本はマッカーサーの掌の上で非武装中立の国としてスタートした。数十年の国民論争を経て、憲法9条の下でも自衛隊による個別的自衛権行使を可能にする法体制を作ってきた。自衛隊は米軍の保護下にあり、極東での軍事的覇権を狙うアメリカの国益に沿った実力組織として、米国が出す命令に忠実に役割を果たそうとしている。

自民党、立憲民主党、公明党などの日本の主要政党の国会議員の大半は、日本の軍事的な独立よりも現状維持に胡座をかいていたほうが、米国との外交衝突や摩擦も生まないし、自らの利益も害さない、と考えているようだ。「自分の国は自分で守る」という独立自存の精神を忘却している。外務省は、日本は米国の軍事的属国状態のままでも平和を享受できていることに価値を見出そうとしている。日米安保体制からの脱却は「左翼のイデオロギー」と勘違いしている人が多い。岩野氏の掲げるレーザー光兵器で宇宙から日本を攻撃するあらゆる飛翔体（戦術核、戦略核を含むミサイル）を撃破することを基本とした日本独自の防衛体制の完成のためには、米軍の介入を許してはならないからだ。壮大な事業を達成するためには大きな困難が付きまとうことは間違いない。しかし、この険しい道を国民が協同で取り組むことで、戦後失われた日本人の共同体意識や連帯感、民族としての自尊心を取り戻すことが出来るかもしれない。

▽安保条約の廃棄を通告する政権を作ることが最大の政治課題

超大国米国の軍事力による世界制覇という野心を穏な形で終わらせることが出来るのは、日本が日米安保条約10条に基づいて、安保条約の廃棄を通告すれば良い話なのかもしれない。米国は重要な前方展開戦略の拠点を失い、軍事力を背景とした世界戦略の転換を余儀なくされるだろう。

恐らく、現在、日本に展開されている米軍基地、本土と沖縄あわせて90箇所、横田、横須賀、座間、嘉手納、三沢、佐世保などの有力な基地を失った米国は、代替地を見つけることは難しい。さらに、米軍人に対する日本の財政支援を失うことも痛手だ。

北朝鮮を増長させる、と懸念する人もいるが、北朝鮮は世界の最貧国の一つであり、戦争を仕掛ける能力は保持しているが、継戦能力はゼロに等しい。自ら戦争を起こすことはない、と見るほうが自然だ。

北朝鮮の核・ミサイル開発問題を解決するためにはロシアの力が必要だ。次の世界秩序づくりにはロシアの存在は大きい。日本はロシアとうまくやらないと平和も安全も経済もうまく回らない、と認識すべきなのだ。

亀井久興氏によると、ロシアと北朝鮮の関係は緊密で、それは中国以上のものがある。ロシアにとって北朝鮮が消滅することは政治的にも経済的にも安全保障面でもプラスではない。北朝鮮は朝鮮戦争では中国の軍事力に助けられたが、最終的にロシアによって守られていることを認識している。ロシアの忠告を聞かざるを得ない。日米安保条約を廃棄する政権を作るのは、国民一人ひとりの勇気と覚悟が必要であり、それは既成政党の枠組みを壊すような国民運動が原動力となる。

第5章　世界最終戦争の勝者

秘密結社イルミナティは1ドル紙幣の裏に「ＯＮＥ」と書き、世界を一つの政府、一つの中央銀行、一つの通貨とする新世界秩序（New World Order）を米国の軍事力とドルの力でつくる、との考えを打ち出している。米国は建国当初からイルミナティ勢力が浸透し、自由や博愛の精神を掲げて政治システムとして民主主義を、経済体制としては資本主義を取り入れた。基本的人権の保障の中で最大限に保障されているのが私有財産権であり、かつての左翼はこの民主主義を「ブルジョア民主主義」と批判していた。それ故、最大の受益者は富豪とブルジョアジー（市民階級）だった。イルミナティは大統領制という一つの権力のコントロール・システムを最も上手に利用して、ブルジョアジーに利益を吸い上げさせ、社会主義を嫌悪するイデオロギーをまき散らすことで、労働者の利益を代弁する政党を作らせないようにしてきた。

ソ連崩壊後、イルミナティ配下の政治家、官僚、学者、マスメディアが繰り出す新自由主義、グローバリズムのイデオロギーは強烈であり、これに加えて２０２０年秋の米大統領選に向けて、新型コロナウイルスという一種の細菌兵器を使っての洗脳工作に米国民はいとも簡単に引っかかったように見える。

イルミナティは、２０３０年までに彼らが支配する世界政府の下で地球の資源管理と人口削減を柱とする世界統制計画を実現する方針で準備を進めてきた。２０２０年12月「グレート・リセット」を合言葉にそのスピードを加速させた。

１　国際機関とマスメディアを使って洗脳工作

▽「グレート・リセット」にバイオテロを利用

２０２０年12月14日は人類史上特別な日として記録される可能性が大きい。米大統領選の全５３８人の選挙人からなる選挙人団が同日、各州で投票を行い、民主党候補のバイデン前副大統領が25州とコロンビア特別区で勝者と認証され、過半数の２７０票を上回る３０６票を獲得、トランプ大統領が「不正選挙だ」と批判して選挙結果を覆そうとしても不可能になった日である。同じ日に全米各州で米ファイザーが独ビオンテックと共同開発した新型コロナウイルスワクチンの接種が始まった。

米国政府はアメリカ国民の政府ではなく、国際金融資本家と欧州の王族が作る秘密結社イルミナティが操る高度な政治組織である。トランプ大統領はその中のロックフェラー家など米国を代表する超富豪のインサイダー・グループの配下である高級官僚と裁判官を「deep state」（影の政府）と呼び、民主党のジョー・バイデン（1942〜）は「ディープステートの傀儡だ」と批判している。

アメリカには潜在的に反ユダヤ勢力が多くいる。彼らにはＷＡＳＰ（White Anglo-Saxon Protestant の略。アングロサクソン系白人プロテスタント教徒。米国移民時代初期の子孫たち）主導のアメリカを取り戻したいという欲求がある。しかし、米国内におけるユダヤ・フリーメーソンの影響力は、トランプ大統領を支える人たちの力よりはるかに強いように見える。恐らく米国のユダヤ勢力にとって、トランプなどユダヤの敵ではないのだろう。トランプは大統領在任中、イスラエル駐在の米大使館をテルアビブから首都イェルサレムに移したり、ゴラン高原をイスラエルの領土と承認したりして、イスラエルに最大限配慮した外交政策を展開し、国内外のユダヤ人のご機嫌をうかがっていた。娘婿のクシュナーは厳格なユダヤ教徒の宗派ハバットに属している。

イルミナティは世界統一政府をつくる最終段階に入っていることから、使い勝手が良いバイデンを2020年11月3日の米大統領選挙で当選させるため画策した。新型コロナの流行を口実として大幅に導入された郵送投票制度は、動きの良い民主党運動員が有権者の自宅を戸別訪問して投票先を誘導することが可能となることから、不正選挙の温床になると見られていた。投票結果を見て、トランプだけではなく共和党支持者の誰もが、パンデミックはバイデンを当選させるために計画されたものであることが分かった。

バイデン大統領は就任当初から国民にワクチン接種を義務化し、新型コロナウイルスとこれに対応したワクチン接種の副作用で死亡する人が多く発生するいわば「バイオテロ」で、米国民の死者数を増加させた。2022年11月6日午後5時現在、感染者数9773万4261人、死者107万2582人。因みに欧州医薬品庁（EMA）が検証したEudraVigilanceによると、2023年2月25日の時点で、EMA認可の実験用注射剤COVID-19の注射による死亡事故は5万663件、負傷事故は531万5063件の報告がある。

その一方で、バイデン政権内に陣取った軍事拡張主義と侵略で世界制覇を狙うことを信条とする

「ネオコン」勢力は、オバマ大統領時代に仕掛けたウクライナでのロシアとの戦争計画を稼働させた。

▽21世紀もイルミナティは金融操作で世界支配狙う

イルミナティはフリーメーソン団の最高階層にある人たちで構成されている、と言われる。1776年の創設以来、それは、一つの策略としての「国際主義」（グローバリズム）を使って、人類の奴隷化を追求してきた。イルミナティは現在、ロンドンのシティを拠点にしており、世界各国の中央銀行を事実上牛耳るロスチャイルド家や米国のロックフェラー家、モルガン家などの13ファミリーから構成されていると言われている。

イルミナティのトップは恐らくロスチャイルド家。ロスチャイルド・ファミリーの宗家であるマイヤー・アムシェル・ロスチャイルド（ドイツ語ではロートシルト）はジェイコブ・シフやポール・ウォーバーグ（1868～1932）、オットー・カーンと同じフランクフルト出身のアシュケナージ・ユダヤ人。ロスチャイルド家は子飼いのウォーバーグとジェイコブ・シフを米国に派遣して、ジェイコブ・シフがソロモン・ロエブの姉と、妹のニーナ・J・ローブがウォーバーグと結婚している。二人はソロモン・ロエブが作ったクーン・ロエブ商会を使って鉄道資本家のハリマンを鉄道王に、石油資本家のロックフェラーや金融業のモルガンを大銀行家として育てた。ロックフェラー家の金融資産はいまだにクーン・ロエブ商会が握っている、と言われている。ポール・ウォーバーグは米国の中央銀行制度を提唱し、連邦準備制度理事会（ＦＲＢ）の事実上の生みの親であり、初代副議長を務めている。

戦争を一種の公共事業と考えているサウスカロライナ州カムデン出身のユダヤ系アメリカ人、バーナード・バルーク（1870～1965）は、ウィルソン、ハーディング、クーリッジ、フーバー、ルーズベルト、トルーマンの6代にわたる米大統領補佐官として仕えた。彼の裏にいた権力者もロスチャイルド家。バーナード・バルークは米国の原子力委員会の初代委員長。広島、長崎への原爆投下もバルークのアイディア、と言われる。１９２９年の大恐慌の時、軍需産業の株を買い占め、第一次世界大戦、第二次世界大戦で大儲けした相場師でもある。

▽ロスチャイルド家の実権は英国のジェイコブ・ロスチャイルド

ロンドンのロスチャイルド家の創始者、ネイサン・メイアー・ロスチャイルド（1777～1836）は、ドイツ出身のイギリスの銀行家。欧州最大の財閥、ロートシルト家の基礎を築いた金融業、マイヤー・アムシェル・ロートシルト（1744～1812）の三男として神聖ローマ帝国（現ドイツ）自由都市のフランクフルト・アム・マインで生まれ、１７９８年、21歳のとき繊維業の中心地であるイギリス・マンチェスターへ移住した。

ネイサン・ロスチャイルドの息子が第2代ロスチャイルド男爵ライオネル・ウォルター・ロスチャイルド（1868～1937）。その子供が第3代ロスチャイルド男爵ナサニエル・メイヤー・ヴィクター・ロスチャイルド（1910～1990）、その後は第4代ロスチャイルド男爵ナサニエル・チャールズ・ジェイコブ・ロスチャイルド（1936～2024）が実権を握っていた。

ユーロを作ることを決めたビルダーバーグ会議の議長、オランダのベルンハルト殿下も、イルミナティの構成員と言われている。ビルダーバーグ会議はヨーロッパの王室、貴族が構成メンバー。同会議もロスチャイルド家が牛耳っている、と言われている。ロスチャイルド家は第二次世界大戦後、前面に出ないでイルミナティの秘密の会議で重要事項を決めている。

ロンドンのロスチャイルド家はかつて南アフリカのダイヤモンド採掘会社、デ・ビアスの創業者、セシル・ローズと組んでローズ・スカラシップをつくり、英連邦の優秀な若者をオックスフォード大学に留学させた。ビル・クリントン、後にローズ資金を見習ってフルブライト・スカラシップを作ったフルブライト、米外交問題評議会（CFR）会長のリチャード・ハース、バイデン大統領の国家安全保障問題担当補佐官ジェイコブ・ジェレマイア・サリバン（1976〜）らもローズ資金で留学している。

ロンドンのロスチャイルド家が英国を再び英連邦のトップにしようと考えてはいない。国際決済通貨としてのドルの価値を維持させようと考えているように思えるが、ナサニエル・チャールズ・ジェイコブ・ロスチャイルドが保守党のジョンソン首相にEUを離脱させ、デジタル通貨の「貨幣高権」（seigniorage）をめぐる戦いで主導権を取ろうとしたのではないかとの見方がある。

イルミナティを構成するメンバーである欧米の金融資本家（ニューヨークのゴールドマン・サックス、ロックフェラー、リーマン、クーン・ロエブ、パリとロンドンのロスチャイルド家、ハンブルグのウォーバーグ家、パリのラザード家、ローマのイスラエル・モーゼス・セイフ家。彼らはフィアット通貨＝不換通貨を扱う国際銀行家である。ロックフェラー家をはじめとするアメリカの実業家・金融業者は、ロンドン・マネー・パワーのエージェントにすぎないとの見方がある）とヨーロッパの王族や貴族は互いの結婚を通じて結束を強め、マネー追求と人類の奴隷化、世界人口の削減を狙う世界最強の〝陰謀集団〟であることは、欧米では一般の市民が知っている。

米民間調査会社ベネンソン・ストラテジー・グループが2020年10月27～30日、有権者登録をした1000人を対象に、「連邦政府は秘密結社が掌握している」かどうかについて聞いた。共和党支持者の53％、民主党支持者の37％、無党派の41％が「連邦政府は秘密結社に操られている」と答えた。

ただイルミナティのインサイダーが内情を暴露することがないため、第3章で一部紹介したマネー・マジックの真実は闇の中だ。通貨発行権を持った者たちが、マネーの本質は借金であることを金融業者に教え、マネーを国政と国民の生活の必須ツールに仕立て上げている。イルミナティは各国の政府と国民に借金を負わせ、無駄遣いをさせることに知恵を絞っている。軍事費、箱物公共投資、偽医療、住宅ローン。ロシア・ウクライナ戦争はマネー・マジックの象徴的な事象ともいえる。税金は自国の通貨で支払わせることで、フィアット通貨＝虚偽マネーに価値が生まれる。

▽「私に一国の通貨発行権と管理権を与えよ」との密教の信者たち

19世紀前半にシティのロスチャイルド家ら銀行家たちがイギリスで信用の独占権を手に入れたとき、国際金融資本家の国家支配、世界支配の野望が始まったと言っていいだろう。

ロンドンに本拠を置く銀行カルテルは、文字通り地球を食い尽くし、すべてを所有するまで満足せず、肉体的にはともかく精神的、霊的に人類を奴隷化することを狙っているとの見方が拡散されている。これが新世界新序（NWO）だ。

最近の国連の調査によると、世界の人口の2％が世界の50％の富を所有しているのに対し、半数はわずか1％の富しか所有していないという。言うまでもなく、2％の富裕層は主にロンドンの銀行家とその仲間たち、マンハッタン島に米支配の城郭を築く60家族の富豪である。彼らは「世界政府」を目指して「グレート・リセット」のアジェンダを発信している。しかし、世界の目覚めた市民は、そのアジェンダを〝世界最大の組織犯罪シンジケート〟の謀略に違いない、と思い始めている。

ユダヤ金融資本家は世界の信用経済の中で独占的な地位を確保するために、欧米諸国の政府を民主主義の手続きを経ながら操縦し、自分たちが株主のFRB（連邦準備制度理事会）が生み出す米国ドルを国際決済通貨として管理することで世界を自家薬籠中のものにする、つまり、世界を思い通りにコントロールできると考えている。ロスチャイルド・ファミリーの宗家であるマイヤー・アムシェル・ロートシルトは「私に一国の通貨発行権と管理権を与えよ。そうすれば、誰が法律を作ろうと、そんなことはどうでも良い」とうそぶいたと伝えられているが、イルミナティは21世紀に至ってもこの〝密教〟を信仰している。

▽パンデミックとワクチン接種を推進

イルミナティは世界征服戦争の手段として、通常兵器による「熱戦」だけではなくCOVID-19の「パンデミック」騒動に乗じて、「すべての人の安全を守る」という大義名分の下、世界の人々を自分たちのあらゆる命令に盲目的に従わせるため、彼らの支配下にある世界保健機関（WHO）とマスメディアを使って「ワクチン接種」をグローバルに進めた。パンデミックを終息させるには「ワクチン接種」しかない、との洗脳工作も活発に行った。

２０２０年12月から欧米の政府が接種を認めた実験的なファイザー社やモデルナ社のｍＲＮＡワクチンは、ワクチン関連の死傷者数を際限なく増加させた。２０２２年に入ると、オランダ、ドイツ、スペイン、ポルトガル、英国などで、通常ではあり得ない率での超過死亡率の増加が見られている。良心的な医者や研究者がｍＲＮＡワクチンは「殺人ワクチン」だとし、これを強制的に接種させた政府や医療機関に対して「人類に対する犯罪だ」（国家によって一般の国民に対してなされた謀殺、絶滅を目的とした大量殺人、非人道的行為と規定される犯罪概念）と公然と批判の声を上げ始めた。

「ワクチン」注射は、ｍＲＮＡによる人口削減の生物兵器であり、中絶、死産、不妊、死亡を広範囲に引き起こしていることが世界中で明らかになってきている。２０２２年11月16日、世界最大の資産運用会社であるブラックロック社の元ポートフォリオマネージャー兼アナリストであり、『爆発的な突然死の流行』の著者エド・ダウド氏によると、ワクチン接種後の過剰死亡率は人口全体で約32％であり、毎日２４００人以上のアメリカ人がｍＲＮＡ注射のために余分に死亡している。通常毎日死んでいる７７００人余りに加えて、今アメリカでは毎日１万人余りが死んでいることになる、と訴えた。

▽プーチン大統領がグレート・リセットに「待った」

イルミナティが計画し、演出し、あるいは積極的に追求している世界各地での戦争と、十数年前から計画した「ウイルス」をめぐる謀略に基づく物理的・心理的戦争において、米国は言わば「侵略の蛇の頭」になっている。にもかかわらず、米国政府は世界の「指導者」の役割を自認している。それ故、米国の力を否定することによってこの怪物を止めることは、世界支配の構造についての普通の市民の見方を変えるきっかけとなるだろう。

ロシアのプーチン大統領は「グレート・リセット」の推進部隊の主役を演じている米国のグローバリスト、バイデン政権に猛然と食って掛かった。プーチン氏は「グローバリゼーションとは、国民国家を米国の民主主義理念、価値観に合うように破壊し、最終的にアメリカニゼーションが達成されるようにすることである」「バイデン政権はウクライナのゼレンスキー政権を焚きつけてロシアを軍事、経済、社会体制などあらゆるレベルで弱体化させようとしている」と批判。ロシア元大統領のメドベージェフ氏は2022年8月24日、ロシア西部ニジェゴロド州内の軍事演習場を視察した際、SNSで、ウクライナにNATOの基地や部隊が置かれて「常軌を逸した司令官がロシアを、クリミアを攻撃するようなことは容認できない」「それを予防するために（2022年2月24日の）先制攻撃を決めた」と明快に言い放った。

バイデン政権はトロツキストの「ネオコン」が主導している。ロシアにしてみれば「ネオコン」勢力に乗っ取られたウクライナのゼレンスキー政権というバイデン大統領にとって有益な愚者をそのまま放置すれば、ロシア侵略への前線基地になりかねない、と先手を打ったことで、「侵略者」の汚名を着せられた。「グレート・リセット」を推進するイルミナティにとって、プーチンはいかなる手段を使ってでも排除しなければならない〝障害物〟であった。

▽ウクライナ侵攻はロシアの主権と領土を守る闘い、とロシア国民も支持

プーチンがウクライナへの特殊軍事作戦で勝利を収めれば、「バイオテロ」や「My Carbon」というタイトルで、市民へのCO_2固定規制などによるグレート・リセット実行のための道具立てをそろえたイルミナティによる世界支配の謀略を終わらせることが出来る、とまで考えていたとは思わない。ただイルミナティの実行部隊が権力を握る米国の支配下に入ることを拒否したかったのだ。

プーチンのウクライナ侵攻作戦は、全土の占領が目的ではなく、①命の危険にさらされているドンバス地方に住むロシア系住民の保護、②生物兵器研究所の破壊、③軍事施設の破壊、④ネオナチのアゾフ連隊の壊滅、⑤ウクライナの中立化――であり、併せてクリミア半島のロシア領土への編入の承認も求めるという愛国主義、ナショナリズム（民族主義）の発露であった。

特殊軍事作戦は、ロシア民族の同胞でもあるウクライナ人の殺傷を意味することから、プーチンは核兵器の使用をちらつかせながらも、陸軍の戦車部隊主体による占領地拡大という古典的な戦いぶりを実施した。ロシア軍側の戦死者を増大させたが、8割以上のロシア国民はロシアの主権と独立、価値観を守る闘いだ、とするプーチン大統領の政略を支持した。1812年にナポレオンに侵略され、1941年にはナチス・ドイツに国土を深く侵攻されながらも、戦い抜き勝利した歴史を持つロシア国民の戦争に対する意識の高さと意志の力を、プーチンは引き出すことに成功した。

プーチンは、米国とNATOの黒幕、イルミナティが西側のマスメディアを使ってロシアや中国を悪魔視し、第三次世界大戦に引きずり込むために可能なことは何でも行う、と予測していたように思える。何故ならば、ユーラシア大陸を支配し、それを所有することが「イルミナティ帝国」の究極の

目標であるからだ。バイデン政権がウクライナに対する軍事支援に躍起なのは、戦争を厭わないウクライナ国民を使ってロシアを弱体化させてから米軍とＮＡＴＯ軍がロシアに襲い掛かれば、ロシアを打ち負かすことが出来る、と踏んだからだろう。

▽プーチン大統領、ウクライナ東・南部４州併合を強行

プーチンの誤算は15万のロシア軍がウクライナを粛々と進行すれば、ウクライナの民衆が歓迎してくれる、と思っていたことだ。ところがウクライナには20万人の兵士がいて欧米から提供された最新兵器を使ってロシアの補給線の脆弱な場所をたたき、北東部でロシア軍を追い返し、ハルキウ市周辺だけで８０００平方キロメートルを奪還した。南部ヘルソン州でもロシア軍が州都ヘルソンからの撤退を余儀なくされる、という無様な展開を露呈させた。

戦況の打開を図るためプーチン大統領は２０２２年9月21日、国営テレビを通じて演説を行い、ロシアで部分的な動員を実施するための大統領令に署名したと述べた。対象はロシア軍の予備役で、動員の措置は同日から導入されるとした。

プーチン大統領はウクライナ東部と南部で23日から実施したロシア編入に向けた住民投票について、「ザポリージャ州やヘルソン州などの住民が自分たちの未来について決めたことを、私たちは支持します」と述べた。

ウクライナ東部の親ロシア派勢力の「ルガンスク人民共和国」と「ドネツク人民共和国」に加え、南部ヘルソン州、南部ザポリージャ州のロシア軍占領地域でロシアへの編入の是非を問う住民投票が

実施された。

ウクライナ東部と南部の計4州のロシア支配地域で、親ロシア派が「住民投票」を強行した結果、親ロ派は、各州で87〜99％がロシア編入を支持したと発表した。

プーチン大統領は9月30日夜、ウクライナ東・南部4州併合を強行後、モスクワの「赤の広場」で祝賀コンサートとして開かれた「集会」に登壇した。動員された群衆に向かって「歴史的な日」「真実と正義の日」と自賛。現地で戦う兵士をたたえた上で、会場から届くように「ウラー（万歳）」と叫ぶよう提案し、3回唱和した。

スピーチでは「ロシアがウクライナをつくった」という歴史観を披露。ロシア帝国の後にソ連が成立し、1991年のソ連崩壊を機にウクライナ国家が生まれたという理屈だ。プーチン大統領は、ソ連崩壊時にロシア系住民が多く住む4州の民意は問われなかったが「今になってロシアが選択の機会を提供した」「住民は歴史的な祖国であるロシア（帝国）と一緒にいることを選択した」と述べ、国際社会から偽物と批判される「住民投票」の正当性を訴えた。

ロシアの議会下院は10月3日、プーチン大統領がウクライナ東部と南部の4つの州の親ロシア派トップらと調印した併合に関する「条約」を批准、関連法案についても審議を行い承認した。プーチン氏が5日、ウクライナ東部と南部の4州の併合に関する法案などの文書に署名、4州併合に関するロシア国内の法的手続きはすべて完了した。

ロシアメディアによると、「条約」や関連法案では、東部のドネツク州とルハンスク州はそれぞれ「人民共和国」となり、南部のヘルソン州とザポリージャ州はそのまま「州」になる、とされている。

また、①併合する地域の親ロシア派の部隊をロシア軍に統合する、②ウクライナの通貨を年内で廃止しロシアの通貨ルーブルに完全に切り替える――などとしている。ロシア議会上院は4日、「併合条約」と法案を批准、併合文書は大統領府に送付され、プーチン大統領の署名をもって手続きが完了した。

プーチン大統領は9月21日の演説の中で、「さまざまな破壊手段」があると述べ、核兵器を使用する可能性を示唆した。ロシアが保有する兵器の一部は北大西洋条約機構（NATO）よりも進んでいると改めて強調。「領土の一体性が脅かされた場合は当然、国家と国民を守るために使える手段をすべて行使する」「はったりではない」と述べた。「核の選択肢があるのに、プーチンが通常兵器の軍事的敗北を受け入れるとは考えにくい」との見方が一般的だが、ロシアに編入した4州の防衛のために、ロシアが独自に開発したEMP（高高度核爆発）などを使用するかどうかが注目された。

▽プーチン大統領「西側支配の時代は過ぎ去りつつある」と主張

プーチン大統領は2022年10月27日、有識者会議「ヴァルダイ国際討論クラブ」で演説し、世界における西側支配の時代は過ぎ去りつつあると述べ、この先は第二次世界大戦以来、最も重要で危険な10年となるだろうと指摘した。プーチン氏は「ロシアは西側に抵抗してはおらず、新たな多極世界における覇権を主張していない」と強調した上で、西側の「新植民地主義的」なグローバリゼーションと真の統合を対比し、「人間文明の交響曲をつくる」よう呼びかけた。

プーチン大統領は、新秩序は法と権利に基づき、自由かつ公正でなければならないと述べた。また国際貿易は個々の企業ではなく、多数派に利益をもたらすべきであり、技術発展は不平等を拡大するのではなく、縮小するものであるべきだと指摘した。

ロシアは、イルミナティの目指す新世界秩序（ＮＷＯ）に抵抗する勢力としてほぼ独力で戦っている、と言って過言でない。プーチンは自らの信念でこの道を選択した。１９９１年のソ連の崩壊後、ロシアは政治、経済、社会が混乱したが、90年代後半にプーチンがそれを止めた。しかし、ロシアは米国の一極支配の下に存在していた。欧州の主要国であるドイツは、安価なロシアの資源に基づいて国を繁栄させたが、ロシアからの燃料へのアクセスを失ったことで、立ち往生している。冷戦に敗れた国ロシアは、自国を救うために米国や英国などの古い敵との対立に再び入ることを余儀なくされた。

▽メルケル前独首相が「ミンスク合意はウクライナへの時間稼ぎ」

ドイツのアンゲラ・メルケル前首相は、２０２２年12月7日付ドイツの週刊新聞「ディー・ツァイト」のインタビューで、２０１４年と２０１５年の「ミンスク合意」について、「２０１４年のミンスク合意は、ウクライナに時間を与えるための試みだった。ウクライナもこの時間を利用して、ご覧のように、強くなった。２０１４年から２０１５年のウクライナは、現在のウクライナではない」と述べた。

メルケル氏は、「ミンスク合意」の参加者すべてがウクライナ紛争は一時的に停止しただけであり、問題そのものは解決されていないことを理解していたと指摘した。同氏はまた、ミンスク合意が発効していた間にＮＡＴＯの加盟国が現在と同じようにウクライナを支援していた可能性があるとの見方を示したことが報じられた。メルケル氏に対する批判が沸き起こる一方、ロシア外務省報道官マリア・ザハロワは「アンゲラ・メルケルの自白は、法廷での調査に使用される可能性がある」と述べた。つまり国際法違反だからだ、と言うのだ。

12月25日、ロシアの国営テレビのインタビューで、プーチン大統領はロシアのウクライナ侵攻について、ウクライナや同国を支援する米欧と「結論を妥結する用意ができている」と述べた。プーチン氏は、ウクライナとの停戦交渉や、ウクライナへの軍事侵攻に先立ってＮＡＴＯに提案した相互安全保障体制の確立について「ロシアには全ての当事者と交渉する用意がある」と言い、「彼らが交渉を拒否している」と主張した。

プーチン大統領は22日の記者会見でも「全ての紛争は交渉で終わる。彼らがこの認識に達するのが早ければ早いほどよい」と指摘した。しかし、ロシアはこれまで、一方的に併合を宣言したウクライナ４州の「帰属変更」や、ウクライナの「非軍事化」などをウクライナが受け入れることが停戦の前提だと主張している。その立場を変えない限り、ウクライナ側は応じる可能性がなかった。

▽ウクライナ戦争は米軍需産業にとって良い商売

米ジャーナリスト、ジョナサン・ガイヤーは２０２２年12月22日、米国のデジタルメディア「ＶＯＸ」で、バイデン政権がウクライナへ１９３億ドルの米国安全保障支援を決めたことについて次のように説明している。

「それは米軍需企業にとっても良い商売だった。最大勝者の中にはロッキード・マーティン、レイセオンそしてノースロップグラマンがいる。ロシア侵略以来各社の株は上昇し、ロッキードは今年約38%上昇した。アメリカがウクライナに送っている兵器を補充するため軍需企業は生産を加速している。たとえばジャベリン・ミサイルはウクライナでミームになっている。それは非常に需要があるのでロッキードは年間2100基から4000基製造する。バイデン政権は迅速にアメリカの在庫から高性能武器を調達し、それをウクライナに送ってから、それを補充するため、いわゆる緊急時大統領在庫引き出し権限を利用してきた。」

「ロッキードはロシア空爆下でウクライナの都市を保護するハイテク防衛システムも製造している。ウクライナはロッキードの高機動ロケット砲システム（HIMARS）が欲しいとワシントンに訴えている。アメリカはこのミサイル防衛システムを20式ウクライナへ送り、更に18式生産しているが、ディフェンス・ニュースによると約11億ドル費用がかかる。ロッキードもウクライナに送られた別の精密ミサイルシステムを製造している。先月米軍はウクライナに送られた物資を補充するため、ロッキードと5億2100万ドルの契約をした。」

▽軍事侵攻の新たな総司令官にゲラシモフ参謀総長を任命

ロシアのウクライナ侵攻は2022年の冬というロシア軍にとって都合の良い気象条件を織り込んだものになった。ロシアは晩秋から冬にかけて攻勢をかけ、大きな戦果を挙げることを目論んでいる。ある識者は「戦力生成の弧（ロシアの戦力蓄積の増大とウクライナの戦力低下の両方）が、寒冷化の接近と重なる」と説く。

第二次世界大戦でもソ連軍は1941年のモスクワ総攻撃に始まり、42年のスターリングラードでのドイツ第6軍を壊滅、43～44年の冬期からの2度の大規模攻勢に成功、冬の戦いに強い。西欧諸国へのロシアの天然ガス供給が止まったことから、暖房の節約を余儀なくされる欧州の国民に忍耐を強いることになり、図らずも彼らにこの戦争の本質を考えさせる機会となった。

冬にかけて両陣営の動きは鈍っているが、ロシアのショイグ国防相は2023年1月11日、軍事侵攻の新たな総司令官にゲラシモフ参謀総長を任命した。軍の制服組トップが自ら侵攻の指揮を執ることになった。前年10月から総司令官だったスロビキン氏は副司令官になるとともに、別の2人も副司令官に任命された。ゲラシモフ参謀総長はドネツク州全域の掌握に的を絞って攻勢をかけた。

▽約50カ国が参加するウクライナ支援会議開催

2023年1月20日には、ドイツのラムシュタイン米空軍基地で、約50カ国が参加するウクライナ支援会議が開かれた
ウクライナ軍が春からの大攻勢をかけるため、ドイツ政府は1月25日に声明を発表し、ウクライナに対してドイツ製の戦車「レオパルト2」の2個大隊を速やかに編成することを目標にしていて、その第1段階としてまず、ドイツ軍から14両をウクライナに供与するとした。3月27日、ウクライナに18両のレオパルト2が引き渡された。
ドイツのピストリウス国防相は、レオパルト2が「前線で決定的な働きをすると確信している」と

表明。マルダー歩兵戦闘車40両も引き渡したことを明らかにした。レオパルト2は、ドイツからの18両を含めカナダ、スペインなどから計約70両が送られる見通し。ポーランドから14両が既に届いている。

ウクライナは英国からも主力戦車チャレンジャー2などを受け取った。米国は主力戦車M1エイブラムス31両を送る計画。ドイツは旧式戦車のレオパルト1を改修し、少なくとも100両を提供する。

欧米諸国は計215両の大戦車軍団を送ることになったが、矢野義昭拓殖大学客員教授（元陸将補）は「ロシア軍は年間約250両の戦車生産能力を持っているが、それ以外に油漬けにして保管している戦車約1万両の中から、『T-72』をエンジン、装甲、射撃統制装置などを改良して新型にし、年間約600両を生産可能とみられている」とロシア軍の方が圧倒的だと分析した。

なお、1月20日のウクライナ支援会議では、米軍のミリー統合参謀本部議長が「軍事的な観点から言えば、今年中にウクライナ内の隅々の占領地からロシア軍を駆逐するのは極めて困難と判断している」と述べ、外交交渉での解決を求めた。

NATOが指揮している「ウクライナ軍」戦力の40％が、欧米系の義勇軍であり、アゾフ連隊は既に壊滅している。残りの強制徴兵された兵士たちは、武器を扱ったこともない少年兵や老年兵である。「ウクライナ軍」の主力は、英米の特殊部隊、ポーランド人、ルーマニア人がウクライナ軍の軍服を着て戦っているのだ。

▽プーチン大統領、ベラルーシへの戦術核配備

プーチン大統領は2023年3月25日、露国営テレビのインタビューで、米欧のウクライナ支援が「レッドライン（越えてはならない一線）」を踏み越えていると主張し、ベラルーシへの核配備を表明した。ロシアがベラルーシに戦術核兵器配備を決めたことで、国連は「核兵器が使用されるリスクは冷戦以降いつにも増して高まっている」と警告した。

ロシアはウクライナへの軍事侵攻で核兵器を使用するタイミングは幾度かあったが、プーチン大統領は特別軍事作戦という言わば「内政問題での警察権行使」に核兵器を使うのは「ロシアの核抑止戦略」に当たらないと判断したのだろう。ロシアが戦場で戦術核兵器を行使したとき、対抗措置としてベラルーシを核攻撃する計画が米国にあることから、ベラルーシに戦術核を配備することで、ロシアの核抑止力は一層強化されたものとみられる。ベラルーシへの戦術核兵器の配備は核戦争の脅威を高める原因にはなっていない。

▽ロシア国防省がバフムト制圧を発表

ロシア国防省は2023年5月21日、ウクライナ東部の激戦地バフムトについて、「ロシア軍の支援を受けたワグネルの攻撃で、解放が完了した」と発表した。これに先立ちロシアの民間軍事会社「ワグネル」の創設者、プリゴジン氏（ユダヤ人のオリガルヒ）も廃墟の街の中でロシア国旗を掲げる映像をSNSに投稿し、バフムトの完全制圧を主張している。

2014年2月22日、キエフでマイダン・クーデターが発生したとき、バフムト、当時のアルチョ

モフスクの住民の大半はヴィクトル・ヤヌコビッチ大統領の支持者だった。２０１６年以降、アルチョモフスク市ではウクライナ国家警備隊、ウクライナ特殊作戦部隊と親ロシア民兵との間で武力衝突が起き、東部ドンバスの戦いを象徴する血なまぐさい戦闘が繰り広げられていた。

▽ゼレンスキー大統領が先進７カ国首脳会議に出席

Ｇ７広島サミットが２０２３年５月19日から21日まで開催され、ウクライナのゼレンスキー大統領が20日午後広島空港に到着、21日、先進７カ国首脳会議に出席した。

バイデン米大統領は21日、ゼレンスキー氏と会談し、新たに３億７５００万ドル（約５１７億円）相当の弾薬や装備品をウクライナに供与すると表明。ゼレンスキー氏が求めていた米国製Ｆ−16戦闘機の欧州各国からの供与を容認し、ウクライナ軍パイロットの訓練を支援する方針も直接伝えた。新たな軍事支援は、高機動ロケット砲システム（ＨＩＭＡＲＳ）用の砲弾、１５５ミリ砲弾、対戦車ミサイル「ジャベリン」などで、米軍の在庫から拠出される。Ｇ７は、結束してウクライナ勝利まで支援し続けることを言明した。

ゼレンスキー氏は21日夜、広島市内で記者会見、「一部でも占領された地域をそのまま残せば、国際法が無効となる」と述べ、ロシアが一方的に併合を決めたウクライナ東・南部やクリミア半島の奪還が不可欠だと訴えた。

Ｇ７は核軍縮に関する首脳声明「広島ビジョン」を発表。ロシアによる核威嚇と使用は許されないと糾弾する一方、Ｇ７側の核兵器は、防衛目的のための役割を果たし、侵略を抑止し、戦争や威圧を防止するとの理解に基づいている「核抑止力論」を評価し、被爆者を嘲弄する内容だった。

▽「ウクライナが大規模な反転攻勢開始」とロシア側が発表

戦争当時国の大統領であるゼレンスキーが母国を離れ広島まで来て、ウクライナ兵士が最後の一人になるまでロシアと闘うという気概を示したことから、ウクライナ軍の反転大攻勢に世界は固唾を飲んで見守っていた。ウクライナ軍は6月5日、東部バフムト周辺で先端を切ったことを明らした。一方、ロシア国防省は、ウクライナ軍が同月4日朝、東部ドネツク州方面の5カ所で大規模な攻撃を開始したと発表した。ウクライナ側は2つの戦車大隊など合わせて8つの大規模兵力で攻撃をしたが、ロシア軍はレオパルトを含め計28両の戦車と装甲車109両を破壊、ウクライナ側に約1500人の死傷者が出た、としている。

元陸将補の矢野義昭氏は6月8日、「新日本文化チャンネル桜」に出演し、「形成」作戦とも呼ばれる攻撃の結果について分析、この戦闘でウクライナ人の死者3700人、ロシア人の死傷者300人でロシア軍が圧勝している、と語った。ロシア軍は戦車54両、装甲車200両、ヘリ50機を撃破した。

ウクライナは反転攻勢作戦の初陣で総兵力3万5000人の20%を死傷者として消耗させた。3万5000人は英国やドイツなどで訓練を受けたが、一人前の兵士になるためには5年かかるところ訓練期間は半年程度だった。NATOの義勇兵、3万5000人は米国やポーランド、ルーマニア、カナダから参戦した兵士たちで構成されているが、真正面から参戦していない。この段階で米国の主力戦車M1エイブラムス31両、デンマーク・オランダ・ドイツの数十両のレオパルト2、コンソーシアムが提供する１３０両以上のレオパルト１の最新兵器は使用されていない。

ロシアはウクライナの９個旅団のうち７旅団を既に攻撃している。ロシアの正規軍は30万人、民間軍事会社８万人。ウクライナは戦争開始以来、戦死者は30～35万人、負傷者は70万人。計約１００万人が戦力から脱落している。

▽ワグネルの創設者、プリゴジンが〝武装反乱〟

２０２３年６月24日、ワグネルの創設者、エフゲニー・プリゴジン氏が、プーチン政権に反旗を翻してロシア南部ロストフ州に入った。プリゴジンはワグネルの部隊を北上させて南部ボロネジ州を経由し、首都モスクワに「正義の行進」を行う、と主張した。プリゴジンの指揮下にあったワグネル部隊は、展開していたウクライナからロシア領入りし、ロストフ州の州都ロストフナドヌーにある、ウクライナでの軍事作戦を指揮する南部軍管区司令部をほぼ占拠したとみられた。

プーチン大統領は24日のテレビ演説で「武装反乱だ」とこの動きを非難し、ワグネルに対して武器を取った者は処罰される、と警告した。プリゴジン氏がモスクワへの進軍停止と事態の沈静化に同意したため、プーチン大統領は同日、プリゴジン氏を反乱罪に問わない決定を下した。

プリゴジン氏がわずか半日で転換したことに関し、ペスコフ大統領報道官は「流血と内紛、先の見通せない衝突を避けることがより重要な目的だった」と述べている。ベラルーシのルカシェンコ大統領がワグネルとの交渉に乗り出し、落としどころを探ったようだ。プーチン大統領は「武装反乱」だとプリゴジン氏を詰ったが、ベラルーシに出国できるように身の安全を保証したという。

ペスコフ氏によると、モスクワを目指して進軍していたワグネルの部隊は軍事拠点に戻り、蜂起に参加しなかったワグネルの雇い兵に関しては、ロシア軍と契約を交わすのもベラルーシへの出国も「了」とした。

プリゴジン氏の反乱宣言から2カ月となる8月23日、プリゴジン氏の名前が乗客名簿にあるジェット機が、モスクワから北西部のトベリ州で墜落した。ロシアの独立系メディアによると、同機は高度8500mを飛行中、突然墜落したという。墜落原因だが、プーチン政権は「裏切り者」を許さないと言われており、プリゴジン氏が「粛清」された可能性がある。ロシアの連邦捜査委員会は8月27日、墜落したジェット機に搭乗して死亡した10人のDNA鑑定を行った結果、エフゲニー・プリゴジン氏の死亡が確認されたと明らかにした。

▽「NATOが訓練した」ウクライナ旅団の「反撃」では奪還は困難

ロシア軍はウクライナ軍の反転攻勢に対して、ウクライナから奪った領土の前線1000kmに沿ってロシア側に地雷原、塹壕、精鋭部隊を配備した陣営を三重層で固めた防衛線を構築した。ウクライナが領土を奪還するためには10～30kmの幅で三重層に構築された防衛線を突破しなければならない。ウクライナ軍がそれを突破するためにはロシア軍の対戦車ヘリやロシア製の自爆型無人機「ランセット」などを撃破しなければならない。

ウクライナからの反転攻勢の第二弾が始まったが、プーチン大統領は6月22日「ウクライナの攻勢は止まった。ウクライナ軍はこれまでに、戦車234両と装甲車約678両を失った」、7月16日

「ウクライナのロシア軍防衛網を突破しようとする試みはすべて失敗した」と語っている。

矢野義昭氏が8月3日、「JB press」で発表した論文によると、7月26日頃から南部ザポリージャ正面ロボティネ付近のウクライナ軍の攻撃が強まり、ロシア軍主陣地帯前面数キロの警戒陣地に接触するようになったが、ロシア軍の地雷原と火力を連接した陣地帯は堅固で、ウクライナ軍部隊は火力集中地帯に誘致導入され、戦車、装甲車計22両が短時間に殲滅され撃退されたとロシア軍は報告している。

このように、地上戦の帰趨はロシア軍の圧倒的優位で推移している。その最大の原因は、ウクライナ軍は、弾量も火砲数も約10倍と言われる優勢なロシア軍の火力と堅固な陣地帯に阻まれ、攻撃戦力を消耗していることだ。既に、ウクライナ側が地上戦において優位に立ち全土を奪還できる見通しは、ほぼなくなっている。

▽NATO首脳会議、ウクライナの加盟時期を約束せず

2023年7月11日、リトアニアの首都ビリニュスで鳴り物入りで開催されたNATO首脳会議は、ロシアからの侵攻を受けたウクライナの安全保障・防衛部門の再建をめぐり協議をした結果を宣言で発表。ウクライナとNATOは「完全な相互運用性」を確保するための支援策をまとめた。ウクライナ加盟を見据えて軍事面での一体化を進め、ロシアに対抗することにしたが、声明は「2008年のブカレストでの首脳会議における約束を再確認する」としながらも、加盟手続きを短縮することを確認しただけで、時期については「加盟国が同意し条件が整えば、ウクライナを招請する立場にある」

とするにとどめた。先送りというよりは「認められない」と言っているのと同じだ。ロシアの特別軍事作戦開始の理由の一つに応えた形だ。国際政治の冷徹な論理が働いている。

ゼレンスキー大統領は11日、リトアニアの首都ビリニュスで演説。NATO首脳会議が採択した共同声明でウクライナの加盟を巡り具体的な約束がなかった点に触れ、「前代未聞だ。ばかげている」と不満をあらわにした。NATOは北大西洋条約第5条に基づき、加盟国が攻撃を受けるとNATO全体への攻撃とみなす、としていることから、ウクライナが加盟すれば即時参戦につながりかねないため、紛争中の加盟は困難だとの建前論で押し通した。

▽ジョンソン英首相、ロシア、ウクライナ和平合意文書をぶち壊す

今回のウクライナ紛争の推移をみると、米権力を牛耳るネオコンが狙ったのは、ウクライナをNATOに統合し、米軍を駐留させ、モスクワの目と鼻の先に戦術核兵器を配備すれば、ロシアのいかなる動きに対しても、核の威圧をちらつかすことで米国の世界一極支配の基盤が出来ると踏んでいたことが窺える。

プーチンはネオコンの狙いを見抜き、2022年2月24日、ウクライナに特別軍事作戦を開始、同国の軍事施設と兵器を破壊した。ロシアとウクライナは同年3月にトルコで対面の和平交渉を数回開催して、合意に達し、和平合意の文書にサインをした。その合意をぶち壊したのが英国のジョンソン首相のキエフ訪問だ。ウクライナのニュースメディアUkrayinska Pravdaは2022年4月9日、ウクライナ大統領府の関係者の話を引用し、キエフを予告なしに訪問した英国のボリス・ジョンソン

首相による圧力により、ウクライナとロシアの協議が停止したと報じた。ジョンソン氏はロシアの侵略と戦うウクライナへの財政・軍事支援を発表するために、キエフを突然訪問した。ジョンソン氏はゼレンスキー氏との会談で、トルコで行われている会談を継続しないよう求め、「プーチンを倒す必要がある」と主張したという。

米国とネオコンはウクライナに最新兵器を提供することでロシアとの代理戦争を行い、ロシアの弱体化を狙った。ロシアを金融面で締め上げ、天然ガスや石油を世界市場から排除すれば、軍事力も長持ちしないと考えた。ところがロシアの資源を中国、インドやグローバル・サウスが購入し、ロシア経済は持ちこたえた。

▽ダグラス・マクレガー「ロシアはオデッサの特別な地位保障を主張」と予測

ネオコンと国際金融資本家は、ウクライナというロシアのバッファー（緩衝地帯）まで手を広げたことで、核超大国ロシアの虎の尾を踏んだ。「ウクライナを守ることは自由と民主主義を守ることだ」と強調し、ウクライナの軍事支援に血道をあげたバイデン政権は、ウクライナの戦費を賄うため32兆ドル以上の財政赤字を膨れ上がらせたことで米国民からの批判が増大している。

トランプ前大統領に国防長官代行クリストファー・ミラーの上級顧問として雇われた退役米陸軍大佐で軍事戦略理論化のダグラス・マクレガー氏は、2023年6月12日、ユーチューブでウクライナ軍の反転攻勢の失敗後の展開を次のように予測した。

「2023年1月に私はこう説明した。ウクライナで、二つの軍隊の完全な資材は、これまでに破壊された。より小規模な第3軍の資源は今後数カ月内の次回『欧米』機器送付で提供される。ロシアは第1軍と第2軍を破壊したと同様、ウクライナ第3軍を破壊するだろう。『欧米』にウクライナに第4軍分を提供する十分な機材が残っているかどうかは疑わしい。その場合、選択肢は二つしかない。彼らが依然持っている装備の『欧米』軍を送るか、勝利を宣言して撤退するかだ。アメリカやヨーロッパにはウクライナに兵士を派遣する意欲は感じられない。彼らの運命がウクライナ兵士の運命と変わらないのは明らかだ」

「そこで唯一の選択肢として交渉が残る。戦争を止めるためロシアが要求する代償は高いだろうから大いに躊躇があるはずだ。手始めに、ロシアはドニエプル川東全地域の権利を確保し、オデッサの特別な地位の保障を主張するだろうか？　そう思う。オデッサは、もはやウクライナに支配されることはない。またロシアは2014年に労働組合会館に避難した42人のロシア語話者ウクライナ人殺害の犯人逮捕と起訴を要求する（交渉の余地はない）と私は予想している。

またロシアは、ポーランドとルーマニアのNATOイージス・ミサイル・システム解体と、ウクライナと国境を接する国々への米軍やNATO軍の駐留禁止も要求すると予想する。非ナチ化というロシアの目標に照らして、ロシアがウクライナに法律を変更し、ナチス関連政党やシンボルを禁止するよう要求しても驚かない。

全ての歴史的ロシア地域、少なくともレーニンとフルシチョフが何らかの理由でウクライナに与えた地域をロシア支配下に戻すのをロシアは望んでいると私は思う。ロシアに対する全ての制裁解除もロシアは要求するだろう」

▽ワシントン・ポスト「プーチン大統領、支配地域を完全に吸収と確信」

米国の著名なジャーナリスト、シーモア・ハーシュは２０２３年９月、アーカイブで「私が話をしたアメリカ諜報機関関係者は、経歴初期に、ソ連侵略とスパイに対抗して働いて過ごし、プーチンの知性は尊重しているが、ウクライナと戦争し、戦争がもたらす死と破壊を始めた彼の決定を軽蔑している。しかし彼は私に言った。『戦争は終わった。ロシアが勝った。ウクライナ反攻はもうないが、ホワイトハウスとアメリカ・マスコミはウソを言い続けなければならない』」と書き、停戦協議を訴え、次のように述べた。

「同様に、ウクライナでの戦争は民主主義や人権、あるいはロシアの侵略とは何の関係もありません。それは天然ガスの問題です。米国とロシアは少なくとも10年前からウクライナの覇権を争っています。ウクライナはヨーロッパ第2位の天然ガス埋蔵量を誇ります。ロシアはまた、ウクライナを横断するパイプラインを通じてEUに天然ガスを輸出してきました。ロシアの侵攻から数カ月後、親ウクライナ派グループが、ロシアからドイツに天然ガスを運ぶノルド・ストリーム・パイプラインに妨害工作を行いました。現在、ドイツはアメリカから液化天然ガスを輸入する20年契約を結ぼうとしています。余談ですが、液化天然ガスは『石炭よりもはるかに悪い』のです。

このようなことが起こる前に、ジョー・バイデンの息子はウクライナ最大の天然ガス会社の役員になる道を偶然見つけました。これでわかりましたか？　事実を見れば、それを否定することはできません。もちろん、あなたは事実を否定したいでしょう。でも、世界の歴史を見てください。特にアメリカの歴史を見てください。私たちがこれまで戦ってきた戦争はすべて、資源か影響力、あるいはその両方が目的だったと理解するようになります。人間的な動機があったとしても、超大国を暴力へと傾けるのは常に資源と化石燃料の存在なのです。それ以外の理由で、指導者たちはこれらの戦争に何千億ドルも費やすことができるでしょうか？」

2023年10月7日の「ハマス・イスラエル紛争」勃発で、世界の世論の眼がガザのパレスチナ人の運命にくぎ付けになり、ウクライナ支援問題は国際政治の主役の座を奪われた。ウクライナは、アメリカを含めた国際的支援体制をつなぎ止めるためにも、「2024年前半までが勝負だ」との悲壮な決意からロシア軍の配備が手薄なドニプロ川東岸から渡河作戦を実施し、最大10㎞ほど内陸に進軍した。だが、兵力が数百人程度と少なく戦車部隊の渡河も困難なため、大規模な領土奪還につながる可能性はなく、ウクライナ国民の士気を盛り上げることは出来なかった。

キーウ発の共同通信によると、米有力紙ワシントン・ポスト電子版は4日、ウクライナがロシアに対して6月に始めた反転攻勢について、当初の想定が外れて戦況が膠着し、全体として失敗していると特集記事で報じた。作戦方針や開始時期を巡り、最大支援国の米国と摩擦が生じていたと伝え、同紙はプーチン大統領が支配地域を完全に吸収できると確信していると分析した。

同紙によると、ウクライナと米英両軍は反転攻勢のため、ドイツ・ウィースバーデンの米軍基地で8回の机上演習をした。米国は戦力を南部ザポロジエ州に集中させ、拠点都市メリトポリに南下してアゾフ海に到達し、ロシアの補給路を断つ作戦を主張。早ければ60～90日間で成功する可能性があるとみていた。だが、ウクライナはメリトポリに加え、メリトポリ東方のベルジャンスク、東部ドネツク州バフムトへの進軍を訴えた。東部に戦力を投じなければ、隣のハリコフ州を侵食されかねないと懸念した。ロシア軍の兵力を分散させる狙いもあり、結局、反転攻勢は3方面で進めることになった。

ウクライナでの紛争の終結は、朝鮮半島での戦争の終結と同じように、ウクライナがロシアに奪われた土地の奪還をあきらめる形で停戦ラインが引かれることになるだろう、との見方が支配的になっている。

▽第三次世界大戦は、中国を封じ込めるために行われる

ワシントンはロシアを包囲し孤立させ弱める「ピボット」(方向転換)計画の障害として、中国を見ている。それ故、ロシアと中国を軍事的に一体化させないよう慎重に対中外交を展開している。ロシアはアメリカの世界優位に対する最大の脅威ではない。その資格は米国を凌ぐ実体経済のある中国にある、と米国は認識しているからだ。

ネオコンを支配下に抱えるイルミナティは、ロシアではなく中国を封じ込めるために第三次世界大戦を実施すべきだと考えている。ウクライナでの戦争が示唆するのは、米ホワイトハウス、国務省、国防総省、CIAに陣取るネオコン勢力には、「北京への道はモスクワ経由だ」という一般的合意があったということだ。

米戦略国際問題研究センターのマーク・カンシアン上級顧問は、2023年10月3日、「『ウクライナへの援助』のほとんどは米国内で使われている」という記事を公表した。それによると、これまで議会が承認した1130億ドル(1ドル=150円で約17兆円)の配分のうち、「約680億ドル(60%)が米国内で使われ、軍と米国産業に利益をもたらしている」と指摘されている。

塩原俊彦・元高知大学大学院准教授は、アメリカがウクライナ戦争の継続を望む真の理由は「米軍のもつ古い軍備をウクライナに供与し、国内で新しい軍備を装備すると同時に、欧州諸国のもつ旧式軍備をウクライナに拠出させ、新しい米国製武器の輸出契約を結ぶ。こうして、たしかに米国内の軍需産業は大いに潤う。

それだけではない。戦争への防衛の必要性という心理的影響から、諸外国の軍事費は増強され、各国の軍需産業も儲かるし、アメリカの武器輸出も増える。『ウクライナ支援』の美名のもとで、本当の『援助』は欧州や日本にやらせ、米国だけは『国内投資』に専念するという虫のいいやり口が隠されている。それにもかかわらず、欧米や日本のマスメディアはこの『真実』をまったく報道しようとしない」と手厳しく批判する。

ウクライナ戦争は米政界の黒幕たちに莫大な利益をもたらすとともに、ＥＵを「反ロシア」で結束させた。この流れを受けて、彼らはユーラシア大陸の東、主に極東で次の戦場を作り、世界支配のための強固な足場固めを狙っている。そのためにはアジアの至る所で米軍基地を広めるために中国との関係を複雑化させる必要があり、更には、日本や韓国などの属国に対しては米国流の経済規則や流儀などを受け入れさせて、偶発戦争を契機とした東アジアでの軍事的衝突勃発を策謀しているのだ。

2　WEF（世界経済フォーラム）が旗振り役に

▽台湾の李登輝元総統は「2020年は大変な年になる」と予言

2020年7月30日、97歳で死去した台湾の李登輝元総統は、94歳の誕生日を迎えた直後（恐らく2017年）、病気治療のため来日した。このとき、入院見舞いに訪れた元自民党衆院議員の中山正暉氏に対して、李氏が「中山先生、2020年は大変なことが起こりますよ」と言っていたことを、2019年夏ころ、中山氏は筆者に教えてくれた。新型コロナウイルスの発生と展開を見て、「大変なこととはこの事だったのか」と、私は李登輝氏の情報力の凄さに舌をまいた。

新型コロナウイルスは武漢の研究室で作られたものだと言われれているが、証拠はない。習近平体制を倒そうとする勢力は中国の国内外に多くいて、その中心で指揮を執っているのがイルミナティだろう。イルミナティ関係者と李登輝氏の間に何らかの形で接点があった、と思うのが自然だろう。

第二次世界大戦はイルミナティがすべての情報機関をコントロールして初めて成立した戦争であり、多くの戦争は、イルミナティの世界支配のための見せかけでもある、という視点で歴史を検証する作業がポイントではないかと思っている。

大概の日本人は、21世紀は世界が最終戦争に向かっていることに気付いていていない。世界が大混乱に陥ったとき、日本はどうなるのだろうか、という発想を根底に据え、そのとき、日本はどのように対処すべきなのかを考えるのが政治家の仕事である。残念ながら、私の知る限りではこうした問題意識を持った政治家は極めて少ない。

揚子江と黄河が流れ込む武漢は中国大陸のかなめの位置にあり、戦前、寺内寿一大将、東久邇宮稔彦王中将、畑俊六大将が蔣介石の国民党軍とたたかい、撃退させた徐州作戦(注)で有名なところだ。

(注)徐州作戦：1938年4月7日～5月19日、中国の徐州付近に集結した中国軍70個師団(約50万)を日本軍が南北から挟撃、中国軍の抗戦意志を喪失させようとした作戦。徐州集結中の中国軍50万の包囲全滅をねらった。中国軍は退却戦術をとったため、徐州は占領したが包囲戦は失敗に終わった。国民政府は重慶に撤退。日本政府は不拡大方針を放擲した。

▽「武漢P4研究室」に注目が集まる

武漢市民は、20世紀は戦争、21世紀は新型コロナウイルスという未知の感染症に襲われ、多難な歴史を積み重ねている。

2019年12月29日、武漢市内の華南海鮮卸売市場で広がった原因不明の肺炎患者が7人、同市内の病院に運び込まれた。同病院は「最初はそれほど特殊なケースとは思わなかった」と振り返る。ただ、一般的な肺炎と異なり、患者がたんを伴わない空ぜきをしていたことに気がついたという。普通の肺炎では主に重症患者に見られる呼吸困難も、新型肺炎の患者には広く見受けられた。年末の31日、中国当局が、WHOに「謎の肺炎」のクラスター例を報告した。

その後武漢市内では患者が増え、中央政府から感染症の専門家が派遣された。2020年1月上旬、病院の医師や看護師らに院長は「我々は嵐のど真ん中にいる」と呼びかけ、診療態勢を強化したという。

中国当局は1月7日、正式に「新型」コロナウイルスを特定、11日、新型コロナウイルスに起因する最初の死を記録した。

武漢市人民政府は1月22日、「原則として、必要が無ければ武漢以外の人については武漢に来ないように、また、武漢の市民は、特殊な状況がなければ武漢を離れないよう」呼びかけた。武漢ウイルス研究所の石正麗は23日、新型コロナウイルスが２０１３年に彼女の研究室がコウモリから分離した株と96％同一であると報告した論文を発表した。

1月28日、武漢で新型コロナウイルスによる肺炎の死者が１００人を突破した。米国のバイオセーフティ専門家や科学者らは、武漢市の海鮮市場から川を隔てて32㎞ほどにある「中国科学院武漢病毒研究所」の存在に注目した。同研究所には、ＳＡＲＳ（重症急性呼吸器症候群）やエボラ出血熱といった危険な病原体を研究するために指定された中国で唯一の研究室「武漢Ｐ４研究室」＝世界で最も危険な病原体（バイオセーフティレベル４）がある。同研究室は２０１８年1月に開設されたが、その前年より、米国のバイオセーフティ専門家や科学者が、英科学誌『ネイチャー』などで「同研究室からウイルスが〝漏出〟する可能性」への懸念を表明していた。

▽ＷＨＯはＣＯＶＩＤ－19をパンデミックと宣言

一方、２０２２年9月5日の時点で、世界で最多の１０４万７４９８人の死者数を出した米国が、最初の新型コロナウイルスの症例を報告したのは２０２０年1月20日。米国務省は1月30日夜、中国への渡航警戒レベルを最高のレベル４に引き上げ、米国民に中国に「渡航しない」よう勧告した。ロイターによると、トランプ米大統領は２月２日、新型コロナウイルスによる肺炎について、米政府の対策に自信を示すとともに、中国に支援を提案したと語った。大統領補佐官は、中国側が同提案に回答していないことを明らかにした。

２月４日、米国で11人の新型コロナウイルス患者が確認された時点で、米保健社会福祉省長官は、新型コロナウイルス感染症に対して２００５年に承認した「災害危機管理および緊急事態準備法（PREP Act 法）」を適用した。ワクチンを含む医学的対策への免責を与えられる。

２月５日、感染症問題に積極的に取り組んでいるマイクロソフト社の創業者のビル・ゲイツが運営するビル＆メリンダ・ゲイツ財団は、新型コロナウイルスワクチンの研究と治療への取り組みに１億ドル（１０５億円）の資金を提供すると発表した。

２月11日、ＷＨＯは新型コロナウイルスによって引き起こされると考えられている病気に「ＣＯＶＩＤ-19」という名前を付けた。テドロス事務局長は「地理的な場所、動物、個人、または人々のグループを表すものではなく、この病気に関連する発音もしやすい名前を見つける必要があった」と説明している。

２月29日、米国で最初のＣＯＶＩＤ-19による死者が報告された。

３月11日、ＷＨＯはＣＯＶＩＤ-19を「パンデミック」（感染症の世界的流行）と宣言した。

▽新型コロナウイルスは「武器化された」コロナウイルス、と米生物兵器専門家

2020年3月22日、アメリカの生物兵器の専門家であるフランシス・ボイル博士によれば、武漢ウイルス研究所などのBSL-4ラボの目的は「攻撃的な生物兵器の研究、開発、試験、備蓄」であり、新型コロナウイルスは武漢研究所から漏出した「武器化された」コロナウイルスだという。

4月18日、エイズ(AIDS・後天性免疫不全症候群)の原因となるエイズウイルス(HIV)の発見により2008年のノーベル医学賞を受賞したリュック・モンタニエ教授がフランスのテレビに出演し、新型コロナウイルスに見出されたHIVからの「追加の配列」は「人為的に操作されているようだ」と述べる。

4月30日、アメリカのコロナ対策責任者のファウチ博士は、2021年1月までに数億回分のコロナウイルスワクチンを入手できるようになることは「可能」であると述べた。

5月6日、ニューヨーク州のクオモ知事は、ニューヨーク州がビル・ゲイツ氏と提携して、「テクノロジーを最前線に置く」ことによって教育を再構築することを発表。この目的のために元GoogleのCEOエリック・シュミットを任命。

5月7日、COVID-19の制限が始まってから7週間で、米国で失業手当を申請したのは3300万人以上だと報じられる。

5月13日、オーストラリアの研究者たちから「SARS-CoV-2は人間に感染するように独自に適応しているが、それが偶然の出来事によって自然に発生したのか、それともその起源が人為的なのか」との声が出ていると報じられる。

▽日本政府は五輪優先で中国旅行者の入国を拒否せず

ウイルス危機初期の２０２０年1月末から2月中旬にかけて、日韓両国は中国からの感染者の流入を止めずに自由往来体制をかたくなに維持してしまったため、札幌雪まつりの中国人観光客から北海道全域へウイルスが急拡大する惨事となった。

EUも日韓中も、経済を優先して国境を閉めなかったため、感染拡大を防ぐ好機が失われた。死者急増の始まりはイタリアが３月８日、米国は３月15日ごろ。

３月20日、韓国では新天地教会のある大邱市で大惨事があり、非常事態宣言を発した。

中国の武漢で新型コロナウイルスの感染者が大量に発生した1月末頃から、7月の東京オリンピック開催は困難との見方が強くあった。にもかかわらず、安倍内閣は「五輪優先」の方針の下、春節の中国からの訪問者の入国を拒否せず、結果として国内の感染者は、４月12日、46都道府県で計７２６８人となった。安倍政権が専門家会議を立ち上げたのは２月16日であり、感染防止に軸足を移したのは、五輪延期が正式に決定された3月24日からだ。

春節で日本への中国人流入は、最低でも数十万人。中国政府は団体旅行を禁止しただけで個人旅行は禁止していないので、抜け穴だらけだった。武漢市の発表を機に中国人の渡航禁止をやれば、国内感染者の増加を防げたかもしれない。湖北省の人間だけでなく、直ちに対中空路や海路を閉鎖しなかった安倍自公政権の判断ミスは、死者が出ているだけに失政を謝罪すればいい、という話ではすまされなくなった。

横浜港に停泊中のダイヤモンド・プリンセス号は乗員乗客３７１１人のうち、２月20日までに６０

0人を超える感染者が確認された。ダイヤモンド・プリンセス号への日本政府の対応に「感染拡大の第2の震源地を作った」などと米CNNなど海外メディアから揶揄された。

台湾と香港での感染者が少なかったのは、李登輝氏が蔡英文総統に助言していたのかもしれない。

3月1日、米国の新型コロナウイルス感染者で亡くなった人は1人だったのに、4月2日、死者数が4633人となった。新型コロナウイルスを甘く見ていたトランプ大統領に対して、3月12日のニューヨーク株式市場が、同大統領が発表した新型コロナウイルスに対応する経済対策の内容が十分でないとして売り注文が殺到、ダウ平均株価は前日比で過去最大の値下がりとなる2352ドル60セント安い、2万1200ドル62セントを記録した。「トランプ辞めろ」の催促相場になった。

これを機に同年11月の大統領選でトランプ再選は難しくなった、との見方が急浮上した。イタリアやドイツ、イギリスなどヨーロッパ全体に感染者が急拡大し、一体誰が敵であり味方なのかの見分けがつかなくなっていった。

▽武漢での軍人五輪に参加した米軍人5人がウイルスを散布、と中国側が発表

新型コロナウイルス感染は、武漢のウイルスが研究所から漏れて武漢市民に感染したということが盛んに報じられたが、証拠は見つかっていない。

一方、中国科学院シーサパンナ熱帯植物園郁文彬チームはゲノム解析を踏まえた論文を発表した。横浜国立大学准教授の矢吹命大《のぶひろ》氏によると、同論文は新型コロナウイルスの米国起源に着目している。同論文は「米国が特別機で武漢から送還した5名の軍人のウイルス型が、武漢で罹患した患者に特有

なC型に属するか否かをＷＨＯが調べれば、すぐ分かる」と、次のように述べている。

「いま世界中で人々が疑問を感じている焦点は、以下の2点である。すなわち、①２０１９年10月末、米国はなぜ大きな代価を払って専用機を用意し、［武漢世界軍人五輪に参加した］５名の罹患運動選手を武漢から送還したのか？　②米国チームの成績はきわめて不可解だ。射撃競技において金メダルはゼロ（中国隊は１３３コの金メダル）、順位は世界第35位であった。米国が派遣した３６９人の軍人選手は、射撃経験のない特殊な生物化学部隊ではなかったのか？

最大の疑問は米国がなぜ5名の罹患選手を武漢から送還するに際して専用機を用いたかである。当時、五輪は終わっていたのであるから、普通の疾病ならば2日待たせて、他の３６０名の軍人選手と一緒に帰国すればよいではないか。もう一ついえば、武漢国際空港で通常の民間航空機に搭乗すればよいではないか！　これらの軍人が軍人五輪後にウイルスを散布するに際して、不注意のために自らが罹患した生物化学部隊ならば、発熱し重症になる前に米国に送還しなければならない。

さもなければ中国側がウイルスの持ち込みに気づく結果となり、米国の陰謀は露顕してしまい、九《きゅう》仞《じん》の功を一簣《いっき》に虧《か》く（長い間努力してきたことが、あとわずかのところで失敗に終わってしまうこと）。中国側が直ちに武漢封鎖を決定し、米国は重大な政治的結果に直面する。それゆえ米国は速やかに専用機を派遣し彼らを送還した。一つは中国側が気づく前に、もう一つは３６０名の他の選手に感染させないために、専用機で送還した。

罹患した5名の兵士のウイルスが武漢で罹患した患者と同じ『C家族のウイルス毒』かどうかを検査すべきである。遺憾ながらこの5名はすでに、この世から蒸発してしまった。新型コロナウイルスの系統樹は、ＡＢＣＤＥの５家族からなる。ＡＢ家族は第一世代であり、第二世代Ｃ家族は第一世代の子である。第三世代ＤＥ家族は第二世代Ｃ家族の子である。中国大陸の８万の感染者のウイルス株はすべてＣ家族であるのに対して、米国の感染者はＡＢＣＤＥ型、すべて揃っている。

繰り返すが、武漢Ｃ型は、ＡＢ型の子である。第一世代のＡＢ型がなければ、どうして第二世代の子が生まれるであろうか？

２０１９年８月に米国最大の生物化学兵器基地 Fort Detrick が緊急閉鎖された。その後、米国で、いわゆる流感がブレイクアウトし、すでに１万余が病死した。10月下旬、武漢で世界軍人五輪が開かれ、米兵たちは武漢街角のいたるところをぶらついた。11月に武漢で新型コロナウイルス患者が現れ、いまや全世界でブレイクアウトした。」

同論文は、①「患者零号」は、結局誰なのか（氏名と死亡時期、ウイルス型のゲノム）、②武漢市の華南海鮮卸売市場は、ほんとうに感染の起源地なのか、③米国生物化学兵器実験室 Fort Detrick でコロナウイルスを研究した目的は何か、④２０１９年８月、米国最大の生物化学兵器基地はなぜ緊急閉鎖されたのか——など7点について調査するよう求めている。

▽パンデミックとグレート・リセット

世界の超富裕層、ロスチャイルド家やロックフェラー家の人たちを含む欧米のユダヤ金融資本家を主体とする経済界のリーダー達が、２０２０年12月８日「バチカンを含む包括的資本主義会議」を発足させた。創設者はリン＝フォレスター・ド・ロスチャイルド女史。同女史はエヴェリン・ロバート・エイドリアン・ド・ロスチャイルド（1931～2022）の妻である。エヴェリンはイギリスの銀行家、実業家。ロンドン・ロスチャイルド家の分流であり、2003年までN・M・ロスチャイルド＆サンズの頭取を務めた。

同女史はヘンリー・キッシンジャーの弟子でWEF（世界経済フォーラム）の創設者であるクラウス・シュワブと連携し、WHOがCOVID-19を「パンデミック」と宣言した状況下で資本主義を「グレート・リセット」する方針を明らかにした。

グローバリストのクラウス・シュワブは、第4次産業革命が「私たちの物理的、デジタル的、生物学的アイデンティティの融合につながる」と述べている。思考を読み取るマイクロチップ完備のトランスヒューマニズムが「グレート・リセット」の不可欠な部分である、と強調する。クラウス・シュワブはパンデミックの流れを利用して、経済と社会と人間の包括的な政府管理によって、世界の人口削減計画をレベルアップさせることが出来ると踏んでいるようだ。

ローマ教会もクラウス・シュワブが言う資本主義の大々的なリセットに加わる姿勢を示している。イルミナティという強大な私的権力が世界を統治するシステムの構築、つまり世界のファッシズム化をローマ教会も支援する意向のようだ。

「バチカンを含む包括的資本主義会議」は米国のバイデン大統領にそうした政策を実験的に試みさせようとしている。バイデン政権は富裕層に対する増税は行わず、財源として国債を発行して新型コロナウイルスで苦境に陥った米国民の誰一人として見捨てないとする「米国救済計画法」（共稼ぎ夫婦の年収が計15万ドル以下の世帯に対して1人1400ドルの直接給付）を柱とする1兆9000億ドル規模の新経済対策で経済の復活を図ろうとした。

富裕層はインフレのリスクを冒してでも財政拡大で好景気を生み、大衆をだましながらワクチン接種を義務付けることで、COVID-19による死者と接種に伴う副作用による死者数の増大を図り、世界計画「グレート・リセット」の突破口を開こうと考えたのだろう。

リン゠フォレスター・ド・ロスチャイルドは「バチカンを含む包括的資本主義会議は、『地球の叫びと貧しい人々の叫びに耳を傾けよ』との教皇フランシスコの警告に従い、より公平で持続可能な成長モデルを求める社会の要求に応えるものだ」と宣言している。さらに「包括的資本主義とは、基本的には、企業、投資家、従業員、顧客、政府、地域社会など、すべての利害関係者のために長期的な価値を創造することだ」としている。

▽自分たちを「道徳的な保護者」

彼らは「ガーディアンズ」と名乗っている。自分たちを「道徳的な保護者」と呼んでいるのだ。バチカンの新しい友人たちと今一緒に、資本主義の改革のために始動したと言う。そのガーディアンのメンバーリストには、ロックフェラー財団のCEO、ラジーヴ・シャーがいる。ロックフェラー財団は2010年からパンデミックに伴う「ロックダウン」に関与しており、WEFのグレート・リセットのアジェンダの中核を担っている。

彼らはグローバル化した資本主義システムを国際通貨基金（IMF）や世界銀行、国際決済銀行（BIS）を使って自由に操ってきたが、一つの世界政府、一つの中央銀行、一つの通貨という目指すべき世界支配に成功するどころか世界は混迷の度を深めている。とは言え、目下のところ彼らの支配力を超える勢力は世界に存在しないことも事実だ。「バチカンを含む包括的資本主義会議」を発足させた時点で、協議体の運用資産額を合計すると10兆5000億ドル（約1500兆円）にも上るという。具体的には、米銀行大手バンク・オブ・アメリカ、英石油大手BP（British Petroleum）、米ジョンソン・エンド・ジョンソン、米フォード財団などが加盟している。

▽グレート・リセットのフロントマン、クラウス・シュワブ氏は人種差別と因縁

2013年11月6日、世界経済フォーラム（WEF）創設者兼会長、いわゆるダボス会議議長、クラウス・シュワブ博士は、WEFの主宰者として、グローバルな官民協同を推進した功績が称えられ、天皇陛下より旭日大綬章を授与された。日本人は世界を国単位でしか見ていないため、ユダヤの世界支配構想の意義を認識できていない。シュワブ博士が主催するダボス会議の狙いなどを理解する人は少ない。

クラウス・シュワブ氏は1938年、ドイツのラーベンスブルク生まれ。ジュネーブ大学で経済学の学位を取得した後、欧州委員会や国際決済銀行などに勤務した。人種差別や優生思想と長いつながりを持つ工具メーカー、ズルツァー・エッシェル・ヴァイスの社長を務めた。同社はヒトラー政権時代に軍需産業として繁栄しており、戦後は南アフリカがアパルトヘイトを実施していた時代、南アの核兵器開発に手を貸すなど金もうけのためなら何でもやる企業だ。

1971年、グローバルガバナンスの改善に専念する非営利組織としてWEFを設立。WEFは世

界で最も影響力のあるシンクタンクの1つとなり、ビジネスリーダー、政治家、学者、その他の世論形成者を集めて地球規模の問題について話し合う年次会議をダボスで開催している。ＷＥＦを「エリート主義」と批判する論者は多いが、世界の公共政策論争への影響は大きく、日本も例外ではない。

クラウス・シュワブ氏は、核技術だけでなく、優生学の影響を受けた人口管理政策に関心を持ち、環境保護には人口抑制方法が不可欠であると頻繁に主張してきた。新型コロナウイルスに対する抗体を作るためのワクチン接種を通じて若者の生殖能力をダメにするとともに、チップを埋め込み管理されやすい状態を作ることを考えている、と見る向きもある。新型コロナのパンデミックの下で78億の人口を20億人まで削減する計画が隠されたのが「グレート・リセット」ではないか、との疑念が生まれる所以である。

▽ＷＥＦが２０３０年までに達成しようとする社会とは

世界経済フォーラムのクラウス・シュワブ会長は２０２２年11月15日、Ｇ20が開催されたバリ島に到着、ワヤン・コスター・バリ州知事に出迎えられ、ＶＩＰ待遇を受けたという。40人の世界のリーダーに混じって、民主主義国の代表でもないクラウス・シュワブも会議に出席し、「グレート・リセット」は「我々の世界の深遠なシステム再構築」「変革のプロセス」が完了したとき、世界は別のものになる、と述べた。

ＷＥＦが構想する市場経済システムがどのようなものかは分からない。様々な情報から「自由市場を基本としながらも、グレート・リセットは社会的・政治的な要素を自由市場に導入することで、この自由の考え方を変革して、一定の規律の下に行動を自制させようとしている」というのが基本のようだ。

クラウス・シュワブ氏は、北京市が運営するチャイナ・グローバル・テレビジョン・ネットワークの「ワールド・インサイト」のホストで中国人ジャーナリストのティアン・ウェイのインタビューに対し、G20バリ・サミットに関連して「北京の共産主義政権が地球の他の地域の『ロールモデル』として役立つべきだ」と語り、「私たちは明日の世界を構築しなければなりません。それは世界の体系的な変革です。指導者たちは、『この変革期』の後に世界がどのように見えるべきかを『定義』しなければならない」とも語った。

「ロールモデルとすべき中国」で2022年秋以降に起こっていることといえば、管理統制の厳格化であり、中国ではデジタルIDが旅行、オンラインアクセス、個人的な財政管理、食料の購入に欠かせないものとなっている。

中国では、厳しい行動制限を伴う「ゼロコロナ」政策が続けられたことに対して、首都北京や上海などで大規模な抗議活動が続いた。危機感を感じた習近平政権は2022年末で「ゼロコロナ」政策を止めた。致死率の低いウイルスに対して過剰な恐怖を煽るというやり方で、全ての国民を徹底的に管理統制する社会に適合させるための口実が「ゼロコロナ」のように見える。シュワブ氏は、各国政府に対して「ロールモデル」の中国のように「持続可能な社会」への変革のため、徹底的に管理可能な形に変えるための移行期間（トレーニング期間）としてコロナプランデミックを利用せよ、と言いたかったのかもしれない。

中国共産党もイルミナティも監視社会を目指しているが、世界支配をめぐる闘いではどちらも譲らない。シュワブ氏は、イルミナティは２０２０年から新型コロナウイルスを使ってパンデミックを発生させて各国政府に人民をコントロールする方法を探求させた。イルミナティより中国共産党の方が一枚上手だった、と言っても過言でない。

▽シュワブ氏の理想はグローバル全体主義

クラウス・シュワブ氏の「グローバル全体主義」に関するドイツのｋｌａＴＶの引用動画の内容がネットで紹介されていたので、それを紹介する。シュワブは「第４次産業革命の様々な道具を用いれば、健全で開かれた社会と相容れない新しい形の監視やその他の統制手段が可能になる」と言う。

「シュワブが考える人類の理想的な近未来においては『知能を帯びたタトゥー』『生体コンピューティング』『調整された生命体』『ナノボット（極微小サイズのナノロボット）』『身体の皮膚バリアーを突破する埋め込みマイクロチップ』等が実用化されます。このような完全なネットワーク化、監視と完璧な支配を実現するために必要とされるのが５Ｇ（第５世代移動通信システム。「高速大容量」「高信頼・低遅延通信」「多数同時接続」という３つの特徴がある）。恐ろしいことにシュワブと彼のチームは、速やかに計画を実行する上で世界中の全ての指導者たちが一斉かつ無条件に協力すると信じているのです」

残念なことではあるが、欧州連合（ＥＵ）のほぼすべての政府首脳はＷＥＦの指示を忠実に実行する言わば〝小役人〟となっている。クラウス・シュワブの理想に沿いながら内政、外交政策を実施している。クラウス・シュワブの門下生のような気分の岸田首相も、2050年までに、国が二酸化炭素の排出に課金して削減を促す「カーボンプライシング（炭素課金）」の導入を決めた。「課金」という言葉で誤魔化しているが、要するに税金のことであり、防衛増税に加えて国民負担を増やすものである。

▽民間企業の活力を生かして気候危機に対処

2022年11月6~18日にかけて、エジプトで国連気候変動枠組条約第27回締約国会議（COP27）が開催された。

ジョン・ケリー米気候問題担当大統領特使は15日のパネルディスカッションで、地球温暖化防止という目標を実現し、迫り来る地球規模の気候危機と言われる中で人命を守るためには、民間企業が政府と組むことが急務であると述べている。

ケリー氏は、パネルの前のスピーチで「私たちの前には、新しいテクノロジーの規模を拡大し、民間企業家の高い能力を活用し、それをテーブルに乗せるという大きな挑戦があります。なぜなら、それなしでは、どの政府も十分な資金を持っていないからです。この背後には全員が必要です」と述べ、WEFによる気候変動対策の推進に民間部門を参加させるプログラム「ファースト・ムーバーズ連合」の立ち上げを推進し、「市場に存在しない需要シグナルを生み出すには、大胆さが必要であり、この一員となることを決断したこれらの経営者の勇気が必要だ」と述べた。

彼らグローバリストは、気候変動対策の名の下にワクチン接種義務化や電気自動車推進、研究所で育てられた偽の肉を食し、動物性タンパク質をコオロギやその他の昆虫に置き換えること、石炭や石油に代わる太陽光発電や風力発電などの分野で民間企業の力を発揮させて人為的に需要を作り出そうと考えている。

それは「新しい資本主義」というような一つの経済成長の理論ではなく、「ESG」をスローガンに各国政府とグローバル企業、それに連なる中小企業に、中国のポイントシステムと同じような制度を通じて、WEFのアジェンダを世界に強制しようとしている。

「ESG」とは、環境（Environment）、社会（Social）、ガバナンス（Governance）の頭文字を合わせた言葉であり、世界経済フォーラムは、地球の環境と人口を適切に長期的に維持しながら経済を発展させるためには、経営学としてESGの3要素が欠かせないのだ、と訴えている。

地球温暖化や水不足などの環境問題、人権問題や差別などの社会問題に対応するため、2006年の国連責任投資原則（PRI）の発足を機に、ESGへ関心が世界に広まっている。大型投資をする場合の基本的な姿勢として、環境、社会、ガバナンスの視点を組み入れようと呼び掛けている。ESGの中でも、特に気候変動問題が企業財務にも大きなインパクトを与えると考えられるため、気候変動対策に関する現状分析、経営への統合、情報開示と外部評価向上などについて各企業が独自に取り組みを強化している。

▽EU、原発を「グリーン」認定の方針

脱炭素社会の実現を目指すためなら、安全性や放射性廃棄物の処理問題解決の道筋が見えてこない

原発も「OK」になっている。欧州委員会は2022年2月2日、原子力および天然ガス発電について、環境にやさしい「グリーンエネルギー」として認める方針を明らかにした。欧州委員会は2023年の発効を目指しているが、脱原発を推進するオーストリアやスペインなどのEU加盟国は反発している。

欧州委員会は、いずれのエネルギーも一定の目標を達成すれば「持続可能な投資」に分類できることを決定したとしている。しかし、脱原発を掲げるオーストリアのカール・ネハンマー首相は「原子力発電はグリーンでも持続可能でもない」「EUの判断は理解できない」と述べた。同首相はこの計画を進めるなら、欧州司法裁判所（ECJ）への提訴を目指すとしている。

同国のレオノーレ・ゲヴェスラー気候相は「この決定は間違っている」「欧州委員会は今日、原子力と天然ガス発電を推し進めるために、グリーンウォッシング（エコフレンドリーや持続可能性などをうたいながら、実際にはそうではないことを指す）プログラムに合意した」と批判した。

ルクセンブルクのクロード・ターメス・エネルギー相は、欧州連合の「持続可能な」資金調達のための決定に対して、オーストリアと共に法的措置を検討していく、とツイートした。

スペインも、欧州委員会の方針に強く反対している。天然ガスに大きく依存しているドイツのシュテフィ・レムケ環境相も原子力発電を「グリーンエネルギー」として認めることに批判的だ。フランスなど原子力発電を推進する国は今回の決定を支持している。

EU委員会の方針は最終決定ではない。しかし、決定阻止のハードルは比較的高い。計画を止めるには、欧州議会議員の過半数、あるいは加盟27カ国の首脳のうち少なくとも20人の支持が必要となる。

▽世界全体を貧しい社会的強制収容所に変える

超国家主義者たちは、ＳＤＧｓ（Sustainable Development Goals、持続可能な開発目標）とかＥＳＧを資本主義モデルに代わる新たな経済、社会体制だとして国連アジェンダの形で発信している。この超国家主義者たちは国家主権を超越し、誰もがグローバルなデジタルＩＤを持ち、現金を中央銀行のデジタル通貨に置き換えることを基本とするシステムを構想している。

日本政府も２０１６年、国民一人ひとりに個人用の識別番号を割り当てる「マイナンバー」制度を導入した。国民ＩＤカードが存在しない日本では、マイナンバーが国民ＩＤカードの機能を担うことになり、個人の収入、税金、預金口座、健康保険証が政府の監視下に置かれる。

「マイナンバー」はいずれグローバリストが発行するデジタルＩＤと交換され、日本人の誰もがデジタル通貨を使うようになる可能性が出てきた。これが実現すれば、日本人もイルミナティが支配するシステム内に住むことになる。イルミナティは世界のすべての市民を24時間３６５日監視し、誰が、どこで、誰と会い、どんな商品やサービスにいくら金を使ったか、地球市民一人ひとりの行動を記録する。どの市民の移動も追跡可能であり、彼らが消費した資源の量や社会的信用度も測定できる。人間は、監視システムにおける単なる部品や原材料でしかなくなる。

こうなると、第二次世界大戦後の時代に西側世界の人たちが享受した人権、人間としての尊厳が破壊される可能性が大きい。イルミナティの政策コントロールでは中産階級が減少する可能性が大きい。世界覇権を握ろうとする者たちにとって、中産階級ほど厄介な連中はいないからだ。中産階級を貧困化させれば、彼らは独立自尊の精神を失い、体制批判の意欲は消滅するだろう。イルミナティのコントロールが世界の隅々まで浸透するためには中産階級の貧困化が欠かせない。ＷＥＦの「グレート・リセット」は、世界全体を貧しい社会的強制収容所に変えるように設計されていることが推量される。イルミナティは、イデオロギーこそ違うが、中国は彼らの設計図に近い社会を実現しつつある、と見ているようだ。

それはジョージ・オーウェルが小説「１９８４年」で描いたような社会に似ている。超富裕層（中国では共産党）の独裁体制下、労働力や資源を戦争で浪費し、中産階級の存在を許さないことで社会を批判する勢力を封じ込め、超富裕層が権力を半永久的に維持できる自由のない不平等な社会を恒久的なものにすることが、人類を計画的に再生産する社会だと踏んでいるようだ。

超富裕層は彼らの利害関係者だけが、どのような政策を実施するかについて投票権を持つ議会制民主主義と異なる超国家的政府を作ろうとしている。２０２０年初めから起こった新型コロナウイルス騒動は、言わばその実験として行われたと言える。つまり新型コロナウイルスという流行り病を実験室でつくり、ＷＨＯがパンデミックを宣言すると、ファイザーなどグローバルな医薬品会社が「わが社はワクチン（予防接種）を開発した」と大宣伝する。ＷＨＯがそれにお墨付きを与えると、ＷＨＯの言う通りに動く日本や欧米の国家が国民にワクチン接種を薦め、結果としてウイルスによる大量の死者とワクチンの副作用による死者を発生させる。超富裕層は大株主である製薬会社を通じて大儲けするという統治モデル、ビジネスモデルが作られた。

イルミナティはＥＳＧをテーマにＷＨＯなどの国際機関を使う。日本を含めた西側のほとんどすべての国では市場、金融、政治体制、重要な国家機関、マスメディアが実はイルミナティの支配下に既に置かれているのである。

▽デジタルマネーで米中が覇権をめぐる争いに

イルミナティは国際決済通貨として米国の軍事力に支えられたドルから、彼らが発行するデジタルマネーによる決済に向けて動きを速めている。デジタル通貨の「貨幣高権」（seigniorage、通貨発行権を握るものの利益）を握ることが、世界支配の重要な柱になるからだ。そのためには中国が発行するデジタルマネーの世界への浸透を打ち砕く必要がある。イルミナティは新型コロナウイルス騒動で中国経済もマヒ状況に陥ることが分かったことから、中国に体制変革を求めないで、世界の金融支配を追求するための方策に関するヒントを得たと考えているようだ。中国の経済体制を叩き、成長戦略を抑止すれば、中国のデジタルマネーが国際通貨として認知されることはなく、イルミナティが発行する米ドルを基本とするデジタルマネーに収れんすることが出来る、と認識しているようだ。

アメリカ国民の大半が中国を敵だと信じている。中国の製造業の上に米国が成り立っているという事実を知った上で、である。超リッチマンが大半の株式を保有するグローバル企業は、彼ら自身の利益を最大化するために事業を中国に移転している。中国の台頭を促したのは欧米企業の経営者と大株主の責任であるのに、いつの間にか米国民はバイデン政権と反中国政策を主張する共和党の一部の者たちによる中国非難に巻き込まれている。

中国に対する執拗な挑発と敵視政策は、アメリカの国家安全保障や国益と何の関係もない。イルミナティは中国のデジタルマネーが、発展途上国における大規模なインフラ計画を進めながら中国製品の販路を拡大する「一帯一路」政策に乗って世界各国に広がることに、危機感を抱いている。彼らは中国に対して、米国や英国、日本、インド、オーストラリアなどからの軍事的圧力を使って追い詰めておく必要がある、と考えている。

中国はアジアやアフリカなど百数十カ国で高速鉄道、航路と港、鉄道、橋、空港、ダム、発電所などの建設工事を進めている。発展途上国にとっても中国にとっても、こうしたインフラ整備は大きな繁栄を生み出すと考えているからだ。「一帯一路」構想は中国政治を相手国に押し付けるのが目的でなく、自由市場経済の拡大を目指すものだ。米国を事実上支配するイルミナティは、中国が既に中央銀行デジタル通貨（ＣＢＤＣ）を発行し、海外でのインフラ整備に携わる労働者への賃金支払いなどを通じて試行錯誤を繰り返しながら、制度化を進めていることを恐れている。

▽米連邦準備制度理事会がデジタル通貨発行に向けて環境整備

米国でも連邦準備制度理事会（ＦＲＢ）がデジタル通貨を発行する方向で、ＦＲＢと政府の金融政策責任者との間で研究を進めている。米ドル＄（スペインを倒した記念としてＳの字に縦線を入れた）の信認が落ちており、世界がデジタル通貨による決済に向かっていく流れの中で、イルミナティは国際的な金融ネットワークの中でＦＲＢ（中央銀行）デジタル通貨（ＣＢＤＣ）がデジタルマネー世界での「貨幣高権（seigniorage）」（注）を握るための環境整備を行っている。

（注）貨幣高権（seigniorage）＝シニョリッジ：国家が貨幣の鋳造権と発行権を独占する権限を貨幣高権《こうけん》という。中世の領主は額面より安価にコインを鋳造し、その鋳造コストと額面との差額を貨幣発行益として享受していた。

貨幣による価格の度量標準（権衡）を確立させることも、貨幣高権を維持するために重要な行為とされている。江戸時代は徳川幕府が貨幣高権を握り、金座・銀座・銭座を設置するとともに金銀銅の三貨制度を整備した。明治維新に伴って、新政権が貨幣高権を掌握し、1884年に兌換銀行券条例を制定して、日本銀行を唯一の発券銀行とした。1897年、貨幣法第1条で貨幣の製造および発行の権限は日本政府が有する、と貨幣高権を法律に明記している。貨幣法は1987年、「通貨の単位及び貨幣の発行等に関する法律」の成立に伴い、翌年3月末廃止された。この時点で、貨幣法により規定された金本位制が廃止となった。

「通貨の単位及び貨幣の発行等に関する法律」第2条3項は「通貨とは日本銀行が発行する銀行券をいう」。第4条第1項で「貨幣の製造及び発行の権能は、政府に属する」。同第2項で「貨幣の発行は、大蔵大臣の定めるところにより、日本銀行に製造済の貨幣を交付することにより行う」と規定している。

▽米ドルは「国債本位制」の通貨

米国では1776年の建国以来（銀行側の色々な妨害で）今日まで中央銀行は成立せず、12の連邦準備銀行（Federal Reserve Banks）が預金準備制度を使って紙幣を発行している。

連邦準備制度の「準備」とは預金準備のことを意味するが、現在の連邦準備制度理事会（ＦＲＢ）の設立は1913年12月23日、クリスマス休暇で多くの上院議員が休暇で不在の隙を突いてクーデター的に成立していた。

米国憲法で貨幣の発行権は議会だけが独占的に持っているので、ドル紙幣は見かけや機能はまったく同じだが、貨幣（通貨）ではなく（紙幣ならアメリカ憲法違反の違法行為）「利子がつかない小額のＦＲＢの社債」であると解釈されている。

世界の基軸通貨になっている米国の「利子がつかない小額の銀行社債」の債権証書（ドル札）は名称自体が銀行券ではなく、フェダレル・リザーブ・ノート（連邦準備券）。そして、公的債務・私的債務の支払い手段として使えることが明記されているが、それは、国家が国債債務の履行を通じてドル紙幣の債務を保証しているからという論理になる。

ドル紙幣は、連邦準備制度理事会（民間の銀行団）がアメリカ政府から受け取った「利子がつく巨額国債」を1ドル札・5ドル札・10ドル札といった小額の価額表示をした紙切れに分割して流通させている不思議な制度であり、連邦準備制度は、金などの価値実体の「準備」がなくても通貨が発行できるという画期的な中央銀行制度であり、「国債本位制」の通貨であるとも解釈出来る。

1914年におけるニューヨーク連銀の株主であった金融機関は、ロスチャイルド銀行・ロンドン、ロスチャイルド銀行・ベルリン（現在はパリ）、ラザール・フレール・パリ、イスラエル・モーゼス・シフ銀行・イタリア、ウォーバーグ銀行・アムステルダム（現在は消滅）、ウォーバーグ銀行・ハンブルク、リーマン・ブラザーズ・ニューヨーク、クーン・ローブ銀行・ニューヨーク、ゴールドマン・サックス・ニューヨーク、チェース・マンハッタン銀行・ニューヨークの10行である。

イルミナティの世界支配を実現するための具体的な施策を決めているのは、上に書いた銀行を所有する英国とフランスのロスチャイルド家、ウォーバーグ家、ロックフェラー家など8家族であることが窺える。これら8家族が米国、BIS（Bank for International Settlements、国際決済銀行。1930年に設立された中央銀行をメンバーとする組織。2022年、63カ国・地域の中央銀行が加盟。日本銀行は1994年以降理事会のメンバー）、IMF、世界銀行を牛耳っているといっても過言でない。

8家族が所有する銀行の中で重きをなすのは、バンク・オブ・アメリカ、JPモルガン・チェース、シティグループ、ウェルズ・ファーゴであり、彼らは大手石油資本のエクソン・モービル、ロイヤル・ダッチ・シェル、BP、シェブロン・テキサコの大株主でもある。

▽連邦準備銀行がドル紙幣を発行

連邦準備銀行は市中銀行の監督と規制など、公開市場操作（マネーサプライの調節、金利・為替レート誘導等は連邦準備制度理事会の仕事）以外の連邦準備制度の業務を行い、また連邦準備券（ドル紙幣）の発行を行うことから連邦銀行（連銀、日本の日銀はFRBをまねて作られている）と呼ばれることもある。以下の12地区に分割されている。

第1地区：ボストン連邦準備銀行（マサチューセッツ州ボストン）、第2地区：ニューヨーク連邦準備銀行（ニューヨーク州ニューヨーク）、第3地区：フィラデルフィア連邦準備銀行（ペンシルベニア州フィラデルフィア）、第4地区：クリーブランド連邦準備銀行（オハイオ州クリーブランド）、第5地区：リッチモンド連邦準備銀行（バージニア州リッチモンド）、第6地区：アトランタ連邦準備銀行（ジョージア州アトランタ）、第7地区：シカゴ連邦準備銀行（イリノイ州シカゴ）、第8地区：セントルイス連邦準備銀行（ミズーリ州セントルイス）、第9地区：ミネアポリス連邦準備銀行（ミネソタ州ミネアポリス）、第10地区：カンザスシティ連邦準備銀行（ミズーリ州カンザスシティ）、第11地区：ダラス連邦準備銀行（テキサス州ダラス）、第12地区：サンフランシスコ連邦準備銀行

（カリフォルニア州サンフランシスコ）。

このうち第2地区のニューヨーク連邦準備銀行が全体の要となる。

▽新たなお金は個人、企業、政府、地方自治体の銀行からの借金で生まれる

「マネー」の機能には、物を買ったり、人を雇ったりできる交換手段としての通貨であると同時に、「信用」の機能がある。

信用マネーは貸し借りである。貸し借りというのは必ずペア（両建て）であり、常に一対である。国の借金の裏側には、国民の資産がある。売買を行う通貨マネーの場合、物やサービスが流れるのと反対方向に、つまり買い手から売り手に一方通行に流れる。信用マネーの場合、マネーは両方向に同時に流れる。相殺すればマネーは流れていない。マネーとマネーを交換するという、無意味な取引には「時間」という概念が入り、タイミングをずらして交換することで、「貸し借り」という状態を創造することができる。そこに利子が生まれる。

日本における信用マネーの創造は次の通りだ。

銀行が預金残高（定期性預金、譲渡性預金を含む）に応じた準備率以上の現金を日銀の当座預金に金を預け（当座預金準備率制度）、それを担保にして企業や個人などへの貸し出しを行っており、そのとき新規の日銀券が発行されている。つまり日本では、新たなお金は個人、企業、政府、地方自治体が銀行から借金することによって生まれている。

▽政府予算の執行はスペンディング・ファースト

中でも貨幣高権を握る政府は、国債を発行することで、あるいは財務省証券を日銀に預けることで新規の日銀券をいくらでも発行できるし、また返済のための新規の日銀券をいくらでも発行できる。日銀は中央銀行として独立している、という建前になっているが、日銀の業務は国家作用そのものである。

２０２３年度の税金の確定申告は２０２４年2月に決まるため、政府は２０２３年度予算を執行するためのお金は手元にない。このため財務省は明示的なファイナンス（overt monetary financing、ＯＭＦ）を行う。財務省が１００兆円の財務省証券（担保なし）を日銀に持ち込み、日銀にある政府当座預金勘定に預けると、中央省庁は政府予算の支出相手に政府小切手を発行し、受け取った自治体や企業は民間銀行を通じて日銀券で支払いを求める。ＯＭＦはその年の歳出予算が事実上の担保となったファイナンスだ。官庁が関係者に支払うための支出の方法であり、国会の議決を必要としない。税収を前提としたスペンディング・ファースト（支払いは最初に行われる）である。

経済学者の三橋貴明氏は、この要領で政府は国債を発行しないでお金を作ることが可能であることが分かる、と言う。例えば、政府が緊急貧困対策として生活困窮者、医療費のない病人に対して1兆円の救援策を決定すれば、1兆円の財務省証券を日銀に持ち込めばいつでも直ちに救うことが出来るのだと説く。実際は歳出予算額（予備費）の中での金の融通で1兆円の支出が行われる。年度途中に補正予算が必要となることから、赤字国債を財源とする補正予算が編成される。

政府が10兆円の国債を発行する場合、日銀にある当座預金勘定は借方に10兆円、貸方に国債10兆円が記入される。日銀には政府の当座預金勘定と民間銀行の当座預金勘定があり、政府が10兆円の国債を民間銀行などに売却したとき、つまり10兆円の政府小切手を切ったときは、その10兆円は日銀にある政府の当座預金勘定から民間の当座預金勘定に移るだけだと言ってもいい。国土交通省が発注したダム工事の代金として政府小切手を受注した建設会社に渡すと、建設会社はその政府小切手を民間銀行に持ち込み、預金勘定に政府小切手の額が書き込まれ、日銀券という現金を受け取ることが出来る。民間銀行はその政府小切手を日銀に持って行くと、日銀にある同行の当座預金勘定に政府小切手の額が書きこまれる（銀行預金は債権者と債務者の記録。貨幣は借用証書）。

▽安倍政権時代に政府が国民に一人当たり10万円支払う

安倍晋三首相は２０２０年４月17日、首相官邸で記者会見し、新型コロナウイルスの感染拡大に伴い、改正新型インフルエンザ等対策特別措置法に基づく「緊急事態宣言」の対象地域を全国に拡大したことを踏まえ、全国民に１人当たり10万円を一律給付すると正式に表明した。約１億２０００万人の国民に、どのように10万円が支給されたのだろうか。

①日本政府が市中銀行に国債を発行する。
②日本政府が市中銀行に国民の一人ひとりの口座に10万円の振り込みを指示する。
③市中銀行は国民の銀行預金口座に10万円の預金残高を増やす。
④日銀は政府が持つ日銀の当座預金残高から12兆円を減らし、市中銀行が日銀に持つ当座預金残高に

12兆円を増やす。

政府の財政支出は民間預金を創造し、貨幣供給量の増加をもたらしている。逆に、政府が債務を返済すれば、貨幣供給量は減少する。このように、政府の財政政策は貨幣供給量を操作することを意味することが分かる。

▽日銀は貨幣製造を儲かるビジネスに変えた

中央銀行に銀行券の独占的発行権を与えるとともに、不換紙幣の銀行券というイノベーションのおかげで、日銀は利子を稼げる国債に投資して貨幣製造を儲かるビジネスに変えている。

日銀は2021年4月2日、市中に出回る現金と金融機関が日銀に預ける当座預金を合わせたマネタリーベース（資金供給量）の2020年度末の残高が、前年度末比26・2％増の643兆6096億円だったと発表した。日銀の大規模な金融緩和を背景に、9年連続で過去最高を更新した。黒田東彦総裁が異次元緩和を始めた13年4月からの8年間で、約4・4倍に拡大した計算になる。

2020年度末残高の主な内訳は、銀行券（紙幣）が5・8％増の116兆117億円。日銀当座預金は32・2％増の522兆5703億円となり、初めて500兆円を突破した。

日銀は日銀当座預金残高を増やすことで、国債を大量購入し、経済の活性化という目標は達成できなかったが、日銀の金融資産を大幅に増やしている。

米国の経済学者が提唱したMMT（現代貨幣理論）は、日本の貨幣高権（Seigniorage）について分析したものであるとも言われており、日銀が市場から国債などの金融商品を大量に買い込んでもインフレにならないどころか、通貨発行益が政府に還元されていることを明らかにした。

日本銀行の第137回事業年度（令和3年度＝2021年度）決算書を見ると、総資産残高は、貸出金を中心に前年度末と比べ21兆6969億円増加（+3・0%）し、736兆2535億円となった。また、総負債残高は、預金（当座預金）を中心に前年度末と比べ21兆5304億円増加（+3・0%）し、731兆5511億円となった。

次に、負債の部をみると、当座預金が、新型コロナウイルス感染症対応金融支援特別オペ等を通じた資金供給により、563兆1784億円と前年度末を40兆6081億円上回った。この間、日本銀行券の発行残高は、119兆8707億円と前年度末を3兆8590億円上回った。

令和3年度の損益の状況についてみると、経常利益は、前年度比4421億円増益の2兆4185億円となった。これは、為替円安に伴い外国為替関係損益の益超幅が拡大したことや、金銭の信託（信託財産指数連動型上場投資信託）運用益が増加となったこと等によるものである。

特別損益は、「長短金利操作付き量的・質的金融緩和」の実施に伴って生じ得る収益の振幅を平準化する観点から、債券取引損失引当金の積立てを行ったほか、外国為替関係損益が益超となったことを受け、外国為替等取引損失引当金の積立てを行ったこと等から、マイナス7542億円となった。

以上の結果、税引前当期剰余金は、前年度比2113億円増加の1兆6643億円となり、法人税、住民税及び事業税を差し引いた後の当期剰余金は、前年度比1054億円増加の1兆3246億円となった。

剰余金の処分については、日本銀行法第53条第1項に基づき、法定準備金を662億円（当期剰余金の5％）積み立てたほか、同条第4項に基づき、財務大臣の認可を受け、配当金（500万円、払込出資金額の年5％の割合）を支払うこととし、この結果、残余の1兆2583億円を国庫に納付することとした。

保有有価証券の時価情報を見ると、国債は令和3年3月末で9兆4314億円の含み益がある。金銭信託（信託財産株式）は令和3年3月末で1兆1702億円の含み益。金銭の信託（信託財産指数連動型上場投資信託）は15兆4444億円の含み益がある。

日銀は企業法人でないので、これほど巨額の内部留保は必要ない。この約26兆円は財政資金としてすぐにでも使える金だ。日銀法、財政法の改正が必要ならば、国会で多数決で成立させればいい。企業の内部留保の巨額さも問題だが、日銀の内部留保も問題だ。しかもこの問題は利害関係者がいないことからすぐ解決できる。約26兆円を、貧困問題や少子化対策などに使うべきだ。

▽中央銀行デジタル通貨はマネーによる監視社会に導く道具

現代における通貨の機能について理解した上で、中央銀行デジタル通貨（CBDC）について考えてみよう。

CBDCは企業や国民の誰もが中央銀行に預金口座を開設しているのと同じで、CBDCを通じて国民が行うすべての取引が監視・管理されるようになる。購入する製品、商品、サービスだけでなく、お互いに行う取引でさえも、CBDCを管理する者に丸見えになる。あらゆるデータが収集され、分類されて行く。国民生活のあらゆる側面が暴露される可能性がある。

「相互運用性」によって各国のＣＢＤＣがネットワーク化される可能性があり、さらにそれが１つの集中的なグローバルＣＢＤＣ――イルミナティはＦＲＢを想定している――の管理システムに集約される可能性もある。世界各国ＣＢＤＣは国民各自のデジタルＩＤにリンクされ、ＣＢＤＣの電子マネーを管理するソフトウェア（ウォレット）を通じて、個々人の預金口座だけでなく保険、健康保険証、自動車免許証などのデータにもリンクされているため、個々人の行動範囲や歩き回る自由も監視することが出来る。

ＣＢＤＣの導入によって人類のグローバルな統治が国際金融資本家の手に委ねられることになる可能性がある。もとより、既存のデジタル決済システム、Visa、Mastercard、Discover、AMEXといった大手クレジットカード会社が利用者の情報を各国政府に通知すれば、現在でも多くの個人情報が政府に握られることになるが、ＣＢＤＣは各自のデジタルＩＤと一元的にリンクされていることから、いっそう簡単に国民監視が実現できることになる。

世界各国の中央銀行を一元化するために１９３０年に設立された国際決済銀行（ＢＩＳ）は、「ワンワールド・デジタルカレンシー」の準備を進めている、とも報じられている。

中国人民銀行（ＰＢｏＣ）は、ＣＢＤＣに有効期限をプログラミングすることを検討しているという。中国のＣＢＤＣユーザーは、発行されたデジタルマネーが期限切れで機能しなくなる前に使用しなければならず、結果として経済活動を刺激する材料となる。

各国のＣＢＤＣがネットワーク化され、１つに集約されたグローバルＣＢＤＣを自由主義世界の盟主を自称する米国を背後から操るイルミナティは、その座を狙う中国を叩き落とすことが避けられないとして、中国と戦略的パートナーシップの関係にあるロシアのプーチン大統領を排除するためウクライナ紛争を使った、と考えることも出来る。ウクライナを執拗に軍事支援するバイデン大統領はデジタルマネーの世界覇権をめぐる前哨戦を戦っており、バイデン政権の戦争推進政策も専制政治化していることを見逃してはならない。

▽デサンティス・フロリダ州知事、中央銀行デジタル通貨禁止法を作る

問題はすべての人が、CBDCをこれまで使用してきた通貨と同様に交換取引、信用取引の媒体としての価値を認めるかどうかだ。現金、金塊あるいは石油しか信用しない、という人が多数派であれば、イルミナティの指令に従順な日本やドイツ政府も導入できなくなる。

フロリダ州知事のロン・デサンティスは2023年3月26日、記者会見を開き、「Big Brother's Digital Dollar」と書かれた演壇に立ち、フロリダ州をCBDCのない州にする、と次のように宣言した。

「結局のところ、現金が王様なのです。つまり、手に持っていれば、それを支配する力があります。デジタル化された途端、誰か他の人がそれをコントロールすることになります。そしてそれは、あなたが自分の人生を生きるのを彼らが許すかどうかという問題になります。彼らはあなたがやりたいことをやらせないように決めてしまうかもしれません。カナダで既に起きたことを思い出してみてください。トラック運転手がコロナワクチン義務化に抗議したときのことを覚えていますか？　抗議者の

銀行口座の一部を、政府が差し押さえました。銀行口座が凍結された人もいました。

トラック運転手たちを助けようとするチャリティがありましたが、それが凍結されてしまいました。このように、現在の銀行や金融セクターの仕組みでも、政府が限度を超えて介入してきたのを目撃しました。中央銀行デジタル通貨のようなものを導入したら、どうなるか想像できますか？　この件に関して、私たちが先端にいることをうれしく思います。今、ワシントンで起こっていることのほとんどについて対抗するために、州が立ち上がることが本当に重要だと思います。

なぜなら、連邦政府はあなたの利益を一番に考えていないからです。連邦政府は自分たちの力を一番に考えています。連邦政府には、自分たちが進めたいアジェンダがあるのです。中央銀行デジタル通貨を禁止する法案を準備中であり、これは素晴らしい法案になると思います。私は、議会のリーダーたちと話をすることを楽しみにしています。この法案は実現するものだと思いますし、今年の後半に署名して法律として成立させることができるのを楽しみにしています。」

ロン・デサンティス知事は同年5月16日、連邦中央銀行の暗号通貨をフロリダで使用することを禁止する法案に署名した。

米国の政治リーダーが誰になるかが、この問題の行く末に大きくかかわってくることは間違いない。

他方、200超の国・地域の1万1千以上の金融機関などが海外送金のため利用するSWIFT(Society for Worldwide Interbank Financial Telecommunication)によると、貿易金融における世界通貨としての人民元のシェアは、2023年初めの3・9%から、9月には5・8%に上昇し、初めてユーロを上回った。貿易金融と決済分野における人民元の利用は主に、一帯一路構想に参加している国などに限定されていることから、ドルの占める割合は84・2％で、優位性には変わりない。ドルは変動相場制だが、中国人民元は事実上の固定相場制だ。金融派生商品を生み出し運用し、利ザヤを稼ぐグローバル金融資本主義の時代にあって、中国人民元を必要以上に保有したいという欲求がグローバル・サウスに広がるようには思えない。ユダヤ金融資本家に石油代金として稼いだ大量のドルの運用を任せているサウジアラビアやクウェート、アラブ首長国連邦などがドル離れする可能性は小さい。金融資産の運用をめぐる手練手管はユダヤ人が圧倒的に勝っているからだ。

中国人民元を大量に保有する中国の富豪も米国の中央銀行デジタル通貨を保有して、ユダヤの金融会社に運用を任せようとする動きを強めるだろう。それ故、世界統一通貨を画策するイルミナティは、中国の富豪を巻き込みながら中国共産党との全面対決を避けようと様々な画策を行うことになるだろう。

▽銃社会の米国のファッショ化には内戦の危険が

世界経済フォーラムの創設者であるクラウス・シュワブは、フォーラムに参加する各国政府首脳を自家薬籠中のものにしている、と考えている。シュワブは何年も計画していたCOVID-19によるパンデミックを、彼のコントロールで動く西側の各国首脳、例えば英国、エストニア、アイルランド、スイス、フランス、ドイツ、オーストリア、ノルウェー、デンマーク、フィンランドと共演するために、偽の情報の拡散やマスメディアを使っての心理操作で共謀した。大規模なパニックの目的は実験的なワクチン接種に同意させることだった。これらの国々は２０３０年アジェンダを順調に達成しており、いわゆる「持続可能な社会」に変貌を遂げていると、シュワブによって賞賛されている。

世界経済フォーラムは、情報とインターネットの流れにグローバルガバナンスを導入することを狙っており、そのためには、人間の尊厳の不可侵性と人類の自由を尊重するすべての人の口を永遠に閉ざすことが必要条件であることを知っている。

クラウス・シュワブは資本主義の在り方をグレート・リセットすることで、世界政府は樹立出来ると確信している。手始めにCOVID-19騒動を利用してみたが、彼らは今後も細菌兵器や世界的な規模のサイバー攻撃などを通じて、国家の枠組みをがたがたにしようとするだろう。しかし、強大な私的権力が世界を管理する一つのファシズム化に対して、米国内の保守派というよりも良識派が反対運動を起こし始めている。彼らはトランプ前大統領が言う「ディープステート」に対して、『法の裁きを受けさせる』という動きを活発化させている。

米国内に出回っている銃の数は、3億2000万の人口を超えると言われる。銃が各地に飛散した銃社会では、政治権力者が警察や軍などの暴力装置を独占できない状態が続いている。米国でファシズム体制をつくることは、万能に見えるイルミナティでも容易なことではない。内戦を覚悟しないとできないことだ。バイデン政権を支える民主党内には政治勢力の諸潮流が混在していることから、壊れやすい。バイデン大統領が国民の広範な支持を失ったとき、「ディープステート」の中心に位置するロックフェラー家など超富裕層の結束が乱れることも予想される。

国際金融資本家は欧米先進国の政、財、官、軍を金融力で絡めて、潜在的な世界の覇者「中国という黄色いゴリアテ（旧約聖書の「サムエル記」に登場する身長約2・9mもあるペリシテ人の巨人兵士）」と闘い、圧迫する道を執拗に追求するだろう。だが、まず米国内の反「ディープステート」を標榜する勢力を一掃できるのか。一戦を交えなければ、分からない。出来たとしてもロシア、インド、ブラジル、イランなど他国からの干渉を断固排除する革命的な指導者と愛国者（Revolutionary leader and patriot）たちが権力を占めている国もある。彼らが連帯する時代が来るかもしれない。国際金融資本家によるマネーに基づくグローバル支配の野望は、日本モデルの実態を見れば、実現する可能性があるように見える。ただいくつもの障害がある。金融資本主義体制がいつまで続くのかについても、見通すことは難しい。

あとがきに代えて――人間愛（HUMANITÄT）が地球を救う

▽伊藤博文らが作った「南梟団」が存続し、支配層として君臨

奥歯にものが挟まったような言い方ではあるが、トランプ大統領は、米国には大統領を超える権力が存在していることを公言した勇気ある大統領だった。トランプ氏が２０２４年11月の大統領選で再選されるかどうか分からないが、「奥の院」にいるフリーメーソンの最高位階のロスチャイルド家らで構成する秘密結社イルミナティは再選阻止に向けて、家来のホワイトハウス、国務省、財務省、司法省内の高級官僚のアシュケナージ・ユダヤ人をフル回転で使っている。

米国のマスメディアは朝から晩までトランプ叩きに余念がないが、米国有権者の大半が、米国はイルミナティの世界戦略の道具として使われていることに気付き始めている。トランプが大統領に再選されたとき、米国の内政、外交がバイデン時代と反対方向に向かって動き出すことは間違いないが、前にも書いた連邦準備制度理事会（ＦＲＢ）を解体するのかどうかが最大の焦点となる。解体されなければ、イルミナティによる米国支配は続くだろう。

東京・永田町の首相官邸の屋上に、梟《ふくろう》の像が４体置かれている。明治天皇が南朝系の人間であることから、明治天皇を頂点とする明治維新政府を主導した伊藤博文らイングリッシュ・フリーメーソン

は、自らの秘密結社の名前をフリーメーソンのシンボルである梟に因んで「南梟団《なんきゅうだん》」とした。現在もその組織が存続し、日本の支配層として君臨している、と言われている。

フリーメーソンは加入に際しての入社式（イニシエーション）を一切公開していない。誰が会員であるかは秘密事項ではないが、複雑な位階制度なども影響しているのか、会員が他者に漏らすことはない。フリーメーソンのメンバーの証として、石工組合の名残を想起させる小道具のミニチュアを持っている。

千円札の裏に描かれている山は富士山ではなく、シナイ半島にある、モーゼが神から十戒を授かったとされる場所、シナイ山であり、野口英世の目の中には「摂理の目」（1ドル紙幣の裏にあるピラミッドの上に描かれた目）がある、と言われる。東京・狸穴にアークヒルズという名前のビルがある。ここが日本のフリーメーソンのメンバーが集まるところだとも言われている。アークはホリー・アーク（モーゼの十戒が書かれた石板が納められた聖櫃を意味する）からとった言葉で、東京のど真ん中に日本にもフリーメーソンの組織があることを宣言しているようなものだ。このビルの最上階にアークヒルズクラブがある。アークヒルズクラブの会員になるためには現会員2名からの推薦を受け、入会審査委員会で承認が必要だ。

日本にはフリーメーソンという結社と別に、イルミナティの日本支部がある。メンバーは少ないが、相互に連携している。イルミナティの方が政治力で上位にあると言われている。

アークヒルズの所有者は森ビル（辻慎吾社長）。同社はオフィスビル開発で日本有数の不動産会社となった。グローバルビジネスセンター・虎ノ門ヒルズ、商業施設のラフォーレ原宿や表参道ヒルズ、麻布台ヒルズなど都内に多数のビルを所有している。創業者の森泰吉郎氏は横浜市立大学商学部で会計学を教える一方、GHQ（連合国軍最高司令官総司令部）の会計処理に携わったことから、米進駐軍とともに日本に上陸したチェース・マンハッタン銀行のロックフェラー氏から高度な会計能力を高く評価された。ロックフェラー家は森氏が六本木に土地を所有していたことから、そこを基盤としてビル建設の事業に乗り出すよう巨額の資本を投じている。現在に至っても、森ビルの資本金の大半はロックフェラー家である。

森泰吉郎氏は、米大使館を中心に半径2km以内に約40の森ビル群を建てている。主なテナントは外資系の企業で、危険が迫ったとき、ビルの屋上から米国大使館に逃げられるようにヘリポートが設けられていた。1960年1月、日米安保条約をめぐる対立で社会党から分かれて民主社会党として西尾末広氏が中央執行委員長（党首）、曽祢益氏が書記長に就任して結成された民主社会党本部（後に民社党）も、東京・虎ノ門の第4森ビルに本部を置いている。民社党が社会党の「反米」路線から決別し、「親米」の自民党補完勢力となったのは米国の金融資本家の働き掛けがあった、と言われている。

▽**麻生太郎元首相もフリーメーソンのメンバーか**

アークヒルズクラブには金融資産1000億円以上の日本の超リッチマン約1000ファミリーの大半がメンバーとなっていると見られている。彼らが日本のエスタブリッシュメント（支配階級）であり、イルミナティ日本支部と気脈を通じながら彼らの利益を追求しているのは間違いない。「自民党の首相は吉田茂、岸信介、安倍晋三らイルミナティの言いなりになる連中が就任しており、田中角栄のように逆らう人は潰される」（元自民党衆院議員のH氏）。

日本イルミナティのボスの一人が、森ビル会長の森稔（1934〜2012）と見られていた。森氏が運営する森ビル・アカデミーヒルズの理事長には郵政民営化を実現した竹中平蔵氏が就任しており、竹中氏らはイルミナティからの命令を財務省、外務省、総務省などに指示している。財務省と外務省は指示に従って動く。間接統治が貫徹している。

恐らく祖父の吉田茂首相の縁で、フリーメーソンのメンバーになったとみられる麻生太郎元首相の娘彩子が、フレンチ・ロスチャイルドのフレデリック・デホンと結婚している。フレデリック・デホンは２０１８年6月から Inventec Performance Chemicals で勤務を始め、２０２２年1月からは同社のＣＥＯを務めている。Inventec Performance Chemicals は、自動車、航空宇宙、半導体、エネルギー、医療向けの電子機器の部品材料を製造する会社で、フランス、スイス、アメリカ、メキシコ、マレーシア、中国などに拠点を持つ大企業だ。

デホン・グループが大株主となっているフランスの水道サービス大手にヴェオリア・エンバイロメントがある。ヴェオリア・エンバイロメントは日本にも水道民営化後に参入してきている。水道民営化をスタートさせたのは麻生内閣である。仏ヴェオリアの日本法人会長である野田由美子氏が２０２３年2月6日、外資系企業からは初の経団連副会長候補に決まった。

デホン・グループの傘下にホルシム（スイス・ザンクト・ガレン州・Rapperswil-Jona に本拠を置き、世界90カ国以上でセメント、骨材、コンクリート等の製造・販売を行う企業）があり、そのグループ内にラファージュという会社がある。麻生グループは、グループの中核であるセメント事業について、２００１年に世界最大手のセメント会社である仏ラファージュ社と合弁会社を設立し、グローバルな営業活動で収益構造を改善している。麻生太郎氏は次期衆院選で引退し、長男に地盤を譲り、自らはイルミナティ日本支部のボスとして君臨し、国際金融資本家と日本政界とのつなぎ役として振る舞うのでは、と推量される。

▽新型コロナウイルスという「バイオテロ」

２０２０年初めから、日本でも新型コロナウイルスという細菌兵器を使った〝戦争〟（バイオテロ）が展開され、イルミナティの傘下にある米国のファイザー社などが開発した新型コロナウイルスに対するワクチン接種が、安倍政権下で厚生労働省が主導する形で積極的に推進された。日本の政治が彼らの手玉に取られていることを浮き彫りにさせる歴史的な事象である。

元ファイザー副社長兼最高科学責任者のマイク・イェードン博士は２０２１年３月25日、America's Frontline Doctors（ＡＦＬＤＳ）のインタビューの中で、「必要がないにもかかわらず、製薬会社で作られ、規制当局が傍観している（安全性のテストが行われていない）ことから、邪悪な目的のために利用されるのではないかと推測することができます」「例えば、誰かが今後数年間で世界の人口の大部分を傷つけたり殺したりしたいと考えた場合、現在導入されているシステムでそれが可能になります」「大規模な人口削減に利用される可能性は十分にあると私は考えています」と述べ、新型コロナウイルスとワクチンは、言わば表裏一体の細菌兵器である可能性を示唆している。

▽ワクチン接種に伴う死の増加

欧米諸国の政府はＷＨＯ（世界保健機関）のパンデミック宣言に従って、警察権力や監視システムを通じて、人口減少と世界統制の計画に取り組んでいる。それは新型コロナワクチン関連死と思われる２０２２年の日本や西欧諸国の超過死亡率を見れば明らかだ。

２０２３年２月28日の厚生労働省の人口動態統計（速報値）によると、２０２２年１〜12月速報の累計で、出生数は79万９７２８人で過去最少（対前年４万３１６９人減少、△５・１％）、死亡数は１５８万２０３３人で過去最多（同12万９７４４人増加、＋８・９％）、自然増減数は78万２３０５人で過去最大の減少（同17万２９１３人減少）である。

年間出生数79万９７２８人は、１８９９年の統計開始以来、初めて80万人を割り込み、過去最少となった。国立社会保障・人口問題研究所が２０１７年に公表した将来推計人口では、出生数が80万人を下回るのは２０３０年と見込んでいた。自然増減数を見ると、２０１９年：51・６万人、２０２０年：53・２万人、２０２１年：61・９万人、２０２２年：78・３万人と、２０２１年以降に自然減が急激に拡大していることが分かる。

２０２０年と２０２１年の違いは新型コロナワクチン接種の有無である。自然減急増の原因は新型コロナワクチン接種に伴う死ではないか、との見方が強まっている。

２０２２年12月の死亡数増加は前年比12万９７４４人。11月までの累計を年率換算した死亡者数増加は11万５１６４人だった。12月に死亡者増加が一気に加速したことが分かる。２０２３年の死亡者総数がさらに拡大していれば、増加の原因に新型コロナワクチン接種が影響していることが分かるだろう。

新型コロナ騒動の狙いは、訳の分からぬワクチン接種を世界の一人も残さずに強要したことだ。世界でもっともワクチン接種を国民に強要したのは日本だ。人口100人当たりの接種回数は日本が310回で世界第一位。米国は204回、インドは156回である。

米国は、フロリダ州知事のロン・デサンティスら共和党の知事や新型コロナワクチンの危険性を訴える医師が多くいて、ワクチン接種に反対したことで、コロナ感染による死亡者は100万人以上だったが、新型コロナワクチンの副作用の死者は抑えられたように思える。それでも米国での新型コロナワクチン接種による死亡者総数は約27万人と推定されている。

日本のマスメディアは厚生労働省の宣伝機関となって、ファイザーやモデルナ社製のワクチン推奨のニュースを発信した。日本の医療が世界の大手の製薬会社の巨大マネーに依存する構図がある以上やむを得ない面もあるが、マスメディアはロン・デサンティス知事らがワクチン接種に強く反対していることも併せて報じる役割があったはずなのに、戦前にあった「大政翼賛会」ように政府の広報機関に成り下がっている。2022年4月13日、財務省所管の財政制度等審議会の部会に報告された資料によると、コロナ医薬関連支出は16兆円に達している。

▽人類は5億人以下を維持する

「MAINTAIN HUMANITY UNDER 500,000,000, IN PERPETUAL BALANCE WITH NATURE」（大自然と永遠に共存し、人類は5億人以下を維持する）と、具体的に数字を挙げて人口削減の構想をぶち上げたモニュメントが1978年頃、アメリカのジョージア州エルバートンに建設された。「ジョージアのガイドストーン」と呼ばれ、世界的観光名所になったが、2022年7月6日未明、何者かの手によって爆破され、4柱のうち1柱が倒壊。時間差攻撃で爆弾が仕掛けられている可能性を考慮して、残りのモニュメントもその日のうちに解体された。

ガイドストーンは巨大な花崗岩の石板で出来ていた。これらの石板上に英語、スペイン語、スワヒリ語、ヒンディー語、ヘブライ語、アラビア語、中国語、ロシア語でモーゼの「十戒」をまねた指針が刻まれていた。その第一の指針が上に書いた「人類は5億人以下を維持する」である。

一体誰が書いたのか分からないが、新世界秩序（NWO）を訴え続けているグローバリストのエリートたちではないか、と見られていた。

5億人の地球は世界経済フォーラムのクラウス・シュワブ会長から見れば、実現可能な世界なのだろう。AI（人工知能）とロボットの進歩で工場労働者は必要なくなる。ロボットは酷使しても文句を言わない。交通費も、家族手当も、健康保険も、住宅手当も、厚生施設も、年金も不要なのだ。人口が大幅に削減されれば、民族紛争はなくなる。戦争の原因である領土や資源をめぐる争いもなくなる。CO_2削減問題や海洋汚染、海洋資源の乱獲、熱帯雨林の過剰な伐採問題もなくなり、自然と人間の調和が保たれることは間違いない。

WEFの「グレート・リセット」は、政府間の意思決定から、マルチステークホルダー・ガバナンス（多種多様な企業系の利害関係者が対等な立場で参加し、協働して課題解決にあたる合意形成の枠組み）のシステムへと移行することで実現される、とシュワブ会長らグローバル・エリートは踏んでいるようだ。国民が投票して政府を決めるという民主主義の形をとって、その政府が条約を交渉し、国会が条約を批准するというモデルから、「ステークホルダー」（企業利益関係者）のグループが民主主義の政府に代わって決定するというモデルに代えようとの案が検討されている。

多国籍企業の「利害関係者」が、各国の政府になり替わってそれぞれの国民の経済活動、生活を事実上決めて行く制度にしようとするWEFのイデオロギーがまかり通れば、人類の未来は彼らの思い通りになる可能性は排除できないだろう。「人類は5億人以下を維持する」という人口削減目標もあながち「はったり」だとは思えなくなる。

WEFが民主主義をないがしろにするような政治への移行をアピールしていることに対して、欧米の民主主義国の政府から批判が出ていない。それを不思議に思うと同時に、今回の新型コロナウイルスのパンデミック騒動に対しての各国の対応を見ると、日本はもとより米国、英国、カナダ、フランス、ドイツなど欧米諸国の政府はファイザーやモデルナ製のワクチン接種に血眼になった。ワクチンが有効なのか、体に害毒を与えるのではないか、ということを検証せずに、WHOの勧告に従って、結果的に国際金融資本家が大株主の製薬会社に大儲けさせている。既に超国家的政府のマルチステークホルダー・ガバナンスが登場して、新しい形の政治を実践している、と言っても過言でないのだ。

▽ユダヤ人の世界支配の可能性は？

グレート・リセットを推進するクラウス・シュワブは、「世界は後戻りできない」と自信満々で言っている。イルミナティは世界政府を作り、通貨は米ドルのデジタル通貨で一元的に国際決済する。

人口削減政策を推進し、その道具として戦争や新型コロナウイルスなどのバイオ兵器、気候変動対策、脱炭素などを使う。NATOと日米安保体制をつないで、ロシアと中国を封じ込めるためNATOと日本、韓国、オーストラリア、ニュージーランドなどの政権を自家薬籠中のものにしている。

このように、イルミナティの最高幹部を占めるユダヤ人の世界支配はもう一歩のところまで来ているように見えるが、失敗に終わるかもしれない。それは何故か。それは、亡命ユダヤ人のアイシュタインの発案を受けてオランダ系ユダヤ人のルーズベルト大統領が、オッペンハイマーらニューヨークのマンハッタンに住むユダヤ人科学者に原爆を開発、製造させ、ルーズベルトの後継者のユダヤ系金融資本家に操られたトルーマン大統領（父親がユダヤ系といわれる）が、広島・長崎にそれを投下したためだ。

たった一発の原爆投下で、広島では約20万人、長崎では約10万人の命が奪われたばかりでなく、家も学校も病院も街もすべて燃え尽きてしまった。この惨状を見て恐怖にとらわれたのはソ連のスターリンだ。世界の覇者を目指す米国は第二次世界大戦後、次の敵としてソビエト連邦を選んでいた。世界統一への道は世界征服戦争に勝利する以外にない、そのためにはソ連を軍事力で崩壊させなければならない、との考えから、ソ連との核戦争の準備に入った。

米国の意図を察知したスターリンは、自らの科学技術を使って原爆開発に取り組んだが、1949年にソ連が原爆保有国になったのは、米国からの機密情報漏洩があったからだ、と言われている。

ソ連の原爆製造を成功に導いた機密情報で重要なものだったと言われているのが、1950年にスパイ容疑で逮捕されたドイツ出身の核科学者クラウス・フックスがソ連に渡したものだ。だがそれ以上に有名になったのが、米国のユダヤ人、ジュリアス・ローゼンバーグ、エセル・グリーングラス・ローゼンバーグ夫妻の事件だ。夫妻はロスアラモスの原爆工場で働いていたエセルの実弟であるデイヴィッド・グリーングラスから原爆の威力について聞き、米国だけが原爆を保有し、勝手に使用して世界支配することになれば全人類の虐殺につながる、と強い危機感を抱き、デイヴィッド・グリーングラスから受け取った原爆製造などの機密情報をソ連に提供した。

1953年6月19日、ローゼンバーグ夫妻が国家反逆罪となり死刑が執行された事件は、世界に衝撃を与えた。自白すれば減刑する、との司法当局からの誘いも断って夫妻は電気椅子に座った。ソ連のフルシチョフ書記長は晩年、同夫妻の情報が有効だったと述懐している。エセルを、赤十字社を創設したアンリ・デュナンになぞらえる人もいる。

ソ連に続いて中国、フランス、インドやパキスタン、イスラエル、朝鮮民主主義人民共和国（北朝鮮）が核兵器を開発、保有して核戦争に備えている。英国は米国から潜水艦発射型弾道ミサイル（SLBM）を有償で提供されている。

ユダヤ人は核を保有する国は米国だけ、という前提で核兵器を開発し、核の先制使用で敵対する国々を降伏させて、世界を統一することを構想した。しかし、どっこい、そうは問屋が卸さなかった。核兵器保有国が世界に広がり、ロシア・ウクライナ戦争では、プーチン大統領による「我が国の領土保全が脅かされた場合、ロシアおよび国民を守るために、当然我々は利用可能なすべての武器システムを使用する。これははったりではない」と核による威嚇をフルに使った。ロシアの核による威嚇に対して、バイデン大統領は核超大国らしい力を発揮できていない。ウクライナからロシア軍を追い出すことさえ出来なかったばかりか、米国の軍事力の底の浅さも見せつけた。
ロシアをせん滅させるためには北半球に「核の冬」の到来はやむを得ない、とイルミナティが腹を決めているようには思えない。

▽ヤハウェイはユダヤ教の神、普遍的な神ではない

第二次世界大戦におけるヒトラーによるユダヤ人の大量虐殺の結果、イスラエルが誕生した。米国のキリスト教原理主義はイスラエルを支持している。キリスト教原理主義も旧約聖書を信仰の対象としている。イスラム教は旧約聖書にルーツがある。ユダヤ教の聖地と共通しているところがある。ところがイスラム教徒はユダヤから排除されている。パレスチナ自治区のヨルダン川西岸の都市ヘブロンにマクペラの洞穴がある。アブラハム、サラ、イサク、リベカ、ヤコブ、レアの六人の墓がある。同史跡はユダヤ教徒やキリスト教だけでなく、イスラム教徒からも「アブラハムのモスク」と神聖視されている。イスラム教徒は、ユダヤ教が共通の聖地を分取っている、と考えている。これが世界的混乱の元凶だ。

ヤハウェイはユダヤ教の神。普遍的な神ではない。「約束の土地」も普遍的な神でないものを基にした考え方で普遍性はない。普遍的な正義でもない。パレスチナ人の生命、基本的人権を武力で脅かすイスラエルのユダヤ人の横暴な態度を欧米諸国は見て見ぬ振りだ。パレスチナ問題を解決せずに、「テロ撲滅」はナンセンスな話なのだ。

欧米では「神」といえば、「キリスト」ということになっている。人は本来、その原罪ゆえに滅び

なくてはいけないが、「イエス・キリストが人の罪のために死なれ、墓に葬られ、3日目に蘇られた」ことで救われた、という教えを信仰している。しかし、キリストの復活を信じているか、と言えば、90％の人は信じていない。

神はキリストという具体的なイメージを持つが、スコラ哲学が神の存在証明のために難解な理論を構築した。

キリスト教の草創期は、キリストは神の子として認められた。中世になると、キリストは人間なのか、神なのかをめぐる議論が起こり、「神であると同時に人間だ」「神というのは人間でない」「キリストは人間でない」「神は永遠であり、人間のような始まりであってはならない」などの意見が出た。「神」という概念は最初からはっきりしたものではない。神は人間が思考で作り上げたものだ。それ故に普遍性を持っている。具体的なキリストは生身のものではなく、普遍的性格を帯びている、形而上学的概念だ、との考え方も生まれている。

▽ナショナルな感情を持つことは普遍的だが、ナショナリズムは個別的

ナショナリズム（民族主義）は普遍的なものではない。ナショナルな感情はどこのネーション（民族）も持っている。ナショナルな感情を持つことは普遍的だが、アメリカ人やロシア人のナショナリズムも日本人のナショナリズムも個別的だ。

日本人としてのナショナルな感情が誰にもあることは否定出来ない。旧日本海軍の真珠湾攻撃に際し、多くの文化人が軍艦マーチを聞いて奮い立った、と言われているが、それも頷ける。ナショナル

な感情が普遍的なもの、と思い込む人たちがいる。戦前、戦後の右翼だ。先の大戦で「八紘一宇」（全世界を一つにすること。大東亜戦争で日本軍が海外進出することを正当化するために使ったスローガン）といった誤った世界観を他国の人々に押しつけている。日本人がナショナリズムの機微を十分理解していない証拠だともいえる。

ナショナリズムの内実とは例えば、2023年3月のワールド・ベースボール・クラシックで大谷翔平選手らの大活躍で日本チームが優勝するのを見ると、日本人の誰もが「日本」を熱く応援する、そのようなことだ。理屈ではない。身内のものに共感を持つという、ごく自然な感情だ。家族同士でも、家族内で揉め事をしているとき、他人から家族の悪口をいわれると、揉めていた事を忘れて結束する。これもごく自然な感情なのだ。

何らかの形でまとまる基盤を持つものは、外敵に共同して身を守る本能的な動きをする。ナショナリズムの根源はまさにそういうものだ、としか考えようがない。

ナショナリズムの心理構造はいろいろな形で現れる。大きくは一つの国という形で現れる。小さく分割した形でも現れる。人間社会でナショナリズムの心理が現れるのは、最小単位が夫婦や家族だ。

天皇制とナショナリズムについて言えば、日本人としてのナショナルな感情の裏付けとして、国家の権威を象徴する天皇が存在する安心感が大きく影響している。天皇制をシステムとして作っているのは世界で日本だけだ（象徴天皇制が憲法に規定された法制度としてどのように運用されているかについては、私の著書『象徴天皇制は誰がつくったか』を参照してほしい）。

天皇制に対する批判もあるが、それは戦前、軍部が昭和天皇を政治的に利用したことに対する批判であり、天皇制を政治的に利用した人に対する批判の矛先が昭和天皇にそのまま向けられたものではなかった。昭和天皇自身が政治的な指導力を持っていたわけではないし、昭和天皇はヒトラーのようなルンペンイデオロギーで世界を支配しようとした人間ではない。

天皇は日本人のナショナルな感情の対象の象徴化として問題ない。ただ、日本人の感情が支える天皇の象徴性の意味を普遍化しようとする考えは危険だ、ということを明確に認識する必要がある。つまり、ナショナルな感情は普遍性を持たないことを明確に認識することが重要だ。

▽**領土問題の解決にはナショナリズムの尊重が基本**

ナショナリズムが政府の高度な政治行為（例えば日米安全保障条約を締結するか否か）に大きく影響を与える。それ故、領土問題の解決の仕方如何によってナショナリズムは傷つけられたり、自暴自棄的な感情に走ったりして根本が揺らいだりする。日本にとっての領土問題は、戦後70有余年経過してもロシアとの国境線をどこに引くかが決まらない北方領土問題、韓国に不法に占領された竹島問題、中国との間では尖閣諸島の領有権問題（日本は「尖閣諸島は日本固有の領土」と言うが、中国も台湾も日本の言い分を承認していない）が残されている。

1972年の日中国交正常化交渉で尖閣列島の領有権をめぐり日本政府は、尖閣列島はサンフランシスコ平和条約第3条〈日本国は、北緯二十九度以南の南西諸島（琉球諸島及び大東諸島を含む。）嬬婦岩の南の南方諸島（小笠原群島、西之島及び火山列島を含む。）並びに沖の鳥島及び南鳥島を、合衆国を唯一の施政権者とする信託統治制度の下におくこととする国際連合に対する合衆国のいかなる提案にも同意する。〉に基づき、米国に施政権を渡した地域の中に含まれている、と認識している。それ故、尖閣列島は台湾や澎湖諸島など日本がサンフランシスコ平和条約第2条b（日本国は、台湾及び澎湖諸島に対するすべての権利、権原及び請求権を放棄する）で放棄した地域とは関係がない。尖閣列島は沖縄の一部として、アメリカの施政権が終了すると沖縄返還協定によって日本の施政権下に戻っている。これが尖閣の地位だ。日本が放棄した台湾及び澎湖島については、サンフランシスコ平和条約第2条bで、日本の放棄は最終的に確定している。しかし、サンフランシスコ平和条約の相手側である連合国が台湾及び澎湖島の帰属先を決定することができないでいる。帰属問題については、日本政府はすべての権利、権原、請求権を放棄した関係上、独自の認定を行う立場になく、発言権もない。

中華人民共和国は、日本が放棄した台湾及び澎湖島は中国の一部であり、尖閣列島もその中に含まれている、と主張する。日本政府はその立場を理解し、尊重するとの態度をとったことから、日中共同声明は日本政府としては「ポツダム宣言第8項に基づく立場を堅持する」としたわけだ。

ポツダム宣言第8項は「カイロ宣言の条項は履行されるべきであり、又日本国の主権は本州、北海道、九州及び四国ならびに『我々の決定する諸小島』に限られなければならない」と規定している。「吾等ノ決定スル諸小島」というのが、サンフランシスコ平和条約で決定されたところであるわけで、日中共同宣言で言う「ポツダム宣言第8項に基づく立場を堅持する」ということは、「『カイロ宣言』の条項は履行せらるべく」と書いてあり、カイロ宣言では「台湾及澎湖島の如き日本国が中国人より盗取したる一切の地域を中華民国に返還することに在り」となっているので、わが国は台湾の法的な地位を云々する立場にはないが、このカイロ宣言の趣旨に従って台湾及び澎湖島が中国に返還せらるべきものであるというふうに考えている、と共同声明で明らかにすることで、尖閣列島は「台湾及び澎湖諸島」の中に含まれる、とする立場を採る中国側との妥協を図った、というのが日本政府の説明である。つまり領有権問題は決まらなかったのだ。

日本政府が尖閣列島の領有権を日本が保有する根拠にするサンフランシスコ平和条約第3条に基づき、米国が沖縄を占領したとき尖閣列島も含まれていた、という主張について、米国は①尖閣の領有権について、米国はいずれの国の側にも立たない、②尖閣は日米安保条約5条の適用範囲である——とのスタンスだ。沖縄が返還されたとき、米国が尖閣の領有権についても、日本の領有を明示していれば、日本の主張は肯定されたものになった。しかし、米国は尖閣の領有権については、日本の領有を表明していない。そうではなくて米国は尖閣を係争地と認定している。米国は中国の領有権主張を認識したうえで、尖閣の領有権については日本帰属を明確にしていないのである。米国を操るイルミナティの指示に従って、大統領以下の政府の現場が相も変わらず狡猾な〝二枚舌〟外交で紛争の種を蒔いている。

日米安保条約第5条とは「各締約国は、日本国の施政の下にある領域における、いずれか一方に対する武力攻撃が、自国の平和及び安全を危うくするものであることを認め、自国の憲法上の規定及び手続に従って共通の危険に対処するように行動することを宣言する」というものだ。5条が言う「自国の憲法上の規定及び手続に従って共通の危険に対処するように行動する」とはどういう意味なのか、米国は明確にしていない。

日中両国の法理、主張がすべて一致して共同声明は発出されたわけではなく、とりわけ尖閣列島領有権問題は両国のナショナリズムを刺激するデリケートな問題であることから、田中角栄首相と周恩来首相は「棚上げ」にしている。日中正常化交渉の準備をした日本と中国の外務官僚は両国の言い分を共同声明に書いたに過ぎない。田中角栄首相と周恩来首相が首脳外交で「棚上げ」にしていることを重視すべきだ。1972年10月2日付の東京新聞朝刊の一面トップか、同日付の日本経済新聞の2面を読んでほしい。私が共同通信政治部の駆け出し記者時代に田中角栄首相の番記者（death watcher＝内閣総理大臣の死の目撃者）として田中首相から直接聞いた「棚上げ」に関するスクープが掲載されている。両首脳は領土問題よりも外交関係の正常化を優先させたことが窺える。

沖縄県にある米軍基地の固定化も米軍による事実上の占領と受け止める人が多くおり、未解決の領土問題とも言え、日本民族のナショナルな感情を刺激している。

鳩山一郎首相以来、幾人もの首相が領土問題に取り組んできたが、相手国民のナショナリズムも絡んでいる。特に北方領土問題は1945年2月4日から2月11日にかけて行われたヤルタ会談でイギリスのチャーチル首相、米国のルーズベルト大統領がソビエト連邦のスターリン首相に対日参戦と引き換えに「千島列島はソビエト連邦に引き渡される」のを認めたことで、日本が「歯舞、色丹、国後、択捉4島は日本の固有の領土。戦争で奪った土地ではない」と返還要求しても、交渉は全く前進していない。イルミナティは紛争の種をまく仕掛け人であることを認識しておかなければならない。日露の二国間の歴史的事案として北方領土問題を考えていく限り、外交的な解決のための処方箋は見つからない。

ロシア・ウクライナ紛争が終結してから、中国が疑心暗鬼を生じないよう、ロシアのシベリア開発と北海道の経済力の高揚が上手に折り合っていくように、日本が高度な技術力を使ってシベリアでのインフラ整備などに貢献して友好関係を修復する中で解決策を見出して行くことが期待されよう。

▽世界市民が人間主義、愛国経済学、高貴なる民族主義で対話

私の恩師であるドイツ文学者の森川俊夫一橋大学教授（1930～2018）は、宗教が複雑に絡む人間社会の在り方について次のように語った。

「『sozial（social）』という言葉には『人間の関係』という意味がある。『human』も『人間の関係』という意味がある。どちらも同じように人間を大事にするという考えである。sozial は『関係』に力点が置かれており、human は『人間』それ自体に力点が置かれた言葉だ。社会政策は人間の尊厳を尊重する、という基本思想が欠けていれば、意味がない。この概念は唯物論的なものでなく、社会的な関心に根差す社会思想が根底にある。神を冒涜する考えではない。人間存在を思想や行動の基盤に据えて考えるという立場だ。神を人間存在の根底に据えて考えるのが唯心論だ。人間の尊厳を思想の根底に置くという立場に立つ限り、精神的なものでない。拝金主義は唯物論に毒されたものだ。人間の存在の根源は金でも物でもない。理想を捨てて、平和主義では食っていけない、正義だけでは食っていけない、正義を捨てて、金を儲ける、では行き詰まる。

Sozialism は社会主義と日本語に翻訳されているが、本来は『人間主義』と訳すべきだった。社会福祉という概念は、人間の尊厳をメインに据えたもので、人間存在を大事にする考え方だ。背景には

ヒューマニズムの思想がある。社民思想はこうしたヒューマニズムと深く結びついて生まれたものだ。人間の尊厳を大事にする意識を植え付ける、利潤一辺倒ではない考え方を教育することが求められている。

米国は社会主義を敵視し、民主主義者を標榜しているが、民主主義の最大の受益者は金融資本家階級であり、そのおこぼれに与かるのがブルジョアジーである。資本主義が生み出した最大の鬼子がファッシズムだ。社会主義は民主主義から生まれる。ソ連の共産主義を社会主義と考えること自体が間違いだ」

「社会主義は人間の尊厳の不可侵性をわきまえない限り、だめになる。ソ連の間違いは個人崇拝をやったことだ。個人崇拝は別格の人間を作る。他の人間を貶める。それを言い出したら、社会はだめになる。北朝鮮も社会主義と呼べる代物ではない。

人間性は置かれた条件次第で善にも悪にもなる。善も悪魔もある。どちらかに決め付けるのではなく、こうした両面を持つものとして人間の内面世界全体を踏まえて、ネガティブなものが出てくることがないようにしようと考えるのが HUMANISMUS（人間主義、英語で HUMANISM）である。これが人間の努力目標だ」

高度な金融資本主義がグローバルな形で発達し、格差と憎悪と不信が渦巻く21世紀を打開するためには、森川俊夫氏が説くように人間社会の基本哲学を人間愛（HUMANITÄT、ドイツ語）に置くことが大事だ。それが第一だ。世界各国の普通の市民が地方自治体の最小単位であるフランス風に言えばコミューン（commune）の活性化を基本に国の資金と資源を活用させ、そこでの豊かな生活を享受できるようにする。そのために必要な法律や制度を改正する。相互扶助システムの導入も重要だ。

それらはグローバル経済の否定につながるが、私が主唱する「愛国経済学」は経済合理主義を優先させる思考を改めて、自国民が豊かに暮らせることを第一義的に考えるべきだ、というものだ。そのためには労働者が組合を作り、幅広く連帯して賃上げなどの労働条件の向上に努力する運動は欠かせない。そして、それぞれの国のナショナルな感情を尊重し合う「高貴なる民族主義」を自然に受け止める気風を持つことを学ぶ場を作らないといけない。世界市民が自分の国の平和と安寧に自信と誇りを持って対話することで、互いに古き昔からの友人であるかのような関係を持つことが可能となり、誰もが自己実現のための生を全うできるだろう。

参考文献

四王天延孝『ユダヤ思想及運動』内外書房、１９４１年7月15日
アーサー・ケストラー『ユダヤ人とは誰か』三交社、１９９０年5月1日
ダビッド・ベン・グリオン『ユダヤ人はなぜ国を創ったか――イスラエル国家誕生の記録』サイマル出版会、１９８６年7月1日
ヴェルナー・マーザー『ヒトラー』紀伊国屋書店、１９６９年1月31日
セバスチャン・ハフナー『ヒトラーとは何か』草思社、１９７９年5月21日
エドマンド・デ・ロスチャイルド『ロスチャイルド自伝』中央公論新社、１９９９年10月10日
綾部恒雄監修・編『クラブが創った国アメリカ』２００５年4月15日
ハーラン・ウルマン『アメリカはなぜ戦争に負け続けたのか』中央公論新社、２０１９年8月10日
久保綾三、原野人『核問題入門』十月社、１９８２年3月5日
アルチュール・コント『ヤルタ会談　世界の分割』サイマル出版会、１９８６年3月
E・M・ジョセフソン『ロックフェラーがアメリカ経済をダメにした』徳間書店、１９８９年10月31日
的場徳三『ソ連とはどういう国か』小川町企画出版部発行、新読書社発売、１９８４年7月1日
高辻正巳『回想の公務員人生』ぎょうせい、１９９６年1月19日

エンツェンスベルガー『政治と犯罪』晶文選書、1966年8月1日
馬野周二『アメリカ帝国の大謀略』徳間書店、1982年12月31日
馬野周二『嵌められた日本』プレジデント社、1989年6月10日
中村祐悦『白団（パイダン）――台湾軍をつくった日本軍将校たち』芙蓉書房出版、1995年6月
高橋庄五郎『尖閣列島ノート』青年出版社、1979年10月15日
臼井貞夫『法と政治のはざまで――素顔の議員立法』花伝社、2007年12月
亀井久興『Never Forgive selling off Japan 許すまじ！日本売却』リリーフ・システムズ、2020年4月30日
G・W・Fハルガルテン『独裁者』岩波書店、1967年9月11日
中村明『戦後政治にゆれた憲法九条第3版』西海出版社、2009年4月

中村 明（なかむら・あきら）
1945年9月生まれ。東京都立小山台高校、一橋大学社会学部卒業。1970年4月、共同通信社に入り、政治部で首相官邸、労働、外務など各省、自民、社会、共産など各党を取材、1992年政治部次長兼編集委員。「官僚と政治」「権力のブラックホール」「支配知の崩壊と再編」「個別的自衛権固めた歴史」など企画記事を執筆。中央経済社の「旬刊経理情報」に政治コラム「永田町通信」を連載。宇都宮支局長を経て、編集委員兼論説委員。2002年9月退職。2000年4月から5年間、東海大学文学部心理・社会学科講師。著書に『戦後政治にゆれた憲法九条――内閣法制局の自信と強さ』第3版増補改訂（西海出版社、第1版と第2版は中央経済社）、『象徴天皇制は誰がつくったか』（中央経済社）、『技癢の民――日本人のアイデンティティー』（西海出版社）。

カバー写真：山藤祐治

世界覇権と日本の現実
――日本の“宗主国”アメリカを操る秘密結社、イルミナティの筋書き

2024年3月25日　初版第1刷発行

著者 ――― 中村　明
発行者 ―― 平田　勝
発行 ――― 花伝社
発売 ――― 共栄書房
〒101-0065　東京都千代田区西神田2-5-11出版輸送ビル2F
電話　03-3263-3813
FAX　03-3239-8272
E-mail　info@kadensha.net
URL　https://www.kadensha.net
振替 ――― 00140-6-59661
装幀 ――― 黒瀬章夫（ナカグログラフ）
印刷・製本 ― 中央精版印刷株式会社

7634-2109-8 C0036